IJZIGE STILTE

Van Wulf Dorn verscheen eerder:

Trigger

Wulf Dorn

IJzige stilte

VAN HOLKEMA & WARENDORF

Uitgeverij Unieboek | Het Spectrum bv, Houten – Antwerpen

Oorspronkelijke titel: *Kalte Stille*
Vertaling: David Orthel
Omslagontwerp: Johannes Wiebel, punchdesign
Omslagbeeld: HildenDesign
Opmaak: ZetSpiegel, Best

ISBN 978 90 475 1748 1 | NUR 332

© 2010 by WIlhelm Heyne Verlag, a division of Verlagsgruppe
Random House GmbH, München, Germany
© 2011 Nederlandstalige uitgave:
Uitgeverij Unieboek | Het Spectrum bv, Houten – Antwerpen
Oorspronkelijke uitgave: Wilhelm Heyne Verlag, München
This book was negotiated through AVA international GmbH,
Germany (www.ava-international-de).

www.wulfdorn.de
www.unieboekspectrum.nl

Van Holkema & Warendorf maakt deel uit van
Uitgeverij Unieboek | Het Spectrum bv,
Postbus 97, 3990 DB Houten

Voor Harrison, Snoopy, Sumi, Beh-ton
en de rest van de club.

Voor degenen die we waren
en degenen die we zijn.

En voor de mensenmassa's
die worden samengebracht door het bezoek aan een bioscoop
die eigenlijk niet meer bestaat.

'Gelukkig is hij die de oorzaken
van de dingen heeft leren kennen!'

– Virgilius

'And the vision that was planted in my brain
still remains within the sound of silence.'

– *The Sound of Silence,* Simon en Garfunkel

Vóór de stilte

De ruitenwisser sleepte zich over de gebarsten voorruit, veegde steeds moeizamer de sneeuw opzij en zakte toen weer terug naar zijn beginpunt.

Buiten zichzelf van de pijn staarde Bernhard Forstner naar het spinnenwebachtige barstenpatroon van de ruit. Zijn blik volgde de wisser, het uitstervende heen-en-weer dat deed denken aan het wenken van de dorre hand van een dode.

Meteen na de botsing was de motor afgeslagen, de koplampen hadden nog een laatste keer opgelicht en sindsdien heerste het duister van de winternacht.

Forstner had alles geprobeerd om zijn slippende Volkswagen Passat onder controle te houden, maar hij had veel te hard gereden en de besneeuwde weg was spiegelglad geweest. Geschrokken had hij het bos op zich af zien komen en als een gek aan het stuur getrokken, maar de auto had niet meer naar hem geluisterd. Met een geweldige klap was hij frontaal tegen een dikke den gebotst. De gele motorkap kreukelde in elkaar als een velletje papier, de voorruit barstte en toen kwam de pijn.

Hoewel het allemaal niet meer dan een paar seconden duurde, had Bernhard Forstner elk detail waargenomen als in slowmotion. Sindsdien waren er hooguit tien minuten voorbijgegaan, maar ze leken Forstner wel een eeuwigheid te duren.

Als een soldaat op een verloren positie had de ruitenwisser gevochten tegen de sneeuwmassa's die van de takken van de den waren gevallen. Maar nu was het afgelopen. Nog een laatste ruk en hij stond stil.

Ook Bernhard Forstner voelde zijn krachten wegstromen. Hij

zat vastgeklemd achter het stuur dat hem met genadeloos geweld tegen de rugleuning van zijn stoel had gedrukt en hij wist dat hij nog maar weinig tijd had.

Elke ademhaling deed hem pijn alsof er scheermessen door zijn borstkas sneden. Hij vermoedde dat hij een paar ribben had gebroken. Minstens één rib moest zijn longen hebben doorboord. Dat zag hij aan de steeds bloederiger nevel die hij uitademde. Zijn armen en benen waren volkomen gevoelloos, wat erop wees dat ook zijn wervelkolom was beschadigd toen hij tussen het stuur en zijn stoel geraakt werd door het ingedrukte dashboard.

Hier en nu zou hij sterven; Forstner maakte zichzelf niets wijs. Als dokter wist hij wanneer dat ogenblik gekomen was. Hij had verlammingsverschijnselen en inwendige bloedingen. Hij voelde hoe de vermoeidheid hem bij vlagen overviel en dreigde mee te sleuren. Algauw zou hij de strijd met zijn steeds weer dichtvallende oogleden verliezen en wegzinken in die ene laatste slaap, waaruit je niet meer wakker wordt.

Toch was er iets in hem, een wanhopige stalen wil, wat dat in geen geval wilde laten gebeuren. Als hij hier en nu stierf, op deze godverlaten weg in het bos van Fahlenberg, zou niet alleen hij zijn leven verliezen.

Als hij stierf was ook Sven verloren, zijn zesjarige zoontje dat voor Kerstmis een nieuw station voor zijn modeltrein had gevraagd en er vast op rekende dat hij het zou krijgen. Omdat hij wist dat hij altijd op zijn vader kon rekenen. En ook nu het om zijn leven ging, rekende de jongen op zijn vaders hulp – hij rekende erop dat Bernhard Forstner zou komen om hem te redden.

Ik moet blijven leven.

Aan die gedachte klampte Forstner zich met taaie verbetenheid vast, terwijl hij tegelijkertijd worstelde met de naderende bewusteloosheid. Hij probeerde zich te concentreren op de ijskoude wind die door het gebroken raam van het linkerportier in zijn gezicht beet. Tegelijkertijd richtte hij zijn gedachten op het zachte tikken van de afkoelende motor. Hij probeerde het aantal tikken te tellen, er een patroon in te herkennen. De hoofdzaak was dat hij bij bewustzijn bleef.

Ik moet blijven leven tot ze me vinden!

Wat een arrogantie! Hij kreeg op zijn kop van het logische deel van zijn verstand. Met de minuut liepen zijn longen verder vol met bloed. Dadelijk zou zijn bloedsomloop het helemaal opgeven en zou hij de strijd tegen de bewusteloosheid verliezen. Nu al stak er een stormwind van gedachten op in zijn hoofd, van lang verloren gewaande herinneringen en gevoelens uit zijn kindertijd, die warmte en geborgenheid opriepen – neurologische wonderen van het brein, die als bijna-doodervaringen bekendstaan en ons allen het sterven moeten verlichten. Het laatste wat de natuur ons schenkt voor ze ons weer opneemt in haar schoot.

Op dit vroege tijdstip en vooral bij deze weersomstandigheden zou vrijwel niemand op het idee komen om deze afgelegen bosweg te gebruiken. Ze zouden hem pas in de loop van de ochtend vinden, als de sneeuwruimers de wegen en snelwegen hadden vrijgemaakt en de landweggetjes controleerden. Maar dan was het al te laat. Voor Forstner en voor Sven.

Voor zijn ogen begonnen lichten te dansen. Eerst zwak, toen sterker. Het groen-grijze net van de gebarsten voorruit begon op te lichten. Het zou niet lang meer duren voor hij het felle licht zag waar mensen die op het nippertje aan de dood zijn ontsnapt altijd over vertelden. Alleen zou hij er níét aan ontsnappen.

Maar wacht! Nee! Dit licht was geen hallucinatie. Geen truukje van zijn brein om het sterven gemakkelijker te maken. Dit licht was echt, het waren de koplampen van een naderende auto.

Forstner kon het gebrom van de motor horen, gedempt door de sneeuw, maar het was er werkelijk.

De hoop gaf hem nieuwe kracht. Forstner tilde zijn hoofd op, voor zover zijn beklemde positie en zijn verzwakte spieren het toelieten.

De auto kwam voorzichtig naar hem toe. Hij kon de rechthoekige koplampen nu goed zien. Toen werd de motor afgezet en het licht uitgeschakeld.

Een nieuwe golf van pijn ging door Forstners borst, maar zijn gedachten waren helder genoeg om te beseffen dat er iets niet klopte aan die andere auto.

Waarom doet hij het licht uit? Waarom stapt hij niet uit?

Plotseling zag hij opnieuw licht schijnen. Deze keer niet van koplampen, maar van een losse lamp. De bundel was fel en kwam heen en weer zwaaiend op hem af. Stappen kwamen dichterbij, groeven zich knerpend in de sneeuw en stopten naast zijn portier. Forstner was niet in staat zijn hoofd te draaien. Hij had al zijn kracht nodig om te praten.

'Alstublieft... help... mijn zoon...'

De man naast hem – de voetstappen klonken althans als die van een man – zei niets. In plaats daarvan hoorde Forstner dat hij een handschoen uitdeed en hij voelde dat er naar zijn halsslagader werd getast.

'Alstublieft...' hijgde Forstner. Hij tilde even zijn hoofd op, maar het zakte meteen weer op zijn borst, zonder dat hij er iets tegen kon doen. Lichtvlekken, nu zonder twijfel hallucinatorisch van aard, dansten achter zijn gesloten oogleden.

De onbekende ging weg. Hij liep om de auto heen en rukte aan het portier rechtsachter, maar de hele carrosserie was zo verwrongen dat de deur niet meer open kon. Forstner hoorde een paar doffe klappen tot het raam brak. Er wreef iets glads over de stoffen bekleding van de achterbank en een waanzinnig ogenblik lang had Forstner het beeld van zijn aktetas voor ogen.

Toen kwamen de stappen weer terug. Weer voelde er iemand naar zijn hartslag.

Bernhard Forstner had de kracht niet meer zijn hoofd nog op te tillen. Hij had moeite met ademen en hoorde gereutel in zijn borst, die intussen net zo verdoofd aanvoelde als de rest van zijn lichaam. Toch was zijn verstand nog helder genoeg om te beseffen wie de man naast hem was.

Met een laatste inspanning sprak Forstner de naam van zijn zoon uit. 'Hoe... is.. het... met hem?'

Ieder woord werd vergezeld door een warme golf van bloed, die zijn mond vulde met een bittere kopersmaak.

'Sssst,' siste de man. 'Het is zo gebeurd.'

Het laatste gevoel in Bernhard Forstners leven was van hulpeloze woede.

'Loop... naar... de hel!'

Hij voelde de ander dicht bij zich. Hoorde gefluister.

'Daar ben ik al geweest.'

Toen werd alles voor altijd donker.

1

Drieëntwintig jaar later

De stilte op het grote kantoor was onverdraaglijk. Alleen het huilen van de novemberwind drong door de grote, dubbele ramen. Vorst en sneeuw belovend floot de wind door het parklandschap van de Boskliniek, rukte de laatste bladeren van de bomen en trok aan de blinden van de oude gebouwen.

Jan Forstner deed zijn best zijn onrust te verbergen – het sluipende onbehagen dat hem altijd overviel wanneer het om hem heen zo stil werd dat je een speld kon horen vallen.

Stilte riep slechte herinneringen op, hoe Jan zich er ook tegen verzette. Als het stil was kwamen er beelden in hem op waar hij de rillingen van kreeg.

Nacht. Sneeuw. Het verlaten park...

Als hij thuis was geweest of onderweg in de auto, had hij de radio aangezet. Zomaar een zender. Als er maar stemmen en muziek waren die de stilte verdreven.

Maar hier, op het kantoor van dokter Raimund Fleischer, kon hij alleen zijn toevlucht nemen tot een kunstgreep die zich in soortgelijke situaties al vaker had bewezen. Jan haalde zich een duidelijke melodie voor de geest – de eerste de beste die bij hem opkwam. De kunstgreep bestond eruit dat hij zich volledig op de muziek concentreerde tot hij dacht dat hij die daadwerkelijk hoorde. Deze keer was het *Clocks*, een liedje van Coldplay dat Jan op de radio had gehoord toen hij het parkeerterrein voor bezoekers van het bestuursgebouw op reed. De afleidingsmanoeuvre werkte beter dan hij had verwacht. De zich steeds herhalende pianoakkoorden en het stampende ritme galmden in Jans hoofd en de herinneringen verdwenen.

Fleischer leek van dat alles niets te merken. Met een afwezige uitdrukking op zijn gezicht zat de geneesheer-directeur in zijn leren fauteuil en bestudeerde Jans gegevens alsof hij elk detail daarvan uit zijn hoofd wilde leren. Een beeld dat Jan deed denken aan zijn vader, die vroeger tot laat in de avond op zijn werkkamer dossiers doornam en berichten dicteerde.

Als je volwassen bent lijken veel dingen kleiner dan je ze herinnert uit je kindertijd, maar Fleischer was voor Jan een uitzondering. De professor was voor hem nog steeds een boom van een kerel. De grijze trui van kasjmier zat strak om zijn brede schouders en verraadde een afgetraind lichaam. Anders dan de meeste professoren die Jan tot nu toe had leren kennen, leek Fleischer veel waarde te hechten aan sport en een evenwichtige voeding. De psychiater was de vijftig al lang gepasseerd, maar maakte beslist een jongere indruk. Dat had zeker te maken met zijn dikke, grijzende haar, dat hij met haargel in toom probeerde te houden. Met zijn markante trekken, zijn brede jukbeenderen, de denkplooi tussen zijn borstelige wenkbrauwen en zijn grote leesbril deed hij Jan denken aan Gregory Peck in de rol van Atticus Finch in *To Kill a Mockingbird*. Mochten ze het boek opnieuw willen verfilmen, dan maakte Fleischer een goede kans op de hoofdrol.

Jan liet zijn blik door het ruime kantoor dwalen. In de rechtermuur was een ingebouwde boekenkast die van boven tot onder met medische vakliteratuur en een paar jaargangen *Psychiatrische praktijk* was gevuld. Een opgewreven vergadertafel, waarop een volumineuze vaas met verse snijbloemen troonde, nam de tegenoverliggende kant van de kamer in beslag. De muur daarachter werd gesierd door een groot, abstract schilderij waarin de kleuren geel en rood domineerden. Daarnaast hingen verscheidene ingelijste oorkonden en foto's.

Op de meeste foto's stond Fleischer zelf bij feestelijke gelegenheden en congressen. Helemaal onderaan hing een duidelijk oudere opname, waarop een groep jongeren de toeschouwer tegemoet straalde. Ze hadden allemaal de uitdrukking op hun gezicht die zo kenmerkend is voor leerlingen op een examenfoto – van

opluchting en trots omdat ze waren geslaagd en van nieuwsgierigheid naar wat de toekomst zou brengen. Jan pikte Fleischer er
meteen uit; hij was minstens een kop groter dan zijn medeleerlingen. Ook toen al droeg hij zijn dikke haar strak achterover; alleen zijn postuur was iets tengerder dan nu.

Aan het eind van de kleine portrettengalerij hingen twee fami-
liefoto's samen in één lijst. Op de oudste speelden twee meisjes
in het zand, terwijl de ouders in ligstoelen lagen te zonnebaden
en de onzichtbare fotograaf toewuifden. Op de andere foto stonden twee knappe jonge meiden aan weerszijden van hun vader
met hun hoofd op zijn borst.

'Mijn grote trots,' zei Fleischer, en pas nu merkte Jan dat de
professor naar hem had zitten kijken. 'De oudste heet Livia. En
haar zusje is vernoemd naar haar grootmoeder, Annabelle. Dank-
zij haar worden we binnenkort grootouders.'

Hij glimlachte en Jan glimlachte terug. 'Kleine kinderen worden groot.'

Beter commentaar kon hij zo gauw niet bedenken. Hij was te
opgewonden voor koetjes en kalfjes – wat het resultaat van dit
gesprek ook zou zijn, het was beslissend voor zijn verdere loopbaan.

Hij had er al in berust dat hij zijn vak nooit meer zou uitoefe-
nen toen hij twee weken geleden opeens de uitnodiging van Fleischer in de brievenbus vond. Voor het eerst kreeg hij weer hoop.
Natuurlijk was het hem duidelijk dat de uitnodiging geen toe-
zegging betekende, maar na alle afwijzingen die Jan de afgelopen
maanden had ontvangen was dit kennismakingsgesprek ten minste een kans – en het was de vraag of hij er nog meer zou krijgen.
Vooral na wat er was gebeurd.

'Dat is zo. Kleine kinderen worden groot en ouders worden grootouders. Tja.'

Fleischer zuchtte en keek weemoedig voor zich uit. Toen legde
hij Jans sollicitatiepapieren voor zich op tafel en knikte waarderend.

'En zoals ik hier zie, beste Jan, heb jij ook behoorlijk grote
sprongen gemaakt. Uitstekende eindexamencijfers, een studie

medicijnen in Heidelberg, een aantal co-schappen bij collega's van naam en een uitmuntende afsluiting van je specialisatie. En dat aan een forensische instelling waar het werk een behoorlijk goede stressbestendigheid van je vraagt. Mijn complimenten, Bernhard zou trots op je zijn geweest.'

'Het vakgebied interesseerde me al tijdens mijn studie,' merkte Jan bijna verontschuldigend op. Hij werd verlegen van alle lof.

'Zedendelinquenten?' Fleischer trok zijn wenkbrauwen op en nam zijn leesbril af. 'Om de dooie dood geen eenvoudig terrein. Des te meer ben ik onder de indruk van je proefschrift. *Summa cum laude*. Dat kan ik je niet nazeggen. Als ik goed ben geïnformeerd, wordt het instrument dat jij hebt ontwikkeld voor de typering van pedofiele zedendelinquenten bij verschillende instellingen toegepast.'

'Bij twee, om precies te zijn. Waarbij ik moet zeggen dat de vragenlijst in één geval nog in de testfase zit en het nog niet zeker is of hij daadwerkelijk zal worden toegepast.'

Fleischer grijnsde. 'Het lijkt wel alsof ik tegenover je vader zit. Hij was net zo eerzuchtig als jij, maar met complimentjes wist hij zich geen raad.'

'Nou ja, ik wilde niet...'

'Nee, het is wel goed,' onderbrak Fleischer hem met een afwerend gebaar. 'Het bevalt me wel. Daarom vond ik Bernhard ook aardig. Met die houding sprong hij er tijdens onze studie al uit. Hij was niet zo'n arrogante kerel die dacht dat hij straks een halfgod in een witte jas zou zijn. Daarom vind ik het des te fijner dat ik die karaktertrek nu ook bij jou terugvind. Ik heb iets tegen mensen die op hun lauweren rusten. Hoe zeggen ze het ook alweer? Wie denkt dat hij iets is, houdt op iets te worden. Wat dat aangaat heb je prima vooruitzichten.'

Op het moment zijn mijn beroepsmatige vooruitzichten vrijwel nihil, en dat weet je even goed als ik, dacht Jan.

'Zoals je je wel kunt voorstellen,' ging Fleischer verder, 'heb ik inlichtingen over je ingewonnen voor ik besloot je voor dit gesprek uit te nodigen. Maar ik moet ook zeggen dat ik je sinds die… ja, zeg maar tragedie nooit helemaal uit het oog heb verloren. Vooral niet toen ik hoorde dat je Bernhard achterna was gegaan, al was het op een ander vakgebied.' Hij tikte op de map en keek Jan met een veelbetekenende blik aan. 'De reden waarom je je uitgerekend daarin hebt gespecialiseerd, ligt in zekere zin voor de hand – je levensloop laat er nauwelijks twijfel over bestaan. Nu vraag ik me dus af: heeft je zoektocht naar de waarheid ook iets opgeleverd?'

Jan slikte. Hij had zich lang op dit gesprek voorbereid, had alle mogelijke vragen de revue laten passeren en wist dat hij twee grote horden moest overwinnen. Natuurlijk zinspeelde Fleischer op Sven en het was aan Jan om deze horde zonder struikelen te nemen.

Zoals altijd als iemand het over zijn broer had, was het voor Jan alsof alles pas gisteren was gebeurd. Jan had er goed over nagedacht hoe hij dit pijnlijke onderwerp moest aanpakken. Hij wist dat Fleischer de waarheid wilde horen en dat die waarheid zeer persoonlijk was. Iemand die hem van jongs af kende, kon en mocht hij niets wijsmaken. Desondanks had hij zich voorgenomen zo zakelijk mogelijk op de vraag te antwoorden.

'Eerlijk gezegd weet ik niet of ik wel resultaat bereikt heb. Ik wilde de daad begrijpen door te proberen de motivatie van de dader te begrijpen. Elk jaar worden er landelijk bijna twaalfduizend gevallen van kindermishandeling geregistreerd, een onvoorstelbaar aantal, en het aantal niet-aangegeven gevallen wordt nog veel hoger geschat. Maar even onvoorstelbaar is het dat maar ongeveer tachtig procent van die gevallen wordt onderzocht.'

Jan merkte dat zijn handen begonnen te trillen. Hij voelde zich minder op zijn gemak dan ooit. Het liefst was hij opgestaan en de kamer uit gehold, maar dat zou het definitieve einde van zijn carrière betekenen. Dit was zijn kans op een nieuwe start – en het enige wat hij daarvoor hoefde te doen, was eerlijk zijn tegenover Fleischer.

De directeur van de kliniek leek Jans gedachten te hebben gelezen. Hij keek hem begrijpend aan en knikte opbeurend.

Jan haalde diep adem voor hij verder ging. 'Ergens in die statistiek staat het geval van mijn broertje, van wie ze nooit meer hebben teruggevonden dan zijn...' Jan slikte even. '... zijn ondergoed, dat op een parkeerplaats langs de snelweg lag. Noch de dader, noch...' Weer moest hij slikken. '... noch Svens stoffelijke resten zijn ooit gevonden. En wat er met de rest van mijn familie is gebeurd, weet u.'

Verlegen keek Fleischer uit het raam naar de loodgrijze lucht.

'Ja, dat weet ik. En het spijt me oprecht voor je wat er is gebeurd.'

'Ik heb antwoorden gezocht,' zei Jan. 'Dus heb ik met zedendelinquenten gepraat. Het waren bijna allemaal mannen. Ze kwamen uit alle lagen van de bevolking. Leraren, bouwvakkers, werklozen, alcoholisten, priesters, een keer zelfs een psychiater. Daarbij heb ik gezien dat alle daders twee dingen gemeen hadden. Enerzijds voelden ze zich allemaal aangetrokken tot hun slachtoffer. Ze hadden het over liefde en innige genegenheid, terwijl ze anderzijds volstrekt geen scrupules hadden hun slachtoffer te doden om ontdekking te voorkomen.' Jan haalde zijn schouders op. 'Vanuit een psychiatrisch standpunt gezien waren er een sterke drift en een algemeen patroon van ontbrekend schuldgevoel waarneembaar, wat je als antwoord zou kunnen accepteren. Maar op persoonlijk vlak heb ik nooit een bevredigend antwoord gevonden. Niet in het geval van Sven. Hij is en blijft verdwenen.'

Het was eruit. Jan voelde hoe zijn gespannenheid een beetje zakte. Het was hem eindelijk gelukt over het duisterste hoofdstuk van zijn leven te praten, zelfs al had hij daarbij geklonken als een adviseur.

'Mijn vader heeft ooit gezegd dat het leven ons soms vragen stelt waar geen antwoord op bestaat,' voegde hij eraan toe. 'Ik heb me daar lang niet bij neer kunnen leggen, maar intussen denk ik dat hij gelijk had. Als u het zo kunt zien is dat het resultaat van mijn onderzoek.'

Een ogenblik lang heerste weer die voor Jan ondraaglijke stilte. Toen maakte Fleischer zijn blik los van het raam en keek hem aan.

'Je hebt je nek uitgestoken voor je zoektocht, Jan. Dat was buitengewoon moedig, ook al schijn je uiteindelijk je doel voorbijgeschoten te zijn.'

Zo waren ze dus bij het tweede belangrijke onderwerp aangekomen: Jans inzinking. De reden waarom hij bijna zijn bevoegdheid was kwijtgeraakt. Daar hing nu alles van af. Fleischer open en eerlijk vertellen over het verloop van zijn carrière was één ding. Of hij hem ervan kon overtuigen dat hij van zijn fouten had geleerd was iets heel anders.

'Bijna een jaar geleden stond ik onder sterke psychische druk, iets wat ik zelf op dat tijdstip niet wilde inzien,' legde Jan uit. 'Mijn werk als forensisch adviseur en afdelingsarts nam me volledig in beslag, maar ik zag er beroepsmatig een uitdaging in; bovendien had ik uitzicht op een baan als plaatsvervangend hoofdarts, die gauw vrij zou komen. Op sommige dagen werkte ik bijna de klok rond. Kort daarvoor had mijn vrouw een verzoek tot echtscheiding ingediend en ik had haar beloofd om een koper te zoeken voor ons gezamenlijke appartement. Toen ik er ook nog het geval Laszinski bij kreeg, werd het me allemaal te veel. Helaas kreeg ik dat pas door toen het allemaal al voorbij was.'

'Laszinski,' zei Fleischer en hij vertrok zijn gezicht. 'Dat was een nare toestand.'

En dat was het. De zaak Peter Laszinski had landelijk opzien gebaard. De media hadden ervan gesmuld.

Tot zijn aanhouding had de zesenveertigjarige koster in een kleine gemeente een onopvallend leven geleid. De mensen vonden hem beleefd, zij het in zichzelf gekeerd, en het feit dat hij ondanks zijn leeftijd nog steeds vrijgezel was werd aan zijn moeder toegeschreven, die bekendstond als een slechte vrouw. Laszinski had zich jarenlang opgeofferd om voor haar te zorgen en toen ze drie jaar geleden aan darmkanker stierf, beschouwden veel mensen dat als een opluchting voor de arme Peter.

Toen er in januari twee meisjes verdwenen uit Laszinski's woonplaats, nu een jaar geleden, kwam niemand in de verste verte op het idee dat hij daar iets mee te maken kon hebben. Pas bij een succesvolle actie tegen een kinderpornonetwerk op internet kreeg de federale recherche Laszinski in de gaten. Twaalf dagen na de verdwijning van de meisjes werd Laszinski's computer in beslag genomen. Er stonden duizenden foto's en video's op. In een interview vertelde een woordvoerder van de overheid dat het opnamen betrof van sadistische praktijken van een onvoorstelbare wreedheid.

Bij nader onderzoek van de oude boerderij van de Laszinski's werden ook de twee meisjes teruggevonden in een grote kelder. Het ene kind was in gevangenschap gestorven, het andere leefde nog, maar zweefde nog lang tussen leven en dood. Het bleek dat Laszinski de ontvoering ruim van tevoren had gepland. Speciaal daarvoor had hij twee cellen in de kelder gemetseld, waar hij de meisjes apart van elkaar had opgesloten.

Na de eerste sessie, waarin Laszinski met een onaangedaan gezicht vertelde wat zich zoal in die kelder had afgespeeld, had Jan zich serieus afgevraagd of hij tegen de zaak was opgewassen. Achteraf wist hij dat dit het moment was geweest, waarop hij de zaak had moeten overdragen.

Wat hem er desondanks toe had gebracht om verder te werken met deze man was de aard van de misdaad geweest. Laszinski paste niet in het plaatje van de pedofielen met wie Jan tot dan toe te maken had gehad. Zijn daden leek niet te worden gedreven door driften of opwellingen. En een gevoel zei Jan dat voor Svens vermoedelijke moordenaar misschien hetzelfde gold.

De beelden die Laszinski's beschrijvingen in hem opriepen hielden Jan nog lang bezig. De koster had de meisjes niet verkracht. Behalve bij de ontvoering zelf had hij ze niet aangeraakt. In plaats daarvan dwong hij hen iedere avond naakt op de zanderige keldervloer te knielen en rillend van de kou een weesgegroetje te bidden. Alleen dan kregen ze wat hij 'de communie' noemde: een glas melk waarin hij had geëjaculeerd. Eerst hadden ze dat geweigerd, maar na een paar dagen hadden de meisjes van honger en dorst alles gedaan wat hij wilde, beweerde Laszinski, en door de kilte van zijn woorden was Jan het bloed in de aderen gestold.

Toch had Jan nog een volgende sessie afgesproken om zijn verslag af te sluiten. En toen had zich die noodlottige gebeurtenis afgespeeld.

Jan kon zich zijn razernij zelf nauwelijks nog herinneren. Pas toen twee bewaarders hem hadden beetgepakt en de kamer uit hadden gesleurd was hij weer tot zichzelf gekomen.

Jan had Laszinski gezien, die huilend in een bloedplas lag te kronkelen, en gemerkt dat hij zelf ook onder het bloed zat. Later had Jan gehoord dat hij de koster plotseling te lijf was gegaan en uitzinnig op hem had ingeslagen.

Nu hoopte Jan vurig dat Fleischer hem niet naar de reden zou vragen waarom hij de controle had verloren. Op die vraag had hij zo gauw geen antwoord klaar.

Fleischer vroeg niets. In plaats daarvan knikte hij Jan weer opbeurend toe.

'Na die toestand ben ik verhuisd,' ging Jan verder. 'Een kennis, met wie ik na mijn studie contact heb gehouden, deed me het aanbod om een tijdje bij hem te wonen. De afgelopen maanden heb ik dus in Allgäu gezeten. Het heeft me goed gedaan om afstand te nemen. Ik voel me weer stabiel en zou graag een nieuwe start in mijn vakgebied maken.'

Fleischer glimlachte en zijn stem kreeg een vaderlijke toon.

'Ik weet niet hoe ík me in jouw geval zou hebben gedragen, Jan. Niet dat ik je gedrag kan goedpraten, maar ik kan me geen collega voorstellen die er onverschillig onder was gebleven. En als je daarbij de belasting op het persoonlijke vlak in aanmerking neemt, vind ik de houding die sommige collega's tegenover jou aannemen nogal overdreven. Daarom heb ik je ook uitgenodigd. Een eerzuchtige jonge arts als jij verdient een tweede kans. En om misverstanden uit te sluiten: die instelling heeft niets te maken met het feit dat je vader en ik goeie vrienden waren. Mijn aanbod is alleen en uitsluitend gebaseerd op je prestaties.'

'Dank u,' zei Jan, 'dat stel ik zeer op prijs.'

Fleischer knikte en boog zich weer over zijn bureau, waarbij zijn leren fauteuil een piepend geluid liet horen.

'Maak hier een nieuwe start – en als je weer een tijdje in de algemene psychiatrie hebt meegedraaid, kraait er geen haan meer naar wat er vroeger is gebeurd. Hoewel...' Hij keek Jan doordringend aan. '... hoewel ik bij dit aanbod een voorwaarde stel.'

Jan hield Fleischers blik vast. 'Wat voor voorwaarde?'

Fleischer schommelde heen en weer met zijn hoofd, alsof hij de woorden daarin op hun plek wilde kantelen.

'Kijk, Jan, ik kan me niet voorstellen dat iemand die jarenlang probeert zijn jeugdtrauma te verwerken daar zomaar opeens overheen is. We zitten allebei lang genoeg in het vak om te weten dat zoiets niet van de ene dag op de andere kan gebeuren.'

Jan bespeurde een lichte huivering. Natuurlijk had Fleischer gelijk, maar toch school er een zekere belediging in zijn woorden.

'Meneer Fleischer, ik kan u verzekeren dat ik mezelf weer volledig onder controle heb. De kennis uit Füssen, over wie ik het al had, is een uitstekende psychotherapeut. Onze gesprekken hebben me enorm geholpen en als u me de kans geeft mijn vak weer op te pakken, zal ik u daarvan overtuigen.'

'Dat neem ik zonder meer van je aan,' antwoordde Fleischer. 'Maar als arts en als vriend raad ik je aan een beroep te doen op verdere hulp. Dokter Norbert Rauh is een vriend en collega die ik al jaren ken. Sinds enige tijd is hij weer aan de kliniek verbonden en hij zou je een zeer veelbelovend aanbod voor een behandeling kunnen doen. Vanzelfsprekend volkomen discreet.'

Jan begreep waar Fleischer naartoe wilde. 'Dat is dus de voorwaarde?'

'Het gaat me alleen om jou, Jan,' zei Fleischer knikkend. 'Natuurlijk ben je vrij om mijn aanbod af te slaan, maar je zou het toch minstens in overweging moeten nemen. Ik zou graag écht iets voor je willen betekenen, afgezien van je een baan aanbieden. Er komt meer kijken bij een nieuwe start en ik denk dat dit ook bij de visie van je vader had aangesloten. Luister naar jezelf, dan denk ik dat je het me eens zult zijn.'

Jan keek nadenkend uit het raam. Had hij een andere keus? Kon hij Fleischers voorwaarde naast zich neerleggen? Nee – niet als hij zichzelf zo gauw mogelijk wilde rehabiliteren. En anders zou hij vroeg of laat een of ander onbenullig baantje zoeken, wat het definitieve eind van zijn carrière zou betekenen. Welke kliniek zou ooit een arts aannemen die ontslagen was wegens zware mishandeling en die een sabbatical bij een snackbar of een koeriersbedrijf had genomen?

Daar kwam bij dat zijn bankrekening er ook niet zo best uitzag. De opbrengst van de verkoop van het huis was al lang opgesoupeerd door de scheiding en het wegvallen van zijn inkomsten. Sindsdien had hij zijn uitgaven bekostigd uit de huur die hij voor het huis van zijn ouders kreeg – en dat was niet veel, omdat hij geld opzij moest leggen voor de renovatie ervan – tot ook die inkomstenbron was opgedroogd.

Natuurlijk had hij het huis kunnen verkopen om de tijd te overbruggen tot hij ander werk kreeg. Maar met de huidige prijzen voor onroerend goed in de omgeving van Fahlenberg was dat een bijzonder slecht idee geweest.

Jan hoefde er echter al helemaal niet op te hopen dat hem nóg een baan als deze zou worden aangeboden. En misschien had Fleischer gelijk. Misschien was het werkelijk tijd om problemen niet langer met een vriend te bespreken maar in therapie te gaan. Het was ten minste het proberen waard.

'Goed,' zei Jan, en hij zag Fleischers gezicht opklaren. 'Ik ga akkoord. Wanneer kan ik beginnen?'

'Aanstaande maandag, als het je schikt.'

Toen Jan weer op het parkeerterrein stond, keek hij nog even omhoog naar het raam van Fleischers kantoor. Er was nog één vraag over het verleden die hij de professor graag had gesteld, maar tijdens het gesprek had hij daarvan afgezien. Anders zou Fleischer nooit hebben geloofd dat hij de gebeurtenissen van vroeger achter zich had gelaten. Diep vanbinnen dacht Jan ook dat Fleischer het antwoord niet had geweten.

*Soms stelt het leven ons vragen waar geen antwoord op be-*staat, dacht hij, en hij stapte in zijn auto. *Maar het biedt ons altijd weer de mogelijkheid van een nieuw begin.*

2

Niets blijft zoals het is. Die oude wijsheid schoot Jan te binnen, terwijl hij in zijn oude, gammele driedeurs Volkswagen Golf, die de volgende keuring waarschijnlijk niet meer zou halen, de snelweg af ging en naar de binnenstad reed.

Met de overblijfselen van zijn verleden op de achterbank keerde hij nu terug naar een tijd die nog verder achter hem lag. Naar de plaats waar hij aan een onbezorgd, gelukkig leven was begonnen en waar dat leven de slechtst denkbare wending had genomen. Naar een plaats waar hij zich ooit op zijn gemak had gevoeld en die hem nu volkomen vreemd voorkwam.

Fahlenberg was veranderd. In de bijna twintig jaar sinds Jan het plaatsje de rug had toegekeerd was het aanmerkelijk gegroeid. De uitgestrekte groene velden waar Jan met zijn vriendjes had gevoetbald en waar zich 's winters uitgelaten sneeuwbalgevechten hadden afgespeeld, waren nu volgebouwd met een autowasstraat en een paar discountzaken. De volkstuintjes en de bijbehorende kleurige schuurtjes hadden moeten wijken voor twee enorme bouwmarkten en op de velden achter de begraafplaats rezen nu een paar torenflats en betonnen constructies op.

Toen Jan voor een rood licht moest stoppen, keek hij omhoog naar de grauwe lelijkheid en dacht aan de eerste en enige sigaret die hij daar stiekem had gerookt met zijn vriendje Dieter – verstopt tussen de hoge maisplanten die in de herfstzon wachtten op de oogst. Dat moest nu zo'n vijfentwintig jaar geleden zijn, maar hij zag het nog precies voor zich. De twee Caballero's zonder filter die Dieter van zijn vader had gepikt, de goedkope plastic aansteker die het eerst niet wilde doen, hoe ze de sigaretten toch hadden aangekregen en na de eerste trek over de longen meteen weer hadden uitgedrukt omdat ze duizelig werden. Jan had een hoestaanval gekregen en zich voorgenomen dat hij nooit meer zou roken.

Nu constateerde hij dat er in een van de betonnen kolossen een speelhal zat. Het gebouw daarnaast was twee verdiepingen hoog en bood onderdak – Jan kon zijn ogen niet geloven – aan een bordeel dat Love Palace heette. Ze hadden het etablissement niet op een ongeschiktere plaats kunnen neerzetten: het keek uit op het mortuarium van de begraafplaats.

Daarnaast verwees een wegwijzer naar een bedrijventerrein waar vroeger alleen een leerlooierij en een machinefabriek hadden gestaan.

De hele stad leek veranderd. Karakteristieke gebouwen hadden plaatsgemaakt voor wegverbredingen. In het kruidenierswinkeltje aan de Hauptstrasse en de bakkerij daarnaast zaten nu een knutselwinkel en een dönertent. Een paar kleine zaakjes stonden leeg. De etalages waren afgesloten met lappen of karton en deden Jan denken aan de ogen van een blinde, terwijl hij erlangs reed in de ochtendspits.

Slechts hier en daar zag hij dingen die hij kende. Natuurlijk stond de kerk er nog wel. Ook de kantoorboekhandel waar hij vroeger zijn schriften kocht stond nog op dezelfde plek en Jan herinnerde zich dat hij van het geld dat zijn moeder hem meegaf altijd een beetje had achtergehouden om er strips van te kopen. De fotograaf bij wie hij had geposeerd voor zijn communie en zijn eerste schooldag was er ook nog. Zijn zoon zou de zaak inmiddels wel hebben overgenomen, dacht Jan.

Maar hoewel hij kleine dingen herkende werd hij koud en onverschillig ontvangen door Fahlenberg. Jan had weliswaar niet verwacht dat hij met open armen zou worden binnengehaald – daarvoor was er gewoonweg te veel tijd voorbijgegaan – maar hij had toch wel gehoopt iets te ervaren dat leek op het knikje van herkenning door een levend mens.

De indruk van eigenaardigheid verdween pas toen Jan de afslag naar het stadspark nam die leidde naar zijn vroegere thuis verderop. Hoe dichter Jan in de buurt kwam van zijn ouderlijk huis, hoe vertrouwder alles werd. Hier zagen veel dingen er nog uit als vroeger. Nog steeds maakte het stadspark een grote en uitgestrekte indruk. Tussen de kale boomtakken door schemerde het novembergrijze oppervlak van de vijver van Fahlenberg.

Jan vermeed het die kant op te kijken en probeerde alleen aan de leuke dingen te denken die hij met het park en de vijver associeerde. Hij haalde zich de kiosk voor de geest waar hij met zijn vriendjes ijs en limonade had gekocht als ze 's zomers in de vijver kwamen zwemmen.

Toch kreeg hij kippenvel, want er waren ook andere, sterkere herinneringen.

Toen Jan ten slotte zijn doel bereikt had en uitstapte, voelde hij zich net de tijdreiziger uit het boek van H.G. Wells. Hij had het surrealistische idee dat hij nooit weg was geweest van deze plek en dat hij alleen een stuk in de toekomst was gereisd.

Het gevoel dat hij zich in een vreemde droom bevond duurde voort tot hij bij het tuinhek van Rudolf Marenburg aankwam. Daartegenover stond het huis van de Forstners, dat tot voor kort aan een oud echtpaar verhuurd was. Nog maar een paar maanden geleden was de man gestorven, waarna de vrouw naar een verpleeghuis was verhuisd. Het huis was nog steeds in onberispelijke staat, zag Jan. Af en toe had hij gedroomd dat het ten prooi gevallen was aan een ramp of dat het in brand gevlogen was en elke keer dat hij daarna wakker werd, had hij een morbide gevoel van opluchting gehad.

Het huis had zoveel leed gekend, dat Jan ervan overtuigd was dat het een deel daarvan voor altijd in zijn muren had opgeslagen. Jan zou zijn ouderlijk huis nooit meer binnen kunnen gaan, dat wist hij zeker. Maar nu hij er voor het eerst in al die jaren weer tegenover stond, vroeg hij zich toch af hoe anders het er binnen uit zou zien. Zou het er nog steeds zo ruiken als in zijn jeugd – naar geroosterd brood, naar het schoonmaakmiddel met citroengeur dat zijn moeder altijd in grote hoeveelheden gebruikte, naar de politoer op de trap? Die geuren, die Jan zo goed kende dat hij die andere, vreemde geur niet had waargenomen –

in die ene zomer, toen hij in het weekend naar huis was gekomen en de trap op liep. Toen hij...

'Jan?'

De stem scheurde hem los van zijn herinneringen. Jan wist al vóór hij zich omdraaide dat het de oude Marenburg was. Die ongewoon hoge keelstem was onmiskenbaar. Rudolf Marenburg leed aan een aangeboren afwijking van de stembanden – waar de kinderen uit de buurt hem om hadden uitgelachen. Ze hadden hem Kermit genoemd, omdat hij net zo klonk als de kikker uit *The Muppetshow.*

Marenburg had het de kinderen niet kwalijk genomen; in elk geval had hij nooit op ze gescholden of achter ze aan gezeten. Integendeel, na alle vreselijke dingen die Jan en zijn familie waren overkomen bleef Marenburg jaar in, jaar uit zijn vaderlijke vriend en toeverlaat. Hij had Jan gesteund en zich met de verhuur van het huis en de voorkomende reparaties beziggehouden, omdat hij wist hoe dringend Jan behoefte had aan afstand tot zijn vroegere thuis. Marenburg had vaak geprobeerd om het huis te verkopen maar gaf het steeds weer op, omdat verkoop bij de tegenwoordige huizenprijzen verliesgevend zou zijn.

Jan vermoedde echter ook dat Marenburg zijn bemoeienissen met de verkoop überhaupt nooit zo serieus had genomen. Want daarmee zou hij voor Jan de laatste band met Fahlenberg hebben doorgesneden – en dus met hemzelf. Des te meer had hij zich verheugd na het telefoontje waarmee Jan zijn terugkeer had aangekondigd en het was voor hem een erezaak geweest dat Jan voorlopig bij hem zou wonen tot hij een geschikt huis had gevonden.

Misschien zijn er toch nog dingen die bij het oude blijven, dacht Jan toen hij zijn vriend aan zag komen lopen.

Natuurlijk was Marenburg ouder geworden. Hij had duidelijk meer rimpels dan vroeger en zijn eens rode haar was al lang sneeuwwit, maar zijn kleding kwam nog steeds overeen met het beeld dat Jan zich herinnerde: een bruine ribfluwelen broek met kale plekken op de knieën, een fel flanellen overhemd met opgestroopte mouwen en vilten pantoffels.

Het was een hartelijk welkom en toen Marenburg hem tegen zich aan drukte, rook Jan de geur van dezelfde sterke aftershave die de man meer dan twintig jaar geleden al had omgeven.

'Fijn dat je er weer bent, jongen,' zei Marenburg, en hij keek Jan onderzoekend aan. Toen knikte hij naar het huis van de Forstners. 'Ik zag je staan kijken. Als ik het goed heb, was het de oude Cicero die ooit eens heeft gezegd dat de zorgeloze herinnering aan voorbije pijn ons vrede brengt.'

Jan keek nog even naar het huis en haalde toen zijn schouders op. 'Cicero had makkelijk praten. Híj hoefde hier niet te wonen.'

Marenburg grijnsde. 'Vooruit, we brengen je spullen naar binnen, en dan moet je me alles vertellen. Tot in detail.'

Het gevoel dat hij naar de toekomst was gereisd verdween op slag toen Jan het huis in kwam. Hier was alles nog steeds zo ingericht als vroeger. In de gang werd hij ontvangen door een stevige kersenhouten kapstok, daarnaast hing een ingelijste afbeelding van een burlend hert aan een bergmeer en ten overvloede bewaakte een houten beeldje van een nachtwaker met een lantaarn het telefoonplankje, waarop een oeroud toestel met kiesschijf stond, compleet met overtrek.

Jan liep achter Marenburg aan de trap op naar de eerste verdieping, waar de laatste een kamer voor hem had gereedgemaakt. Toen Jan zag, in welke kamer hij de komende weken zou slapen, bekroop hem een beklemmend gevoel. Weliswaar herinnerden alleen een plank vol kinder- en jeugdboeken en een poster aan de muur aan de vroegere bewoonster, maar een ogenblik lang had Jan het gevoel alsof de geest van Alexandra nog steeds rondwaarde.

'Ik hoop dat die je niet stoort.'

Marenburg wees naar de poster boven het bed. Er stond een jonge David Bowie op, met een rode bliksemschicht over zijn gezicht. Daaronder stonden de woorden *Aladdin Sane* en Jan merkte het woordspelletje op dat erin verstopt was: *a lad insane*, een gestoorde kerel.

Marenburg maakte een hulpeloos gebaar. 'Ze was helemaal weg van Bowie, weet je. Op de een of andere manier kon ik het niet over mijn hart verkrijgen om hem weg te halen. Tja, en ik leg elke week schone lakens op het bed, hoewel jij de eerste in jaren bent die erin slaapt. Jullie psychiaters hebben daar vast een verklaring voor, niet?'

'Daar hoef je geen psychiater voor te zijn, Rudi,' zei Jan en hij legde een hand op zijn schouder. 'Niet als het om liefde gaat.'

Marenburg ontweek Jans blik en liep naar de deur. 'Het is goed dat je er bent, jongen. Kom eerst maar even terug op aarde, dan vieren we straks je nieuwe baan met een hapje en een drankje. Ik hoop dat je nog steeds van stevige kost houdt?'

'Absoluut.'

Marenburg liep de gang op en de traptreden kraakten terwijl hij zich naar de keuken begaf. Jan zuchtte en nam zich voor de volgende dag meteen te beginnen met zoeken naar een ander huis. Hoe graag hij Rudi ook mocht, dit was toch echt een noodoplossing en bepaald geen geschikte plaats voor een nieuw begin.

Hij keek nog eens goed naar de gestoorde kerel op de poster die Alexandra zo had vereerd en liep naar het raam. Het gaf hem een raar gevoel om van hieruit naar zijn ouderlijk huis te kijken.

Meer dan drieëntwintig jaar geleden had hij vaak en langdurig vanuit zijn eigen kamer naar dit raam gekeken. Vooral 's avonds als de rolluiken nog niet waren neergelaten en er licht brandde in de kamer waar hij nu stond. Alexandra Marenburg was zes jaar ouder dan hij. Hij had naar haar gekeken terwijl ze aan tafel zat te lezen of te tekenen. Soms had ze daarbij een koptelefoon op gehad en staarde ze met een afwezige blik naar het plafond. In-dertijd had hij maar geraden waar ze naar luisterde, van welke muziek ze hield. Nu stelde hij zich voor hoe ze zich door David Bowie naar de wereld van de gestoorde kerel had laten ontvoeren – een wereld waarin gestoorden zoals zij volkomen normaal waren.

Jans vader had de uitdrukking 'gestoord' onprettig gevonden; voor hem waren die mensen 'psychisch' ziek geweest. Hij had Alexandra meer dan eens behandeld, dat wist Jan. Maar Jan had haar noch als gestoord, noch als psychisch ziek beschouwd. Voor hem was ze een knappe jonge vrouw geweest, met lang, donker haar, treurige ogen en een geheimzinnige uitstraling.

De fascinatie die hij voor haar had gekoesterd liet zich nu waarschijnlijk uitleggen als puberale dweperij. Hij was niet verliefd geweest of hoteldebotel, zoals je op die leeftijd zei. Hij was eerder in de ban geraakt van haar ongenaakbare, bijna mysterieuze uitstraling en de sierlijkheid van haar bedeesde bewegingen terwijl hij haar heimelijk voor het raam gadesloeg of, wat heel soms gebeurde, als hij haar op straat tegenkwam.

Maar toen was de nacht gekomen waarin die dweperij abrupt was geëindigd.

Hij kreeg het nog steeds koud als hij eraan dacht. De nacht waarin het kwaad was geschied.

3

Vrijdag 11 januari 1985

Het was nog donker toen Jan wakker werd van het gerinkel van de telefoon op de begane grond. Hij had een vreemde droom gehad – over bladeren waar stukjes uit waren gesneden, over Kirlian-foto's waarop die bladeren werden omgeven door een geheimzinnig aura, waardoor ze weer ongeschonden verschenen. Daar had hij over gelezen in een boek over raadselachtige verschijnselen dat hij voor Kerstmis had gevraagd. Een boek vol spannende onderwerpen voor een jongen van twaalf met een beetje fantasie: spookverschijningen, UFO's, graancirkels en nog veel meer.

Het was een interessante droom geweest. Des te meer had hij zich geërgerd aan het voortdurende gerinkel op de gang.

De wekker stond op 4:48 toen Jan geeuwend uit bed klom en de gang op slofte. Zoals altijd moest hij eerst over Rufus heen, die voor zijn deur op de grond lag. De oude golden retriever deed eerst maar één oog open, alsof hij zich ervan wilde vergewissen of het de moeite was om zijn andere oog ook open te doen; toen werd hij nieuwsgierig en trippelde hij achter Jan aan.

Juist toen Jan bij de trap aankwam, glipte zijn vader uit de slaapkamer. Bernhard Forstner had een blauwe pyjama aan met donkere strepen – ook een kerstcadeau – rode strepen van de vouwen in het kussen in zijn gezicht en zijn haar stond woest rechtop.

'Ga maar weer slapen,' fluisterde hij en hij rende Jan voorbij. 'Het is toch voor mij.'

'Kun je ze op de kliniek niet zeggen dat we in de vakantie willen uitslapen?' riep Jan hem mokkend achterna, maar zijn vader had de telefoon al opgenomen.

Jan had zich al lang bij de nachtelijke bereikbaarheid van zijn vader neergelegd. Die hoorde nu eenmaal bij zijn vak. Maar één ding zat hem net als altijd dwars: als hij wakker was, was hij wakker. Gewoon weer in bed kruipen en verder slapen werkte niet bij hem.

Jan benijdde zijn moeder en zijn broertje Sven, die daar geen problemen mee hadden. Sven speelde het zelfs klaar om in de stoel in de woonkamer in slaap te sukkelen terwijl er een spannende film op televisie was.

'Je bent een zenuwpeesje,' had zijn moeder altijd gezegd en Jan haatte die woorden. Dat klonk alsof hij zo angstig was dat hij het bij het kleinste 'boe!' in zijn broek deed. En hij had alleen maar een levendige fantasie, zoals zijn klassenleraar het eens had gezegd. Een levendige fantasie, waar menigeen hem om zou benijden. En Jan had gedacht: *Allemaal leuk en aardig, maar voor de rest ben ik de zenuwpees die je zo makkelijk kunt laten schrikken. Ooooh, wat leuk. Ha ha.*

Nu stond de zenuwpees boven aan de trap, aaide Rufus over zijn kop en keek naar zijn vader die stond te telefoneren.

Het zou wel ernstig zijn, dat kon je duidelijk zien aan Bernhard Forstners gezicht. Vaak was een korte opdracht aan het verplegend personeel genoeg, dan kon de zaak tot de volgende ochtend blijven rusten en kon Forstner weer terug naar bed. Maar deze keer was het anders.

In plaats van het obligate 'het beste kunt u hem naar behoefte iets kalmerends geven' of 'in geval van nood moet u de patiënt fixeren' gooide Bernhard Forstner eruit 'ik kom meteen!', knalde de hoorn op de haak en snelde terug naar de slaapkamer.

'Wat is er?' vroeg een slaperige stem achter Jan.

Sven loerde vanuit zijn kamer. Hij droeg zijn favoriete Action Man-pyjama en wreef in zijn ogen.

'Papa moet aan het werk,' zei Jan. 'Slaap maar lekker door.'

Sven knikte alleen maar en verdween weer achter de deur.

Ook Jan ging weer naar zijn kamer, liet zich op zijn bed vallen en keek mismoedig naar de Duran Duran-poster op de kleerkast.

'Geweldig,' zei hij tegen Rufus, die hijgend achter hem aan was gelopen, 'nu ben ik wakker en het is nog niet eens vijf uur.'

Nog geen twee minuten later was Bernhard Forstner het huis al uit. Jan hoorde nog het brommen van de motor toen zijn vader wegreed van de oprit.

'En wat moet ik nou?'

Alsof hij de vraag wilde beantwoorden, ging Rufus voor hem zitten en keek hij Jan met een hoopvolle blik aan. Ommetje?

Jan hief zijn handen en gaf zich over. *Vooruit maar*, dacht hij. Hij moest maar even een ommetje maken met Rufus. Misschien was hij daarna moe genoeg om weer in bed te duiken en tot de middag door te slapen. Het was nog altijd de voorlaatste vakantiedag en hij wilde er ten volle van genieten. Daar was vakantie tenslotte voor.

Het huis van de familie Forstner lag in het oosten van de stad en het was maar een paar minuten lopen naar het park van Fahlenberg.

Rufus trok vol verwachting aan de lijn en Jan liep door de sneeuw achter hem aan. Hoewel het de afgelopen dagen zonnig was geweest en er bijna geen nieuwe sneeuw was gevallen, waren de nachten ijzig koud. De thermometer bij de voordeur stond op negen graden onder nul, maar de ijskoude nachtwind wekte de indruk dat het nog veel kouder was.

Het park lag er in het oranje licht van de natriumlampen eenzaam en verlaten bij. Bomen en struiken wierpen lange schaduwen op de bevroren grond en alles werd door een winterse stilte bedekt.

In tegenstelling tot Jan, die zijn dikke, gewatteerde winterjas had aangetrokken, leek Rufus geen last te hebben van de kou. Kwispelend snuffelde hij aan de nalatenschappen van zijn soortgenoten, merkte sneeuwhopen met zijn eigen geur en joeg achter een voorbijwaaiende plastic zak aan, waarbij Jan moeite had hem bij te houden zonder op de gladde weg onderuit te gaan.

Even later kwamen ze bij de oever van de vijver van Fahlenberg. Jan maakte Rufus los. Die trippelde naar een hoog oprijzende den en deed daar zijn behoefte.

Jan voelde zich een beetje ongemakkelijk en dat lag niet alleen aan de kou. De stilte in het park was griezelig, vond hij. De sneeuw leek alle geluiden op te slokken. Alleen het zachte fluiten van de wind, het hijgen van de hond en het knerpen van Jans voetstappen waren te horen.

Terwijl hij zo liep te luisteren, werd de stilte opeens verscheurd door het verre gehuil van een politiesirene. Waarschijnlijk waren ze onderweg op de snelweg aan de andere kant van de stad. Algauw kon Jan meerdere sirenes onderscheiden. Twee of drie politieauto's en ten minste één ambulance. Vast een auto-ongeluk.

Jan nam het uiteinde van de riem en maakte die vast aan Rufus' halsband.

'Kom, we gaan naar huis.'

Maar Rufus maakte geen aanstalten om zijn bevroren baasje te gehoorzamen. Hij had bij de vuilnisbak naast een bankje iets buitengewoon interessants ontdekt: een leeg hamburgerdoosje, naar het scheen, dat uitgebreid besnuffeld moest worden.

'Godsamme, kom nou mee,' snauwde Jan, 'ik heb het ijs...'

De rest bleef steken in zijn keel. Geschrokken staarde Jan naar de witte gestalte die volkomen onverwacht door het park op hem af kwam.

Een spook! schoot het door zijn hoofd.

Ja, dat kon alleen een spook zijn! Het zag eruit als de witte vrouw die volgens zijn boek rondwaarde in het Berlijnse Stadtschloss, of als een *banshee* die over de Ierse heide doolde en er verdwaalde reizigers in het verderf stortte. Een normaal mens zou nooit of te nimmer in zo'n uitdossing door het park hollen – niet op dit uur en ook niet bij deze kou.

Jan wilde schreeuwen en weglopen, maar door de schrik was het één even onmogelijk als het ander. Alsof hij vastgevroren was bleef hij staan en staarde naar het griezelige spook, dat met gezwinde spoed tussen de iepen en esdoorns door op hem af kwam. Toen de gestalte nog maar een paar meter bij hem vandaan was, schrok hij nog meer en een stuk heviger dan eerst

– want nu zag Jan wie het was. Geen spook, geen banshee, geen witte vrouw. De in het wit gehulde verschijning, die met wapperend haar naar hem toe kwam rennen, was Alexandra Marenburg.

Meteen was hem duidelijk waarom de kliniek zijn vader had gebeld en wat de sirenes van de politie betekenden: ze zochten naar een weggelopen patiënte.

Alexandra had alleen een nachtjapon met korte mouwen aan en een dunne legging. Aan haar voeten had ze wollen sokken, die zich hadden volgezogen met sneeuw en smurrie. Haar blote armen en haar gezicht waren paarsblauw van de kou. Jan moest aan de figuren uit een horrorfilm denken die hij – natuurlijk zonder goedvinden van zijn ouders – met zijn vriendjes op een filmavond had gezien. *Evil dead*. Daarna had hij nachtenlang niet kunnen slapen, zelfs al bleef hij zichzelf steeds voorhouden dat hij alleen maar opgemaakte acteurs had gezien. Maar Alexandra was niet opgemaakt. Dat bevroren en van pijn en angst vertrokken gezicht was echt. Haar ogen waren wijd opengesperd, haar mond stond open en haar adem kwam er met wolkjes uit als hete stoom.

Toen ze een paar stappen voor Jan bleef staan, kon hij de bevroren draadjes speeksel zien die links en rechts als dunne ijspegeltjes bij haar mondhoeken hingen.

Alexandra staarde hem aan alsof hij de duivel zelf was en gilde.

Het geluid ging Jan door merg en been. De gil leek in niets meer op een menselijke stem; Alexandra klonk alleen nog maar als een van angst gek geworden dier. In geen enkel opzicht leek ze nog op het aardige, achttienjarige meisje dat Jan af en toe stiekem vanuit zijn kamer had gadegeslagen.

Jan dacht aan zijn vader, die dag in dag uit met gekken te maken had en die hem ooit eens had verteld dat er geen reden was om bang voor ze te zijn. *Het zijn mensen zoals jij en ik, die onze speciale aandacht en zorg nodig hebben.*

Jan haalde zich dat voor de geest en nam zich voor om niet bang te zijn. Dat ging hem niet makkelijk af, maar dat Alexandra op dit moment speciale aandacht en zorg nodig had, kon hij duidelijk zien.

'Hé,' fluisterde hij en hij tilde kalmerend zijn gehandschoende handen op. 'Ik ben het maar. Jan. Jan Forstner.'

Op dat ogenblik begon Rufus te blaffen. Zoals de meeste honden van zijn ras hoorde hij niet direct tot de moedigste en ging hij er bij het minste teken van gevaar vandoor, maar nu leek hij besloten te hebben om althans vanaf een gepaste afstand zijn hondenplicht te doen.

Alexandra keek naar Rufus, toen weer naar Jan, en toen rende ze weg. Jan zag welke kant ze op ging en vergat meteen al zijn angst.

'Nee!' riep hij haar achterna, 'niet doen!'

Maar Alexandra rende verder – over het ijs op de vijver.

'Verdomme nee!'

Jan holde tot de oever achter haar aan en stopte daar. Diezelfde middag nog had hij het ijs in de zon horen kraken toen hij er met Rufus langs was gelopen – het had 'gezongen', zoals zijn vader het noemde – en de parkwachters hadden een bord neergezet: VERBODEN OP HET IJS TE LOPEN! LEVENSGEVAAR!

Misschien zou het ijs haar verderop in het midden van de vijver nog dragen, maar hij gaf er geen cent voor.

'Blijf staan!' riep hij, en zijn stem klonk zo schril als een seinfluitje.

Nu leek Alexandra hem gehoord te hebben. Ze gleed nog een paar meter over het ijs en viel toen op haar knieën.

'Je moet terugkomen,' riep Jan, en hij legde nadruk op elk woord afzonderlijk, zodat ze hem goed zou begrijpen. 'Blijf op handen en voeten en kruip heel langzaam hierheen.'

Zo ver bij de parkverlichting vandaan was Alexandra alleen maar een bultige schaduw op de ijsvlakte. Jan kon haar horen huilen. Ze bewoog niet.

Verdomme, verdomme, dacht hij, toen ze geen aanstalten maakte om terug te komen naar de oever. Waarschijnlijk had ze nu begrepen welk gevaar ze liep.

Jan beet op zijn onderlip. Wat moest hij beginnen? Naar huis gaan en hulp halen of hier blijven en misschien proberen, haar van het ijs te halen?

Rufus was hijgend naast hem komen zitten. Daar had hij ook al niets aan.

Nog terwijl Jan zich stond af te vragen of hij echt het risico zou nemen om het ijs op te gaan en haar te gaan halen, nam Alexandra hem de beslissing uit handen. Alsof haar gekte besloten had een korte pauze te houden en haar verstand weer de overhand kreeg, deed ze wat Jan zei. Ze bleef op handen en voeten en kwam voorzichtig naar hem toe.

Haar gesnik was tot bij Jan te horen – en Jan hoorde nog meer. Een zacht gekraak, waar hij van ineenkromp. Ze moest nog bijna honderd meter terug en Jan bad stilletjes dat het ijs het zou houden. Algauw waren het nog zo'n tachtig meter, zeventig, zestig. Hoe dichter Alexandra bij de oever kwam, des te sneller werden haar bewegingen.

Weer klonk gekraak, nu vlak bij Jan. Jan keek naar het ijs en zag de scheuren dicht bij de oever ontstaan. Alsof ze door een opgewonden tekenaar op het glasachtige oppervlak werden gekrast.

'Stop!' riep hij. 'Niet hierheen! Kruip verder die kant...'

Een luid gekraak sneed hem de stem af. Scheuren schoten over het ijs, sneller dan het oog kon volgen.

Alexandra raakte in paniek. Ze sprong op en begon te rennen. Recht op Jan en de redding van de oever af. Maar ze had nog geen vier passen gedaan toen het ijs brak.

Jan schreeuwde en Rufus blafte.

Alexandra viel in het ijskoude water. Ze ging even kopje onder en kwam trappelend en om zich heen slaand boven.

Jan pakte Rufus bij zijn halsband en wilde de riem losmaken, maar met zijn wanten aan ging dat niet. Hij hoorde Alexandra's borrelende geschreeuw en geproest, deed als de bliksem zijn handschoenen uit en rukte de hondenriem los.

Tot aan het gat in het ijs was maar een paar meter, maar de riem was veel te kort.

Jan schoof alle bedenkingen opzij. Op handen en knieën liet hij zich op het ijs glijden, trok zich niets aan van het gekraak en kroop naar Alexandra toe. Haar bewegingen waren stijf, panisch en onbeholpen. Ze moest al in de loop van haar tocht door het park volkomen verkleumd zijn geraakt en nu gaf het ijskoude water haar het laatste duwtje.

Jan wierp haar de riem toe, maar het zag er bijna belachelijk uit. Hij was nog veel te ver weg.

Toen ging ze weer kopje-onder en kwam niet meer boven.

Sprakeloos staarde Jan naar het onrustige water in het wak. Even dacht hij witte omtrekken te zien die onder hem door de stroming naar de oever werden gedreven. Maar meteen daarna was de schim weer verdwenen.

Meer dan drieëntwintig jaren waren sindsdien voorbijgegaan. Jaren waarin Jan steeds weer van die nacht had gedroomd. In zijn dromen zag hij het wak, de witte schim beneden zich en het donkere oppervlak van de vijver.

Af en toe veranderden die dromen. Soms was Jan dichter bij het wak, dan weer was hij verder weg. Of Alexandra bleef langer boven water en probeerde zich vergeefs vast te houden aan het natte ijs, of ze dook geen tweede keer meer op. Maar nooit was de riem lang genoeg om Alexandra te kunnen redden – al was het maar in zijn droom.

Er was nog een variant, waarin de droom een laatste wending nam: Jan sprong het meisje achterna en dook samen met haar de ijzige duisternis van de vijver in, op de vlucht voor alle verschrikkingen die hem na die noodlottige nacht te wachten stonden.

4

Op maandagochtend om halfacht begon Jan zijn dienst op afdeling 9b van de Boskliniek.

Rudolf Marenburg had hem eerst een overvloedig ontbijt opgedrongen met spiegeleieren, gebakken spek, worstjes en een enorme stapel geroosterd brood. Jan was blij met het zorgzame gebaar van zijn vriend en had behoorlijk toegetast, hoewel hij 's morgens gewoonlijk alleen een kop koffie dronk. Enerzijds wilde hij de goede bedoelingen van zijn gastheer niet van de hand wijzen, anderzijds had hij sinds hij was gescheiden niet meer zo goed en uitgebreid ontbeten.

Eigenlijk was dat al wel langer geleden, want in het laatste jaar van hun huwelijk had Martina 's morgens voornamelijk met een Gauloise in de ene en een koffiemok in de andere hand aan de keukentafel gezeten en hem met een even bezorgde als verwijtende blik aangekeken. Een blik die zei: *je hebt vannacht weer liggen schreeuwen*, en: *houdt het dan nooit op?* En vooral: *ik hou het niet langer uit.*

Voor Jan was Marenburgs ontbijt als een mooie herinnering aan het gelukkige begin van zijn relatie; een tijd waarin Martina 's morgens alleen in een slipje en een badjas rondliep en Jan begroette met een slaperige, maar gelukkige glimlach.

Met zijn ochtendlijke zorgzaamheid had Marenburg iets bij Jan losgemaakt: voor het eerst in lange tijd voelde hij zich weer ergens thuis – ook toen het tot hem doordrong dat dit thuis van voorbijgaande aard zou zijn. Jan genoot ervan nog helemaal slaperig alle heerlijkheden naar binnen te werken en in het voorbijgaan met Marenburg over de koppen in de *Fahlenberger Bote* te kletsen. Maar toen hij later de trap op liep naar zijn nieuwe werkplek werd hij een beetje misselijk en hij nam zich voor om het voortaan weer bij de gewone kop koffie te houden.

Gebouw 9 was één van de alles bij elkaar veertien afdelingen op het parkachtige terrein van de Boskliniek in Fahlenberg. Op de begane grond was de gesloten afdeling ondergebracht, waar kort geleden een nieuwe collega haar dienst was begonnen, dokter Andrea Kunert. Daarboven lag het domein waar Jan verantwoordelijk was: de open spoedafdeling.

Jan kwam te weten dat zijn voorganger, dr. Mark Behrendt, zes weken eerder een baan had aangenomen in een kliniek in de buurt van Hannover – om privéredenen, naar men zei. Volgens een andere, onofficiële versie had Behrendt een verhouding met een vroegere collega, maar Jan vroeg er verder niet naar. Voor ziekenhuisroddels had hij zich nooit geïnteresseerd.

Geneesheer-directeur Raimund Fleischer liet zich het genoegen niet ontnemen Jan op zijn eerste werkdag hoogstpersoonlijk de weg te wijzen in de kliniek. Eerst leidde hij hem rond en vervolgens stelde hij Jan voor aan de andere medewerkers op zijn nieuwe werkplek.

Het verplegend personeel van deze ploeg bestond uit drie mannen. De eerste die Jan leerde kennen was Konrad Fuhrmann. Hij stelde zich voor als 'Konni'.

'Dat zeggen ze hier allemaal tegen me,' zei hij schokschouderend. 'En ik vind het prettiger als u "je" en "jij" tegen me zegt. "Meneer Fuhrmann" vind ik vreemd klinken. Ik hoop dat u zich daarin kunt vinden?'

Jan kon zich daar inderdaad in vinden, waarmee hij Konni een brede glimlach ontlokte. Zijn postuur herinnerde Jan aan zijn tijd in een gerechtelijk huis van bewaring waar de verplegers allemaal stand-ins voor Schwarzenegger hadden kunnen zijn. Verschillende verplegers hadden hun salaris aangevuld ook daadwerkelijk als portier bij clubs of discotheken.

Konni's ongeveer even oude collega Lutz Bissinger kon daarentegen model staan voor de noodzaak van voedselhulp. Hij leek vooral van kauwgum te leven; je zag hem de hele dag kauwen en de korte, afgekapte uitingen die Lutz zo nu en dan liet horen, pasten goed bij het aanhoudende ritme van zijn kaken.

Derde en jongste van de club was Ralf Steffens, een voor zijn leeftijd ongewoon ernstige jonge man met een bos blonde krullen en een sikje dat zijn zachte gelaatstrekken wat mannelijker moest laten uitkomen, vermoedde Jan.

Ralf leek te merken dat Jan zenuwachtig was op zijn eerste werkdag. Daarom hielp hij hem waar hij maar kon. Hij legde Jan uitvoerig de gang van zaken op 9b uit. Ze konden vanaf het begin goed met elkaar overweg, ook nadat Jan het gevoel kreeg dat er met Ralf ergens iets niet helemaal in orde was.

Ralf wekte de indruk van iemand die met zijn laatste geld een lootje heeft gekocht en koortsachtig uitkijkt naar de krant van zaterdag. Hij leek onder iets vreselijks gebukt te gaan en als ze elkaar langer hadden gekend, had Jan ernaar gevraagd.

Ralf kon goed uitleggen en Jan was onder de indruk van de gevoeligheid die de jonge verpleger daarbij aan de dag legde. Als hij ook zo met de patiënten omging, dan waren ze in goede handen.

De werkwijze van Ralf en zijn collega's stak scherp af tegen de strenge manier van doen die Jan gewend was van de omgang met geesteszieke delinquenten. Het werk op 9b was überhaupt veel meer ontspannen en rustiger dan op Jans vroegere werkplekken. 's Ochtends waren de meeste patiënten op het terrein van de kliniek op pad. Ze gingen naar ergotherapie, deden mee aan het bewegingsprogramma, musiceerden of schilderden bij kunstzinnige therapie of werden in trainingsworkshops voorbereid op herintreding in hun werk.

Jan maakte gebruik van de afwezigheid van patiënten om zich de schriftelijke formaliteiten en het documentatiesysteem van de kliniek eigen te kunnen maken. Later bezocht hij het maandagse artsenoverleg, waar hij nogmaals door Fleischer binnen het gezelschap van collega's welkom werd geheten.

Na de lunchpauze had Jan tijd vrijgemaakt voor een persoonlijk kennismakingsgesprek met zijn patiënten. Opnieuw moest hij denken aan zijn vroegere dienstbetrekkingen. 'Ik was volkomen toevallig op het schoolplein en die jongen dwong me ertoe' of 'Geloof me nou toch, ze vindt het lekker als ik haar daarbij wurg, ik heb hooguit wat harder geknepen dan anders' – dat bestond hier niet.

Hier deden zich andere problemen voor, waarmee Jan beduidend beter overweg kon. Problemen als die van de basisschoolleraar die in een grote stad in een zogenaamde probleemwijk had gewerkt en halverwege de gymnastiekles was doorgedraaid omdat hij het gegil en de opstandigheid van zijn leerlingen niet meer kon verdragen. Of van de zwaar depressieve, alleenstaande moeder die ervan overtuigd was dat haar langdurige werkloosheid alleen aan haarzelf te wijten viel, alsof ze niet beter verdiende.

Het laatste gesprek van de middag voerde Jan met een jonge man die zijn psychotische waanvoorstellingen op zijn buurvrouw van achtenzeventig projecteerde.

'Ze doet het elke nacht, zo waar als ik hier zit,' zei hij, en hij schoof zenuwachtig heen en weer op de patiëntenstoel. 'Elke nacht, verdomme. Of ik in bed lig of op de grond of op de bank, maakt allemaal niet uit. Precies op het moment dat ik inslaap, steekt ze haar lelijke kop door de muur en scheldt ze me uit. Als je haar op de trap tegenkomt is ze poeslief, maar pas op, 's nachts kijkt ze door de muur. Ha! De ouwe heks!'

Dat hij misschien ziek was en dat het bij het zien van het heksengezicht om een gevolg van storingen van zijn synapsen ging, wilde er bij de patiënt niet in. Jan besloot de medicatie te verhogen. In de eerste plaats was het van belang de hallucinaties te verminderen, zodat er een basis voor een redelijk gesprek ontstond. Zolang deze patiënt geen besef van zijn ziekte had, was alle hoop op een succesvolle behandeling vergeefs.

Nadat zijn patiënt was weggegaan, schreef Jan zijn verslag. Toen hij weer opkeek stond er een uit de kluiten gewassen man in de deuropening. Met zijn handen achteloos in zijn zakken grijnsde hij Jan toe.

'Op de eerste dag al overuren? Als ik jou was, zou ik daar geen gewoonte van maken. Je geeft ze één vinger, en dan weet je het wel.'

Jans gesprekspartner had zo uit een modeblad voor de sportiefelegante vijftiger kunnen zijn weggelopen. Door de schelmse manier waarop hij Jan bekeek zag hij er een paar jaar jonger uit.

'Norbert Rauh,' stelde hij zich voor. 'Raimund heeft je vast al over me verteld.'

'Dat klopt,' antwoordde Jan. Dit was dus Fleischers 'voorwaarde'. Jan stelde vast dat Rauh bij de weinige mensen hoorde van wie hij op het eerste gezicht niet zeker wist of hij ze aardig vond of niet.

Zonder op een uitnodiging te wachten kwam Rauh het kantoortje in en ging in de patiëntenstoel zitten. Jan rook een onopvallende zweem muskusachtige aftershave.

'Leuk je weer te zien,' zei Rauh. 'De laatste keer dat we elkaar zagen was je zo'n tien of elf jaar. Waarschijnlijk herinner je je dat niet meer.'

'Om eerlijk te zijn niet, nee.'

'Het is ook al een tijdje geleden.' Rauh zuchtte. 'Soms lijkt het wel een eeuwigheid. Ik heb je vader goed gekend, hè. We werkten samen aan een onderzoeksproject. Hypnotherapie. Bernhard was er behoorlijk vol van. Zijn dood was een groot verlies. Onvoorstelbaar. Je vader was een fantastische man.'

'Heb je lang met hem samengewerkt?'

'Iets meer dan twee jaar. Na zijn dood heb ik ons project eerst alleen voortgezet, tot ik er twee nieuwe collega's bij kon betrekken die enigszins aan je vader konden tippen. Ik denk dat hij erg tevreden met de resultaten zou zijn geweest.'

'Ik wist helemaal niet dat de Boskliniek een onderzoeksafdeling heeft.'

Rauh schudde zijn hoofd. 'Die is er ook niet. We werkten destijds samen met de Universiteit van Ulm. Daarna heb ik lang in Cambridge en Oxford gewerkt. Ik ben pas vier jaar geleden met een kleine omweg via Hamburg weer naar mijn vaderland teruggekeerd.' Opnieuw grijnsde hij, maar deze keer kwam de grijns niet zo zelfverzekerd over – eerder een beetje melancholisch. 'Ik denk dat je wel weet hoe het is als je op een gegeven moment weer terugkeert bij je wortels, als je de geborgenheid van vroeger zoekt. Alleen lopen de redenen daarvoor uiteen. In mijn geval was het de leeftijd, waar ik helaas niet meer omheen kon... Maar goed, daar kwam ik eigenlijk niet voor en dat wist je ook wel.'

Jan begreep de toespeling en besloot het eigenlijke onderwerp open en bloot op tafel te leggen. 'Dokter Fleischer heeft het gehad over een aanbod me door jou te laten behandelen. Volgens hem kun je me helpen.'

'Dat klopt.' Rauh knikte en keek Jan onderzoekend aan. 'En wat denk je er zelf van? Kun je geholpen worden?'

Een ogenblik lang zag Jan Martina voor zich. Zijn ex-vrouw stond in de slaapkamer en stopte haar laatste kleren in een koffer. Voor het raam stond een bestelauto waarin Jans inmiddels voormalige zwager de laatste verhuisdoos stouwde. Jan herinnerde zich de blik van Martina en de onherroepelijkheid van haar besluit. Elke poging om haar van gedachten te doen veranderen was zinloos geweest – zelfs al had Jan het gewild. Maar hij wist dat het zo beter was.

Jan herinnerde zich het laatste wat Martina tegen hem zei, voor ze bij haar broer in de bestelauto stapte en voor altijd uit zijn leven verdween: 'Je zult er op een dag wel achter komen dat je zonder hulp niet van je obsessie afkomt. Ik wens je uit de grond van mijn hart dat er dan iemand is door wie je je laat helpen. Het spijt me, maar ik kan niets voor je doen.'

'Je lijkt er niet helemaal zeker van te zijn,' bracht Rauh hem terug naar het heden.

Jan aarzelde met zijn antwoord en dacht terug aan Martina's woorden. Toen knikte hij. 'We moesten het maar proberen.'

Tevreden glimlachend sloeg Rauh op zijn dijen. 'Heel goed, zo is dat. Kom morgen na werktijd bij me langs in Gebouw 12.'

'Oké,' zei Jan. 'Zul je ons gesprek vertrouwelijk behandelen?'

'Officieel sta je te boek als gaststudent op mijn vakgebied,' verklaarde Rauh. En toen voegde hij er met een knipoog aan toe: 'Wie weet word je dat nog wel echt, als ik je van de effectiviteit van mijn werk heb overtuigd. Het zou mooi zijn als ik weer met een Forstner kon samenwerken.'

Net als in het begin voelde Jan zich onbehaaglijk bij de gedachte bij Rauh in behandeling te gaan. Het boezemde hem angst in om af te dalen in de krochten van het verleden en de oude geesten los te laten uit de kerkers waarin hij ze met zoveel moeite had opgesloten. Maar het was nu eenmaal de voorwaarde die Fleischer had gesteld. En er waren de woorden die Martina bij hun afscheid had uitgesproken, waarin wel meer dan een beetje waarheid had gescholen.

'Zo. Nu zal ik je niet langer van je welverdiende vrije tijd afhouden.' Rauh stond op. Hij was al bijna bij de deur toen hij zich nog even omdraaide.

'Waar woon je de komende tijd? Als ik me niet vergis, is het huis van je ouders toch verhuurd?'

'Voorlopig woon ik bij een vriend van me,' zei Jan, en na een plotselinge ingeving vroeg hij: 'Ken jij Rudolf Marenburg?'

'Marenburg,' zei Rauh nadenkend. 'Kennen is te veel gezegd. Hij is net zo'n oude Fahlenberger als ik en het stadje is klein. Je loopt elkaar zo nu en dan tegen het lijf.'

'Als je vroeger bij de Boskliniek hebt gewerkt, moet je zijn dochter hebben gekend. Alexandra.'

'Ik weet nog dat ze tijdens haar behandeling hier is gestorven,' zei Rauh en maakte een gebaar waaruit medeleven sprak. 'Maar meer dan dat kan ik me niet herinneren. 'Het is al een eeuwigheid geleden.'

'Ze zat met een depressie op de afdeling van mijn vader,' hielp Jan hem herinneren. 'Op een nacht in januari draaide ze door, liep weg van de afdeling en verdronk halfnaakt in de vijver in het park.'

Nu leek Rauh het zich weer te herinneren. 'O ja, natuurlijk. Dat was een leuk meisje, die kleine van Marenburg. Erg treurig. Was jij er toen ook niet bij in het park?'

De manier waarop Rauh reageerde op het onderwerp beviel Jan niet. In zijn dure kloffie mocht de arts er misschien als een dandy uitzien, maar een goeie toneelspeler was hij niet.

'Ik heb nooit begrepen waarom ze zo in paniek was,' ging Jan verder. 'Ze wekte de indruk volkomen in de war te zijn, alsof de duivel zelf achter haar aan zat.'

Rauh hief met spijt de handen. 'Zoals ik al zei, het is lang geleden. Ik meen me nog vaag te herinneren dat ze behalve aan depressie ook aan een ernstige angststoornis leed. Maar het doet er niet toe wat de reden voor haar dood was; we kunnen er toch niets aan veranderen. Waarom vraag je ernaar?'

'Nou ja, ik vraag me nog steeds af wat iemand ertoe beweegt om 's nachts door het park te rennen, en nog bijna zonder kleren aan bovendien.'

Rauh knikte ernstig. 'Dat is begrijpelijk. Aan de andere kant zou je moeten leren het verleden los te laten. Er is niet altijd een verklaring. Laat mij je helpen weer in het heden te leven. We zijn veel te kort op de wereld om lang bij het verleden stil te blijven staan, toch?'

Het verleden loslaten, dacht Jan. *Dat is makkelijker gezegd dan gedaan. Vooral als het verleden je met zoveel onbeantwoorde vragen de toekomst in heeft gestuurd.*

5

Het was al donker toen Jan parkeerde voor het huis van Marenburg. Er brandde licht in de keuken en door het raam kon Jan de oude man aan tafel zien zitten.

Jan besloot nog een wandelingetje te maken. Op dit moment had hij geen zin om te praten. Hij was moe en uitgeput en had moeite met alle nieuwe indrukken en de vele herinneringen. Hij snoof de koude lucht op en keek naar de hemel, waaraan geen ster te bekennen viel. Van de maan was niet meer te zien dan een doffe lichtvlek in het dikke wolkendek.

Hij kreeg Rauhs woorden niet meer uit zijn hoofd. *Het verleden loslaten. In het heden leven.* Kon je die twee echt van elkaar scheiden? Was het heden niet het resultaat van voorbije gebeurtenissen en kon je het heden niet pas dan begrijpen als je ook het verleden begreep?

Zuchtend sloeg hij het pad naar het park in. Jan voelde een innerlijke weerstand, die echter met elke stap minder werd. Ooit moest hij deze weg weer gaan, zei hij tegen zichzelf. Elke centimeter van deze stad was geplaveid met herinneringen, goede en slechte, dat gold niet alleen voor het park. Het werd tijd om dat niet langer te verdringen.

Hoe vaak had hij hier niet in gedachten gelopen, zich elke stap voorgesteld en zich afgevraagd hoe het hem zou vergaan? Nu voelde hij alleen de koude wind die hem in het gezicht waaide.

Eenmaal in het park liep Jan naar de vijver. Ontelbare keren had hij Rufus hier uitgelaten en elke keer waren ze tot het bankje aan de waterkant gelopen. Het bankje stond er nog steeds, al was het intussen vernieuwd. Jan zag een messing schildje op de rugleuning zitten. Toen hij las wat er gegraveerd stond, ging er een schok door hem heen.

Jan liet zich op het bankje zakken. Het was best mogelijk dat elke vierkante centimeter met herinneringen geplaveid was, maar op deze plek was de dichtheid wel het grootst. En niet alleen vanwege Alexandra.

Jan stak zijn hand in zijn jaszak en haalde zijn permanente metgezel tevoorschijn. De knoppen van het dictafoontje waren al lang afgesleten, de opschriften waren nauwelijks nog te lezen en het zat vol krassen, maar het werkte nog steeds. Voor hij op de afspeeltoets drukte haalde Jan voorzichtig een draadje wol weg, dat in de opening van het cassettevak verstrikt was geraakt.

Met een klik zetten de spoeltjes van de microcassette zich in beweging. Jan hield het apparaatje bij zijn oor. Eerst was alleen ruis te horen. Je zou denken dat er niets op het bandje stond. Maar als je goed luisterde, hoorde je het lichte ruisen van de wind in de microfoon.

Na de verdwijning van Sven hadden technici van de recherche de opname grondig onderzocht. Ze hadden alle geluiden eruit gefilterd, versterkt en geanalyseerd, maar geen ervan was sterk genoeg geweest om te achterhalen wat er die nacht was gebeurd.

Wat er ook was gebeurd, het gebeurde in alle stilte. Een stilte die voor Jan onverdraaglijk was en hem desondanks steeds weer dwong te luisteren.

Toen het bandje met een metalige klik stopte, draaide Jan de cassette om en zette het apparaat weer aan. Nu hoorde je de A-kant. De kant waarop Jan en Sven nog bij elkaar waren geweest. Meer dan een ongeduldig *Pssst!* van Jan was er niet te horen, maar zoals altijd was het genoeg om beelden bij hem op te roepen. Anders dan anders was Jan nu op de plaats van handeling. Hier, op de plek waar hij nu zat, was het gebeurd. Hier hadden ze de dictafoon op het bankje gelegd en muisstil gewacht tot er iets zou gebeuren. Iets volkomen krankzinnigs, waar alleen een jongen van twaalf in kon geloven, terwijl zijn verkleumde broertje naast hem stond.

En toen, helemaal aan het einde van het bandje, zei Sven iets. Het was maar één zin, maar genoeg om Jan tranen in zijn ogen te laten krijgen.

Wanneer gaan we weer naar huis?

Meteen daarna sloeg het apparaat af en Jan kromp in elkaar van de klik.

Nu kon Jan zich niet meer beheersen. Huilend omklemde hij de dictafoon, streek over de letters van het opschrift GRUNDIG en stopte het weer in zijn zak.

Nu merkte hij pas dat hij niet alleen was. Marenburg moest hem gezien hebben en was achter hem aan gelopen.

'Dit is voor ons allebei een treurige plek,' zei hij. 'En toch worden we erdoor aangetrokken.'

'Houdt het dan nooit op?' vroeg Jan en hij wreef met zijn mouw de tranen uit zijn ogen. Hij schaamde zich ervoor dat hij hier met zijn vijfendertig jaar zat te huilen als een kind, maar hij voelde ook hoe het hem opluchtte.

'Ik kan niet meer, Rudi. Ik ben mijn baan kwijtgeraakt omdat ik geobsedeerd was door het zoeken naar verklaringen. Mijn vrouw is van me gescheiden omdat ze het niet meer met me uithield en ik kan het haar niet eens kwalijk nemen. Ik hou het ook niet meer met mezelf uit.'

'Weet je,' zei Marenburg, en hij kwam naast Jan zitten, 'er zijn duizenden clichés als *de tijd heelt alle wonden* en zo. Allemaal onzin, jongen. De pijn houdt niet op. Zoals je ook niet wilt ophouden met zoeken naar de redenen waarom iets pijn doet.' Marenburg keek Jan aan en glimlachte troostend. 'Maar je moet er wel voor zorgen dat je ze allemaal op een rijtje houdt. Waarschijnlijk zul je nooit weten wat er met je broer is gebeurd. Zoals ik misschien ook nooit zal weten waarom mijn lieve dochter hier moest sterven. Maar je kunt wel leren leven met de pijn. Dat lukt niet altijd, maar met een beetje geduld wordt het in de loop der jaren wel makkelijker.'

Jan liet deze woorden op zich inwerken en zei toen: 'Ik ga in therapie. In mijn eentje kom ik er niet uit.'

Marenburg schoof van hem weg en stond op.

'In therapie,' herhaalde hij, en er sloop milde spot in zijn knerpende Kermit-stem. 'Jongen, ik wil je niet teleurstellen en je zult er wel goed over nagedacht hebben. Misschien helpt het jou, maar ik heb zo mijn twijfels. Als therapieën echt hielpen zou Alexandra er nu nog zijn geweest. Zij zat ook in therapie,' hij leek het woord uit te spuwen, 'wat zeg ik, wel tien therapieën. En heeft het geholpen?'

'Dat was niet hetzelfde, Rudi. Alexandra was heel erg ziek. Als je het mij vraagt leed ze aan een stofwisselingsstoornis in de hersenen. Zoiets is niet makkelijk te behandelen. Met medicijnen kun je hoogstens de symtonen onderdrukken.'

Marenburg trapte tegen een steentje en het stuiterde over het asfalt.

'Vat het niet persoonlijk op, Jan, maar ik heb niets op met die psychiatrische hokus-pokus. Jullie psychiaters tasten alleen maar in het duister en als je het niet meer weet, is het maar weer de stofwisseling in de hersenen of zoiets. Ik heb niets tegen je vader, maar volgens mij hebben ze mijn meisje toen alleen maar gekker gemaakt. Iedere keer dat ze uit die verdomde kliniek werd ontslagen was ze nog eigenaardiger en afstandelijker. En dan loopt ze als een gek hiernaartoe en is ze ineens dood.' Hij draaide zich om naar Jan en nu blonken er ook tranen in zijn ogen. 'Ik wil je die therapie niet uit je hoofd praten, maar ik denk dat iedereen zelf zijn demonen moet bevechten. Niemand anders kan die voor je wegjagen en pillen helpen al helemáál niet. Heb geduld met jezelf, dan lukt het je wel. Je hebt net een nieuwe start gemaakt en ik weet zeker dat er geen betere plek voor je is dan daar waar alles is begonnen.'

'Misschien heb je gelijk,' zei Jan, en hij woelde met de neuzen van zijn schoenen in de grond. 'Maar als je voor jezelf de juiste weg wilt vinden moet je niets onbeproefd laten.'

'Amen,' zei Marenburg en hij glimlachte. 'Wat zou je zeggen van een lekker koel Fahlenberger Schlossquell-biertje? Als je daar zoveel van ophebt dat je de naam niet meer kunt uitspreken, wordt ook de pijn in je hart minder.'

Jan bedankte voor het aanbod. Van alcohol zou hij alleen maar neerslachtiger worden. Marenburg haalde zijn schouders op. Hij maakte aanstalten om weer naar huis te gaan, maar Jan hield hem tegen: 'Wat bedoelde je, toen je zei dat ze Alexandra in de kliniek alleen maar gekker maakten?'

'Precies wat ik zei. Ik weet niet wat ze daarbinnen met haar hebben uitgehaald, maar iets heeft haar ertoe aangezet halfnaakt door het park te rennen. Ze was doodsbang, Jan. Dat weet je waarschijnlijk beter dan ik.'

Jan zei niets. Hij zag alleen het verwrongen gezicht van Alexandra voor zich, met de aan haar wangen vastgevroren draadjes speeksel en haar wijd opengesperde ogen.

Marenburg, die uit Jans zwijgen opmaakte dat hij er ook zo over dacht, knikte veelbetekenend. 'Iemand in die kliniek heeft verdomme haar dood op zijn geweten. Dat geef ik je op een briefje, ook al kan ik het niet bewijzen.'

6

Het had al dagen in de lucht gehangen en nu vielen dan de eerste dikke sneeuwvlokken van de winter uit de leigrijze november-hemel boven Fahlenberg. Vooralsnog bleef de sneeuw niet lang op het asfalt liggen, maar als de vrieskoude wind nog een tijdje waaide, zou de stad snel onder een dik pak begraven zijn.

Jan had de radio aangezet en genoot van de harde muziek die de stilte uit de benauwde ruimte van de auto verdreef. Billy Idol zong juist dat hij met zichzelf danste toen Jan de file voor zich op de snelweg zag en afremde. De oorzaak van de file was niet zo snel te zien. Misschien was een roekeloze automobilist ondanks de winterse omstandigheden met zomerbanden op weg gegaan en geslipt. Nog maar een paar minuten geleden had de radiopresen-tator verteld over de vele ongelukken die zich met verbazing-wekkende regelmaat voordeden als de eerste sneeuw viel.

Toen zag Jan een dikke man die met wapperende regenjas tus-sen de wachtende auto's door liep en iets leek te roepen. Jan zette de radio uit en deed het raam open.

'Een dokter!' hoorde hij de dikke man in de regenjas roepen, terwijl hij op het dak van de auto vóór die van Jan hamerde. 'Help nou even! Is er dan nergens een dokter?'

Nu zag Jan de bloedvlekken op zijn jas en stapte uit.

'Ik ben arts! Wat is er aan de hand?'

De man in de regenjas draaide zich als een wervelwind naar hem om. Hij leek volledig van de kaart en keek hem met van schrik wijdopen ogen aan. Toen stormde hij op Jan af, greep hem bij de mouw van zijn jas en trok hem mee.

'Kom mee! O god, kom mee!'

Terwijl hij tussen de auto's door achter de man aan rende, lukte het Jan om zijn arm uit diens greep los te maken. Verscheidene automobilisten staken nieuwsgierig hun hoofd uit het raam. Een mannenstem riep: 'Hé, wat is er aan de hand, daar verderop?', een ander vroeg vloekend wanneer het eindelijk weer eens op zou schieten. Een eind verder naar achteren werd getoeterd.

De plaats van het ongeval bevond zich een paar meter voorbij een voetgangersbrug die het centrum van Fahlenberg verbond met een nieuwbouwwijk. Dwars op de weg stond een rode Seat. Toen ze dichterbij kwamen, stootte een vrouw vóór hen juist een verschrikte gil uit, draaide zich om en rende langs hen heen.

De dikke man in de regenjas bleef staan alsof hij niet verder durfde. Jan bleef ook staan. Hij zag de gedeukte motorkap van de auto. In de voorruit gaapte een gat.

Een stenengooier, schoot het door hem heen, *een of andere klootzak heeft iets van de brug gegooid!*

Achter de auto zag Jan een jonge man in een donker pak. Hij stond voorovergebogen, met zijn handen op zijn dijen, speeksel-draden in een plas braaksel te spugen. De arme jongen was dui-delijk de bestuurder van de Seat. Hij was niet gewond, dus Jans theorie over een stenengooier klopte niet.

Jan liet de dikke man staan waar hij stond en liep om de auto heen. Toen hij zag wat er op straat lag verstijfde hij. Tijdens zijn studie had hij al afschuwelijke dingen gezien, maar dit hier benam hem de adem. Geen wonder dat de bestuurder zich de longen uit het lijf kotste. Jan voelde ook braakneigingen opko-men.

Artsen zijn ook maar mensen, had ooit eens een bevriende chi-rurg tegen hem gezegd. *Het verschil zit hem daarin, dat ze heb-ben geleerd hoe ze de knop in hun hoofd moeten omzetten die hen tot vaklieden maakt.*

Jan vermande zich en zette de knop om. Even leek er iets te klemmen, maar het ging.

'Hebt u al een ambulance gebeld?' zei hij tegen de man in de regenjas, die hem aankeek alsof Jan Japans sprak. Jan draaide zich om naar de toeschouwers die zich intussen hadden verzameld.

'Bel een ambulance! Eén één twee!'

Ogenblikkelijk werden er verschillende mobieltjes tevoorschijn gehaald, maar ze werden niet allemaal naar het oor gebracht. Verschrikt zag Jan dat niet iedereen van plan was om te bellen – althans niet zonder eerst een paar foto's te maken.

Jan liep naar het slachtoffer, dat een paar meter bij de Seat vandaan lag. Het was een vrouw. Ze moest van de voetgangersbrug gesprongen en op de auto geknald zijn. De brug was maar een paar meter hoog en aan de sprong op zichzelf had ze waarschijnlijk alleen gebroken benen overgehouden, maar de botsing met een rijdende auto was rampzalig geweest. Dat de bestuurder vol in de remmen was gegaan, zoals aan de zwarte remsporen te zien was, veranderde daar niets aan.

Jan schatte de vrouw op vijfentwintig jaar. Ze moest een meter of wat door de lucht zijn geslingerd. Aan haar gescheurde regenjack kon je zien dat ze daarna nog een heel eind over het ruwe wegdek was gegleden. Aan haar gekromde houding was duidelijk te zien dat haar linkerarm, haar benen en ruggengraat gebroken waren. Haar linkerbeen lag verdraaid op het asfalt, haar rechterbeen stond rechtop in een knik, en vertoonde bovendien tussen de knie en de enkel een draai naar rechts, alsof er halverwege haar scheenbeen een extra gewricht zat. Haar lichaam zag eruit alsof een geweldige kracht het in een menselijke s had gebogen.

Jan liep ernaartoe. De borst van de vrouw ging nog steeds op en neer. Maar toen Jan haar gezicht zag, gaf hij haar hooguit nog een paar minuten te leven en hoopte hij voor haar dat het er zo min mogelijk zouden zijn. Haar linkeroog was door het verschoven jukbeen de schedel in gedrukt, terwijl haar rechteroog opgewonden heen en weer schoot. De vrouw leek bij vol bewustzijn.

Jan knielde bij de stervende neer en pakte voorzichtig haar rechterhand vast. Meteen klemden haar vingers zich om de zijne. Jan keek naar al het bloed dat uit een geweldige schaafwond midden op haar voorhoofd en uit de overblijfselen van de ingedrukte neus en oren opwelde. De bloedplas kwam al tot zijn schoen en het lange, donkere haar van de vrouw glansde als zeewier in een dieprode zee.

Toch zat er nog leven in de vrouw. Haar greep was nog steeds sterk en het overgebleven oog schokte onophoudelijk heen en weer, alsof het niet leek te begrijpen wat het zag.

'Rustig maar,' zei Jan zacht. 'Blijf kalm, er is hulp onderweg.'

Het was natuurlijk onzin. Hij had net zo goed *Alles komt goed* of *Je komt er wel bovenop* kunnen zeggen. Weliswaar hoorde Jan een eind verderop de sirenes van politie en ambulance, maar hij wist dat elke hulp hier te laat zou komen.

Alsof ze zijn gedachten had gelezen, keek de vrouw hem plotseling strak aan met haar ongedeerde oog. Er ging een ijskoude rilling door hem heen.

Waarom kijkt ze me zo aan? Waar blijft die ambulance nou?

De vrouw bracht afschuwelijke geluiden voort en leek met haar greep Jans vingers te willen breken. Maar toen hij dacht dat dat maar een laatste verzet was vóór het einde, begonnen haar armen te schokken, alsof ze zich ergens van wilden losmaken. Jan geloofde zijn ogen niet, maar de vrouw probeerde werkelijk overeind te komen. Maar het lukte haar niet om meer dan alleen haar hoofd op te tillen.

'Niet bewegen,' zei hij en streelde haar geruststellend over haar hoofd. 'Blijf liggen. Het is bijna gebeurd.'

Met een gorgelend geluid liet de vrouw haar hoofd weer vallen, maar ze keerde zich meteen weer naar Jan toe. Sneeuwvlokken vielen op haar bebloede gezicht en het overgebleven oog staarde Jan smekend aan.

Ze wil me iets vertellen!

Het was onbegrijpelijk. Hoewel de vrouw helse pijnen moest lijden en haar onderkaak er scheef bij hing, zodat ze niet kon praten, wilde ze toch nog iets tegen hem zeggen.

Jan hield zijn oor vlak bij haar gezicht. Hij voelde een warme ademtocht en kon het gorgelen in haar keel horen. Ze moest een paar keer slikken voor het haar lukte een geluid uit te brengen.

'Geeoh!'

Ze braakte nog een stroom bloed uit, slikte en stootte toen nog eens het vreemde geluid uit, nu langer: 'Geeeoooooh!'

Het geluid, misschien een woord en misschien ook alleen een laatste uitdrukking van haar pijn, ging over in hijgen.

Jan keek de vrouw aan en dwong zichzelf tot een zachte glimlach. Hij wilde haar iets aardigs meegeven op haar laatste reis.

Haar ogen braken, de greep op zijn vingers verslapte, en toen was het eindelijk voorbij.

7

De nabestaanden gaan over tot de orde van de dag. Die zin kwam Jan voor de geest toen hij bijna drie uur te laat met zijn dienst begon.

Eerst had hij op de plaats van het ongeluk zijn getuigenverklaring afgelegd en met het ambulanceteam gepraat, dat meteen na de dood van de brugspringster was aangekomen. Daarna had Jan zijn afdeling ervan op de hoogte gebracht dat hij later kwam, was nog even naar huis gereden en had uitgebreid gedoucht.

Rudolf Marenburg was niet thuis, wat Jan alleen maar prettig vond. Uitgebreide verklaringen zouden te veel van hem hebben gevraagd, evenals het schoonmaken van zijn bloedbevlekte schoenen die hij in een plastic zak had gedaan en in de vuilnisbak gegooid.

De rest van de dag kreeg Jan het beeld van de verpletterde schedel met het ene oog niet meer uit zijn hoofd. Maar toen hij laat in de middag in zijn kantoortje zat en een laatste gesprek voerde met een patiënt die ontslagen werd, was de herinnering veranderd in het surrealistische gevoel dat hij alles wat er 's morgens was gebeurd had gedroomd. Ja, alles leek maar een nachtmerrie te zijn geweest of zo'n horrorfilm waar deze jonge patiënt hier zo graag naar keek.

Kevin Schmidt zag eruit als Graaf Dracula zelf. Donkere kleren, witte make-up, zwartgeverfd haar dat met gel als een kroon overeind was gezet. Alleen had een echte vampier natuurlijk geen rozenkrans gedragen.

'Weet je, dokter, voor mij is het leven nog steeds één grote bak stront,' zei hij droog. Hij keek Jan daarbij niet aan, maar plukte aan een button met het opschrift BARLOW RULES, die op de revers van zijn leren jas zat. 'Maar het spul dat ze me hier gegeven hebben is echt goed. Zo stinkt de zooi ten minste niet meer zo vies als vroeger. Als u begrijpt wat ik bedoel.'

Als je vroeger net als ik met de dood in aanraking was gekomen, zou je daar waarschijnlijk anders tegenaan kijken, dacht Jan.

'Het doet me plezier dat je zo vooruit bent gegaan.' Jan dwong zichzelf te glimlachen.

'Nou ja, het zal u ook wel plezier doen dat u weer een psycho minder op de lijst hebt staan,' antwoordde de depressieve vampier, en hij stond op. 'Mag ik nu naar buiten?'

'Maak dat je wegkomt,' zei Jan, 'en veel geluk in de toekomst.'

Kevin Schmidt snoof verachtelijk en liep het kantoortje uit. Hij liet zo'n zware wolk patchouli achter, dat Jan ondanks de kou het raam openzette. Toen schreef Jan het eindverslag en stopte de akte in een envelop.

Tot het einde van zijn dienst had hij nog tijd over en in plaats van de envelop naar de interne post te brengen, besloot hij een wandelingetje naar het archief te maken.

Op de gang kwam hij Ralf Steffens tegen. Weer bedacht Jan dat de verpleger er buitengewoon zwaarmoedig uitzag en hij keek hem vrolijk aan.

'Alles goed? Je ziet er wat bleek uit.'

Ralf haalde alleen zijn schouders op. 'Het gaat wel. Privéproblemen.'

Privé is privé, dacht Jan en daar liet hij het bij. Tenslotte wist hij beter dan wie ook dat je over sommige dingen liever niet met anderen praatte. Dus veranderde hij van onderwerp en vroeg de weg naar het archief.

Ralf had Jan nog maar net antwoord gegeven, toen Konni Fuhrmann hem kwam halen – er was telefoon voor hem. Er was een vrouw aan de lijn, zei hij, en het was dringend. Jan hoopte voor Ralf dat het telefoontje betekende dat hij de loterij had gewonnen waar hij zo vurig naar verlangde. Het hoefde niet meteen *alle dertien goed* te zijn, maar *vooruit, laten we er nog eens over praten* was ook heel wat waard.

Een ijzige wind floot in de knoestige bomen die de weg naar de zij-vleugel van het administratiegebouw omzoomden, waar het ar-chief was gehuisvest. Het sneeuwde niet meer, maar het donke-re wolkendek dat langzaam uit het oosten optrok, voorspelde meer sneeuwval.

Hoewel het maar vijf minuten lopen was vanaf gebouw 9, had Jan het vreselijk koud. Maar dat was niet erg, want de vorst en het ommetje door de frisse lucht sorteerden het gewenste effect. Na de gebeurtenis van die ochtend had hij de hele dag knikkende knieën gehad en een onaangename kramp in de maagstreek. Nu voelde hij zich beter.

Toen hij ten slotte bij de zij-ingang van het archief aankwam, volgde hij de wegwijzers die hem naar een keldertrap leidden.

Zoals de meeste gebouwen van de kliniek stamde het L-vor-mige bestuursgebouw uit de tijd waarin de kliniek was opge-richt, rond 1900. Ondanks de moderne halogeenlampen die het trappenhuis verlichtten en de heldere houten trap had Jan het ge-voel alsof hij in een oude kerker afdaalde. Die indruk werd nog versterkt toen hij de keldervloer overstak en bij een dikke stalen deur aankwam met het opschrift ARCHIEF. Er had even goed KER-KER kunnen staan, dacht Jan.

Maar in plaats van een kerker wachtte hem achter de deur nog een gang, die al na een paar meter ophield bij een volgende sta-len deur. Hier had het bestuur blijkbaar geen geld meer voor de renovatie. Misschien had men het ook niet nodig gevonden om de afbladderende pleister van de grauwe muren te vernieuwen, de blootliggende water- en verwarmingsbuizen af te dekken of voor betere verlichting te zorgen, aangezien hier behalve de ar-chivaris en de medewerkers van de postkamer nooit iemand kwam.

Jan klopte op de deur, wachtte tot er iemand 'binnen' zei, en toen hij geen antwoord kreeg, deed hij de deur open.

Voor zich zag hij een hoge ruimte, waarvan de muren waren bedekt met schappen en archiefkasten. Het rook er muf naar oud papier en steen en – hoewel er op een van de muren naast de brandblusser een bord hing met VERBODEN TE ROKEN – naar koude tabaksrook.

In het midden van de ruimte stond één enkele grote houten tafel waarop zich een berg van dossiers en andere paperassen had gevormd. Als er niet ook een computer met flatscreen had gestaan, zou het archief zonder meer als decor voor een zwart-witfilm uit de jaren veertig hebben kunnen dienen.

Rechts was nog een deur, die openstond. Daarachter werd gehoest en iemand leek een kartonnen doos over de betonnen vloer te schuiven.

'Hallo!' riep Jan, en meteen hield het geluid van slepen op.

'Is het al zó laat?' kraste een mannenstem. Er werd nog eens gehoest en toen kwam er een oudere man in een grijs tweedkostuum in de deuropening tevoorschijn. Ook hij zag eruit als een relict uit lang vervlogen tijden. Met een peuk in zijn mondhoek paste hij naadloos in de omgeving.

'O, een nieuwe,' zei de oude man. Hij schommelde naar de tafel en drukte de sigaret in een overvolle asbak uit.

Ja ja, verboden te roken, dacht Jan, maar hij zei niets. De ontmoeting kwam hem enigszins potsierlijk voor, karikaturaal.

'Ik dacht al, die van de postkamer zijn hun middagpauze vergeten.'

De man liep naar Jan toe en stak een knokige hand uit; de vingers waren geel van de nicotine.

'Hieronymus Liebwerk, archivaris van de kliniek sinds negentien... nou ja, negentienzoveel.'

Jan stelde zich voor en Liebwerk stak een hand uit. Die voelde onaangenaam koud en krachteloos aan.

'Ik dacht al meteen dat u niet van het bestuur was. Al wordt het tegenwoordig steeds moeilijker om de dokters te onderscheiden van de bureauhelden. Vroeger zou u ten minste nog een witte jas hebben gedragen.'

'Die draag ik eigenlijk alleen nog bij het bloedafnemen.' Jan probeerde een glimlachje. 'Verder is er ook geen reden voor.'

'Zeg dat wel. Vandaag de dag is het belangrijkste werktuig van meneer Psychiater het woord. En natuurlijk het koffertje met pillen.'

Liebwerk glimlachte scheef, waarbij hij zijn gele tanden liet zien. Zijn lichtgrijze ogen begonnen opeens te fonkelen en Jan besefte dat er onder de vervallen omhulling een heldere geest schuilging.

'En wat brengt u naar mijn vergeten rijk?' vroeg Liebwerk. Hij wees naar de kartonnen map in Jans hand. 'Wilt u indruk maken op de directeur door zelf de post af te leveren?'

Hij schoot in de lach, maar werd meteen door een hoestaanval overvallen.

'Nee, ik was toevallig in de buurt,' jokte Jan, 'en ik dacht dat ik wel eens kon gaan kijken wat er met het resultaat van mijn inspanningen gebeurt.'

Liebwerk nam de map van hem aan en knikte. 'Tja, de bureaucratie is een onverzadigbaar gedrocht, dokter Forstner. Ze wil voortdurend gevoed worden, maar het kan haar geen barst schelen hoeveel moeite het bereiden van haar maal heeft gekost.'

Hij las de naam 'Kevin Schmidt' hardop en legde de map op een stapel andere dossiers naast de monitor. Toen keek hij om zich heen en spreidde zijn armen uit.

'Hier ligt bijna honderd jaar ziekenhuisgeschiedenis. Allemaal keurig gesorteerd. Als je je daarvan bewust bent, krijgt de uitdrukking dat papier geduldig is duidelijk een grotere zeggingskracht, vindt u niet?'

Dat verwonderde Jan een beetje. 'Worden de dossiers hier dan niet na een bepaalde tijd vernietigd? Voor zover ik weet bewaren klinieken hun archieven hoogstens vijftien jaar.'

'Vergissing.' Liebwerk stak een wijsvinger op die nauwelijks meer was dan vel over been. 'Zuiver verzekeringstechnisch geldt er een bewaarplicht van dertig jaar. U kunt hier echter dossiers vinden van mensen die nog aanzienlijk langer geleden te gast waren. Toen er nog diagnoses werden gesteld als "zwakzinnig" en "hysterisch" en toen homoseksualiteit nog als een ziekte werd beschouwd. Ik kan u vertellen dat het er in veel van die verslagen op lijkt dat de zielenknijper ze ook niet allemaal op een rijtje had. Daarmee vergeleken hebben getuigenissen uit heksenprocessen veel weg van een reportage.'

Met een abrupte beweging keerde Liebwerk zich van Jan af en liep op de deur af waardoor hij net was binnengekomen. 'Kom, dokter, ik wil u iets laten zien.'

Verbaasd liep Jan achter de oude man aan, die hoestend een nieuwe sigaret aanstak.

De aangrenzende ruimte was zo groot dat je er een dansfeest in had kunnen houden – dat wil zeggen, als die niet vol had gestaan met een enorme hoeveelheid dozen.

'Wat denkt u dat dit is, meneer Forstner?' vroeg Liebwerk, en hij wees op de reusachtige berg dozen.

'Nou ja, ik zou zeggen dat het het grootste ziekenhuisarchief is dat ik ooit heb gezien.'

'Voor mij is het het toppunt van geesteziekte.'

'Hoe moet ik dat opvatten?'

Liebwerk blies rook uit door zijn neus. 'Kijk, al toen ik god weet hoe lang geleden begon, stapelden de dossiers zich op. Je had toen wel een versnipperaar, maar die was nog uit het stenen tijdperk. Ik was hier nog geen halfjaar toen-ie de geest gaf. Sindsdien komen er elk jaar weer nieuwe dossiers bij. En met zo langzamerhand tienduizend patiënten per jaar is dat een hele hoop. Dus haal ik de oudste dossiers uit de kasten voorin, ik doe ze in dozen en zet ze hier weg. Opgeruimd staat netjes. Jaar na jaar na jaar.'

Hij werd weer door een hoestbui overvallen. Toen ging hij verder: 'En met dezelfde regelmaat vraag ik een nieuwe versnipperaar aan. Die zou goedkoper zijn dan de boel door een bedrijf af te laten voeren, zeg ik steeds, en ik heb de tijd hier beneden. Maar zolang hier nog plaats is kan het niemand wat schelen. We moeten bezuinigen.'

'Dan staat uw baantje tenminste niet op de tocht,' zei Jan en hij glimlachte naar Liebwerk. Die knikte.

'Zo pal voor mijn pensioen kan het me toch al niet schelen. Maar ik heb nu al medelijden met mijn opvolger. De arme kerel zal denken dat-ie Sisyfus heeft afgelost bij het rollen van zijn steen.'

Jan keek op zijn horloge. Het was bijna tijd om terug te gaan naar de afdeling. Maar juist toen hij Liebwerk wilde bedanken voor de interessante rondleiding en weg wilde gaan, schoot hem iets te binnen. Peinzend keek hij naar de hoge berg dozen en twijfelde of hij het Liebwerk zou vragen. Maar wat had hij te verliezen?

'Als ik vragen mag – denkt u dat u een dossier uit 1985 voor me terug zou kunnen vinden?'

Liebwerk hield zijn hoofd scheef en keek hem sceptisch aan. 'Zeker wel. Alles is hier op orde. Maar waarom vraagt u ernaar?'

Jan overwoog om iets uit zijn duim te zuigen, maar besloot toen de waarheid te vertellen. De heldere, lichtgrijze ogen hadden dwars door hem heen gekeken, daar had hij zijn hand voor in het vuur gestoken.

'Laten we zeggen, uit persoonlijke nieuwsgierigheid.'

'Juist,' kraste de oude man en hij liep met zijn sigarettenpeukje naar de asbak op het bureau in de hal.

Jan liep achter hem aan en toen Liebwerk hem weer aankeek, flitsten zijn ogen geslepen.

'Maar dan zou ik tussen al die dozen door moeten klimmen en ik ben zo jong niet meer.'

Jan begreep de aanwijzing en lachte fijntjes. 'Ik zou u natuurlijk zeer erkentelijk zijn.'

Liebwerk lachte. 'Ik geloof dat we elkaar begrijpen, dokter. Kunnen we het eens worden over twee sloffen sigaretten?'

'Komt in orde. De patiënte die ik zoek, heet Alexandra Marenburg.'

Weer keek Liebwerk hem argwanend aan. 'Persoonlijke nieuwsgierigheid. Ja ja. Maar ik hoop wel dat één ding duidelijk is: waarom u zich er ook voor interesseert, ik weet straks nergens van en het dossier verlaat deze ruimte niet. Begrijpt u?'

Toen Jan de keldertrap op liep en eindelijk weer in de buitenlucht kwam, had hij nog steeds het gevoel dat Liebwerk hem aankeek. Hij hoopte dat hij geen misstap had begaan.

8

Hoewel het nog maar net zes uur was, leek het al nacht te zijn. De straatverlichting op het terrein van de kliniek drong maar met moeite door de duisternis heen.

Maar meer nog dan het donker was het de stilte waar Jan onder gebukt ging terwijl hij de weg insloeg naar gebouw 12. Hij groef in zijn herinnering naar een melodie die de stilte uit zijn hoofd kon verdrijven. Het kostte hem veel moeite, want in plaats van akoestische herinneringen kwamen alleen beelden bij hem op. Beelden van een stervende jonge vrouw, wier ingedrukte gezicht vochtig werd door dikke sneeuwvlokken.

En toen kwam er toch een geluid bij hem boven – al was het geen muziek. Het was vooral een stem, die zich door een keelholte vol bloed worstelde om geluid voort te brengen.

Geoh!

Noch het werkelijke knerpen van zijn voetstappen, noch het kreunen van de wind in de bomen kon het denkbeeldige geluid in zijn hoofd overstemmen en Jan vroeg zich af of het geluid niet zelfs nog erger was dan de stilte.

Geeeoooh!

Het loeien van een ambulance bracht hem terug naar de werkelijkheid. Maar een paar honderd meter hemelsbreed bij hem vandaan raasde een ambulance van het naburige ziekenhuis voorbij.

Nog voor het daarna weer stil werd, bereikte Jan zijn doel. Zuchtend bleef hij staan voor afdeling 12 en bekeek het gebouw. Een lelijk blok beton van twee verdiepingen, niets vergeleken bij de afdeling voor particuliere patiënten die er vlak naast stond.

Een ogenblik lang had hij de neiging zijn mobieltje uit zijn zak te halen, Martina te bellen en en haar te zeggen dat ze gelijk had gehad. *Het moment is daar,* wilde hij haar zeggen, *ik ben er eindelijk achter. Ik zal me laten helpen. Ook al heb ik mijn twijfels. Maar in elk geval doe ik er iets aan – aan de ondraaglijke stilte die als een geluidloze echo in mijn hoofd heen en weer kaatst en waar ik 's nachts gillend van wakker word.*

Hij kon zichzelf er maar met moeite van weerhouden om het ook echt te doen. Misschien was ze wel blij voor hem geweest dat hij het uiteindelijk toch nog had ingezien. Maar hij had toch vooral een oude wond opengereten. Een wond waarvan hij hoopte dat die bij Martina was begonnen te helen. Nee, Martina had evengoed recht op een nieuwe start als hij. Na alles wat ze met hem had doorgemaakt, verdiende ze het om met rust te worden gelaten. Ook al moest hij zich dat steeds opnieuw realiseren.

Jan moest aanbellen omdat zijn sleutel niet paste op de deur van gebouw 12. Terwijl hij wachtte, zag hij voor het raam van de particuliere afdeling een vrouw met kort, donker haar, die naar hem zwaaide. Ze hield iets in haar armen dat Jan aanzag voor een teddybeer. Jan zwaaide terug.

Toen klonk het zoemen van de deuropener en een verpleegster vroeg hem binnen te komen.

'U bent de nieuwe collega van dokter Rauh, toch?' vroeg ze, terwijl ze hem voorging op de gesloten vrouwenafdeling.

Jan vertelde het officiële verhaal van dokter Fleischer, volgens welke hij een tijdje bij Rauh te gast was. De verpleegster leek niet erg geïnteresseerd. Toen ze halverwege de gang waren, vroeg ze Jan om even op haar te wachten. Ze zou dokter Rauh op de hoogte brengen. Toen verdween ze in het afdelingskantoor.

Jan bekeek de in plastic ingelijste platen aan de muur, afkomstig uit een natuurtijdschrift. De Niagara Falls, een idylle uit het regenwoud van Nieuw Zeeland, Ayers Rock in Australië. Plekken die voor veel patiënten even vreemd en onbereikbaar moesten zijn als het alledaagse leven van een doorsneeburger buiten de muren van de kliniek.

'Hé, wie ben jij?'

De stem van een vrouw onderbrak zijn gedachten. Jan keek om

en schrok. De stem had goed kunnen passen bij een knap jong meisje, maar de vrouw die op vilten pantoffels naar hem toe kwam schuifelen was niet knap en niet jong. Het grootste deel van haar hoofd was kaalgeschoren en door een monsterlijk grote aderlijke zwelling onherkenbaar verminkt. Jan had al eerder gelezen over zulke misvormingen van het vaatstelsel, die vooral bij vrouwen voorkomen. Geweldige hemangiomen, een gevolg van storingen in de bloedstolling, ook wel bekend als het syndroom van Kasabach-Merritt. Tot nu toe had Jan er alleen afbeeldingen in vakliteratuur van gezien en de werkelijkheid zag er een stuk beroerder uit. Hij dacht aan John Merrick, de Engelsman die eind negentiende eeuw treurige beroemdheid had genoten als de Olifantman.

De reusachtige misvorming van de vrouw had een sponsachtig oppervlak, dat op sommige plaatsen door blaarachtige formaties werd onderbroken. Haar halve gezicht werd erdoor bedekt en haar mond was vertrokken tot een voortdurende, onnatuurlijke grijns.

'Kijk niet zo,' bromde de vrouw. 'Vertel me liever wie je bent.'

Jan voelde de hitte in zijn gezicht. Het was pijnlijk om haar zo aan te gapen. Hij schraapte zijn keel en probeerde gewoon naar haar ogen te kijken.

'Ik ben dokter Forstner van afdeling 9.'

'Tjonge, een dokter,' zei de vrouw, en ze bleef vlak voor hem staan. Ze was meer dan een kop kleiner dan Jan en moest naar hem opkijken. Jan had het idee dat ze naar chocolade rook.

'Maar dat is niet alles wat je bent.'

'Nee?'

'Nee.'

Ze schudde haar monsterachtige schedel en een ogenblik lang schoot Jan de waanzinnige gedachte door het hoofd dat hij zo meteen een klotsend geluid uit de met bloed gevulde structuur zou kunnen horen komen – wat gewoon absolute onzin was.

'Je bent hier een van de velen. Iemand als ik. Een gevangene die tegelijkertijd zijn eigen gevangenis is.' Ze wees op haar hoofd. 'Jij zit klem daarboven. Dat zie je meteen.'

Jan huiverde. Hij hielp zich herinneren dat hij met een patiënte van een gesloten afdeling stond te praten, een vrouw die hier vast niet voor niets zat. Misschien had het hemangioom ook haar hersenen aangetast – dat was zelfs vrij waarschijnlijk, aangezien ze het anders al lang hadden weggehaald – en als dat zo was, leed de vrouw aan psychische storingen. Maar haar woorden raakten hem op zijn kwetsbaarste plek.

Jan kon niet precies zeggen of de door haar misvorming veroorzaakte grijns nu breder was geworden, maar hij wist bijna zeker dat hij een soort tevredenheid in de ogen van de vrouw bespeurde.

Ze weet dat ze het bij het rechte eind heeft, schoot het hem door het hoofd.

Maar voordat hij de gelegenheid kreeg om van Jan Forstner, de man met het probleem, te veranderen in dokter Jan Forstner, psychiatrisch specialist, ging de vrouw door. 'Ik ben al een eind verder dan jij,' zei ze en streek zachtjes met het topje van haar vinger over het paarse huidweefsel. 'Ik sta op het punt uit mijn gevangenis los te breken. De slechte gedachten komen naar buiten en als ze allemaal buiten zijn valt alles van me af. Dan ben ik vrij.'

Nu wist Jan zeker dat ze inderdaad naar hem glimlachte.

'Vraag Jezus om je je vrijheid terug te geven, dan zal hij ook jou zegenen. Net zoals hij mij gezegend heeft.'

Daarop liet ze hem staan en liep weg.

'Viel Sybille u lastig?'

Jan keek de verpleegster aan, die in de deuropening van het afdelingskantoor stond. Ze moest het tafereel hebben gadegeslagen.

'Integendeel,' zei Jan. 'Het was een interessant gesprek.'

'Dat is geruststellend om te horen. Kijk, vier weken geleden is er ingebroken. Sindsdien is de arme ziel volkomen over haar toeren en slaat ze veel wartaal uit.'

'Is hier ingebroken?'

'Niet te geloven, hè?' De verpleegster knikte en dempte haar stem. 'Een patiënt van de mannenafdeling aan de overkant. Die pikte de sleutelbos van een verpleger en kwam hier 's nachts bin-

nen. Geloof het of niet, die kerel zat achter ondergoed aan. On-
gewassen! Stel je voor! Sybille heeft hem betrapt en nu is ze bang
dat hij terugkomt en haar iets aandoet.'

'En?' vroeg Jan, 'Is dat terecht?'

'Welnee,' zei de verpleegster met een wegwuivend gebaar. 'Ze
hebben hem naar gebouw 9 gebracht, gesloten afdeling.' Ze wees
op de glazen deur naar het trappenhuis. 'Maar u moet nu naar
dokter Rauh. Hij zit al op u te wachten.'

Vóór Jan de gang in liep naar het souterrain, keek hij nog eens
om naar de deur waardoor Sybille was weggegaan. Ze stond er
nog en loerde naar hem om het hoekje.

Ik ben al een eind verder dan jij, hoorde hij haar weer zeggen.
Ik sta op het punt uit mijn gevangenis los te breken.

En dan! dacht Jan. *Wat zal er gebeuren als je dat gelukt is!
Wat zal je buiten te wachten staan!*

Weer werd de vervormde grijns van de vrouw breder.

Wacht maar af, leek haar grijns te zeggen. *Wacht maar gewoon af. Je zult verbaasd staan.*

Even later zat Jan in de vreemdste behandelkamer die hij ooit
had gezien. Er lag rood tapijt op de vloer en ook de muren waren
donkerrood geschilderd. Een volle kleur waar iets kalmerends
van uitging, maar die tegelijkertijd benauwde.

De indirecte verlichting verspreidde een warm, zacht licht,
waardoor je het gevoel kreeg dat de muren en het plafond met
fluweel waren bekleed. De ruimte maakte niet alleen een warme
indruk, het was er ook warm en de luchtvochtigheid leek er
hoger te zijn dan in de andere gebouwen.

Het middelpunt werd gevormd door een lage tafel van donker
hout met daaromheen een divan, een leunstoel en een keukenstoel. Tegen de muur stond een kleine commode. Daarop stonden een karaf met water, een thermoskan, kopjes en glazen strak
in het gelid. Vanwege de licht fruitige geur in de kamer vermoedde Jan dat er thee in de thermoskan zat.

Afgezien van de commode en de twee donkere houten deuren

waren de muren leeg. Er waren geen ramen, er hing niets aan de muur, er stond alleen een grote potplant naast de toegangsdeur.

Jan had de leunstoel uitgekozen, waarna Rauh op de keukenstoel was gaan zitten, los en ontspannen, alsof hij thuis in zijn woonkamer zat. Vandaag had hij een beige merktrui aan en een gewone broek in dezelfde kleur.

'Deze kamer,' zei Rauh, nadat hij Jan de tijd had gegeven om eens om zich heen te kijken, 'is het resultaat van jarenlang onderzoek. Hij is zo ontworpen dat hij associaties oproept met de eerste indrukken van ons bestaan op aarde. De kleur van de muren is vrijwel dezelfde als die van de baarmoeder, net als de temperatuur en het zachte geruis op de achtergrond, waarvan je je waarschijnlijk nog niet bewust was.'

Hij zweeg even en gaf Jan gelegenheid naar de vermeende stilte in de kamer te luisteren. Jan hoorde nu inderdaad geruis. Als Rauh hem er niet op gewezen had, was het hem niet opgevallen. Een ritmisch kloppen als van een hart.

'Heel indrukwekkend.'

'Dat is prettig om te horen,' zei Rauh, en hij sloeg zijn benen over elkaar. 'Vooral ook omdat het concept voor een groot deel door je eigen vader is ontworpen, zoals je wel zult weten.'

'Maak je daarover maar geen illusies,' antwoordde Jan. 'In tegenstelling tot mijn vader sta ik sceptisch tegenover hypnose in het algemeen en dit soort suggesties in het bijzonder. Om het zacht uit te drukken. Natuurlijk zijn er genoeg bewijzen voor hun werkzaamheid, maar voor mij kleeft er toch een nare bijsmaak aan.'

Jan verwachtte dat de onderzoeker nu een vurig pleidooi ter verdediging af zou steken en hem met feiten en getallen uit toepasselijke vakliteratuur om de oren zou slaan. Maar Rauh knikte alleen maar en glimlachte begrijpend.

'Je maakt je zorgen om je vrije wil,' zei hij gelaten. 'Beste Jan, je bent de enige niet. Bijna iedereen die me hier opzoekt spreekt die angst uit.'

'Tja, het gaat in elk geval om beïnvloeding, toch?'

'In zeker opzicht wel, maar helaas geven de media een volkomen verkeerd beeld van hypnose. Ze spiegelen de mensen voor dat hen alle controle over zichzelf wordt afgenomen, dat ze het willoze slachtoffer van een soort show worden. Therapeutische hypnose heeft niets met show te maken. Ik zal je niet als een kip zonder kop door de kamer laten hollen en ik zal je ook geen geheime boodschappen geven waar je je later niets meer van kunt herinneren.'

Hij boog zich naar Jan toe met een ernstige uitdrukking op zijn gezicht. 'Allemaal flauwekul. Ik haal je ook niet met een knip van mijn vingers uit je trance. Dat zou in sommige omstandigheden zelfs gevaarlijk zijn, omdat je gevaar loopt in een vicieuze cirkel terecht te komen. Nee, Jan, we zullen alleen blokkades uit de weg ruimen, zodat je een ongestoord uitstapje naar je innerlijk kunt maken. Je gaat op ontdekkingsreis, je zult als een detective je verleden onderzoeken en het in heldere beelden voor ogen krijgen. Zoals het echt is geweest, en niet zoals je het je herinnert. Want herinneringen zijn bedrieglijk.'

Rauh leunde weer achterover in zijn stoel. 'Daarbij zul je niets doen wat je niet ook zou doen als je wakker was. En intussen sta ik naast je, en ik haal je meteen terug als ik het idee heb dat het je te veel wordt.'

Jan wreef zich twijfelend in zijn handen. Nog steeds voelde hij weerzin tegen het aangaan van dit experiment. Er stond hem een gedaanteverwisseling te wachten waardoor hij, die anders altijd op de stoel van de therapeut zat, patiënt zou worden. Hij voelde zich overgeleverd. Wat zou er gebeuren als Rauh daadwerkelijk succes had? Meer dan drieëntwintig jaar had Jan gedaan wat hij kon om de geesten uit het verleden achter slot en grendel te houden. Steeds weer hadden ze geprobeerd zich uit hun kerker te bevrijden en bij zijn ontmoeting met Laszinski was het ze zelfs even gelukt.

En als Rauh de deur van de kerker nu bewust open gooide? En al die vreselijke dingen weer op Jan werden losgelaten?

En als ze me als een horde wilde buffels onder de voet lopen?

'Ik weet niet of ik dit risico werkelijk wil lopen,' zei hij ten slotte. 'In mijn hoofd ben ik ontelbare malen naar de gebeurtenissen van toen teruggekeerd, maar het resultaat was steeds weer hetzelfde: ik zal nooit antwoord krijgen op mijn vraag.'

'En?' Rauh hield zijn hoofd scheef. 'Ben je tevreden met dat resultaat?'

Jan keek naar de grond. *Je hebt vannacht weer geschreeuwd in je slaap.*

'Nee, maar ik denk dat ik me er maar bij neer moet leggen.'

'Dat is een mogelijkheid,' antwoordde Rauh. 'Maar misschien heb je tot nu toe op de verkeerde manier geprobeerd om antwoorden te vinden. Een reis naar het verleden door middel van hypnotherapie is van een heel andere orde. De trance maakt het mogelijk alle beschermingsmechanismen die een directe blik op beladen gebeurtenissen belemmeren buiten werking te stellen. De belangrijkste veronderstelling van de hypnotherapie luidt dat de patiënt al genoeg informatie voor de oplossing van zijn probleem in zich draagt. De hypnose bevrijdt de mogelijkheden om problemen op te lossen en leidt daarom vaak het snelst tot therapeutisch resultaat.' Rauh keek Jan onderzoekend aan. 'Wat denk je ervan? Wil je het niet ten minste een kans geven?'

Dat hij het alleen niet voor elkaar zou krijgen was Jan intussen wel duidelijk. En als hij deze gelegenheid niet met beide handen aangreep zou hij zich dat later alleen maar verwijten. Zo goed kende hij zichzelf wel.

Het enige wat hij moest doen was zijn angst voor controleverlies overboord gooien. Rauh zou naast hem staan en wist wat hij deed. Hij moest hem simpelweg vertrouwen.

'Goed dan,' zei Jan. 'Laten we het proberen. Maar wee je gebeente als je me laat kakelen.'

Rauh moest lachen en stond op. 'Je zult alleen kakelen als je daar zelf zin in hebt.'

De therapeut liep naar de commode en pakte er vier klankschalen uit. Ze kwamen uit Tibet, vertelde hij, en hij zette ze op de hoeken van de tafel. Toen bracht hij ze met een klepel tot klinken.

'Elke hypnotiseur heeft zijn eigen methode,' zei hij, 'en ik denk dat deze klanken de weg naar een trance vrijmaken.'

Jan volgde Rauhs aanwijzingen op. Hij maakte het zich gemakkelijk in zijn stoel, deed zijn ogen dicht en concentreerde zich op de trillingen van de klankschalen. Twee boventonen hingen boven een diep, gelijkmatig zoemen.

'Laat je dragen door de klanken,' hoorde hij de stem van Rauh zeggen. De stem was ergens naast of achter hem, maar klonk alsof hij van ver kwam.

'Adem rustig en gelijkmatig en stel jezelf alsjeblieft het volgende voor: je zit midden in een grote bioscoop.'

Jan haalde zich dat beeld voor de geest, wat niet moeilijk was. In zijn jeugd ging hij graag en vaak naar de film. Dus stelde hij zich het Fahlenberger Filmpalast voor. Zoals het er vroeger uit had gezien: hij zag weer het ouderwetse tapijt met het schreeuwende jarenzeventigmotief van oranje en bruine strepen boven de houten lambrizering en opeens zag hij ook weer de oranje plastic lampenkapjes aan de muur.

De bioscoop was helemaal vol. Het was nog licht en iedereen wachtte in spanning tot de voorstelling begon. Het rook naar popcorn en achter Jan ritselde iemand met een papieren zak.

'Je zit alleen in de zaal,' ging Rauhs stem verder.

'Ogenblikkelijk waren de mensen die om Jan heen zaten verdwenen. Zelfs de geur van popcorn was weg. Rauh praatte verder, maar hoewel Jan hem nog ergens in de buurt kon horen, verstond hij hem niet. Hij was nu helemaal alleen in zijn denkbeeldige bioscoop, waar de voorstelling dadelijk zou beginnen.

Om hem heen ging het licht uit en alleen het rode bioscoopgordijn was nog te zien. Het was een fluwelen gordijn. Een heel zwaar fluwelen gordijn. Even zwaar als Jans oogleden. Ze voelden aan als van lood en elke poging ze open te doen was vergeefs. Maar dat was ook niet zo belangrijk, alleen dat gordijn was nog belangrijk. Traag schoof het open en onthulde een spierwit bioscoopscherm.

Het scherm werd groter. Het werd groter en groter en nog groter, tot het Jans hele blikveld vulde. Toen begon het te flikkeren en liet een beeld zien dat eerst vervaagde en toen steeds duidelijker werd.

En toen zag Jan zichzelf. Hij speelde de hoofdrol. Jan Forstner op de dag waarna niets meer zou zijn zoals vroeger.

9

Rauh was naast Jan gaan zitten. Die had zijn ogen dicht en was diep in trance. Hij zat ontspannen op zijn stoel met zijn handen losjes op de leuning.

'Welke dag is het vandaag, Jan?'

Zoals vaker gebeurde wanneer patiënten werden teruggebracht naar hun kindertijd, klonk Jans stem hoger dan gewoonlijk. 'Vrijdag.'

'Welke datum?'

'Elf januari negentienvijfentachtig.'

'Heel goed, Jan, en waar ben je nu?'

'Nou hier, op mijn kamer.'

'En waar in je kamer precies?'

'Aan mijn bureautje voor het raam.'

'Is er nog iemand in de buurt?'

'Ja, Sven.'

'Is Sven je broer?'

Jan grijnsde schalks. 'Nee, hij is een dwerg.'

'Wat doet hij?'

'Hij zit op mijn bed en speelt met zijn Action Man.'

'En jij?'

'Ik zit aan tafel te lezen.'

Plotseling kromp Jan in elkaar. Zijn vingers grepen de armleuning zo stevig vast dat zijn knokkels wit werden.

Rauh stond vlak bij hem, klaar om hem terug te halen als Jans opwinding uit de hand mocht lopen. Blijkbaar was Jan in zijn herinnering iets tegengekomen waar hij bang voor was.

'Jan, wat is er met je?'

Jan schudde zijn hoofd.

'O nee,' kreunde hij, 'het boek... het boek!'

'Wat is het voor boek, Jan?'

Jan begon te snikken en zijn borst trilde. Rauh kon zien dat Jan zich tegen deze herinnering verzette. Maar de trance was diep genoeg om dat te verhinderen. Het duurde even voor Jan weer uit zijn woorden kon komen.

'Het is de schuld van dat rotboek!' Zijn gezicht vertrok tot een grimas van angst en afschuw, toen barstte hij in tranen uit.

Rauh praatte geruststellend tegen hem. Alles was in orde. Wat hij nu ook mocht zien, alles was al gebeurd. Niets daarvan kon hem nog deren.

Langzamerhand werd Jan weer rustiger. Zijn verkrampte vingers ontspanden zich. Rauh wachtte tot zijn ademhaling weer normaal was en vroeg toen: 'Ben je klaar om verder te gaan?'

'Ja.'

'Je had het over een boek. Waarom denk je dat alles de schuld van het boek is?'

'Omdat het me ertoe heeft aangezet weer naar het park te gaan.' Jan fluisterde nu. Er trok een rilling door zijn lichaam en toen riep hij: 'Als ik dat stomme boek niet gelezen had, was ik nooit naar het park gegaan!'

'Wat is er vroeger in het park gebeurd, Jan?'

Weer barstte Jan in snikken uit. 'Ik... ik... ik kan het niet...'

'Jawel, je kunt het wel. Er zal je niets gebeuren, dat beloof ik je.'

Jan aarzelde een ogenblik en toen kwam het schuchtere jongensstemmetje weer terug. 'Echt niet?'

'Heel zeker niet. Vertel maar wat je ziet.'

Jan beet op zijn onderlip en leek na te denken. 'Goed dan.'

Het was het laatste weekend van de kerstvakantie. Maandag zou de school weer beginnen en het leven van alledag zijn loop hernemen, al kon Jan zich op deze vrijdagavond niet voorstellen dat er ooit nog zoiets als een alledag zou zijn.

Als alles was geweest zoals anders, had hij bij de gedachte aan school een onprettig gevoel gehad. Preciezer gezegd: een slecht geweten, want eigenlijk moest hij in de vakantie zijn huiswerk voor

Latijn inhalen. Met alle vakken was hij bij, maar Latijn was één grote ellende. Waarom zou je nog een dode taal leren, die je alleen ergens voor kon gebruiken als je priester wilde worden? Niets lag hem minder dan dat, dus had Jan het leren steeds weer voor zich uit geschoven – net zo lang tot de vakantie eindelijk voorbij was. Het Latijnse leerboek lag nog onaangeroerd in zijn schooltas te wachten.

Maar op deze vrijdag konden school en zijn Latijnse les hem gestolen worden. Wat gaf je daar nog om, als je de vorige dag iemand had zien sterven?

Urenlang had Jan over zijn hele lijf zitten rillen en zijn vader had hem uitgelegd dat dat rillen kwam doordat hij in een shock verkeerde.

De gevolgen daarvan hielden pas op toen Jan in de loop van de ochtend met een agent over de dood van Alexandra had gepraat. Eerst was Jans moeder daarop tegen geweest, omdat ze vond dat Jan in de eerste plaats rust nodig had – en bovendien was Jans vader weer in de kliniek toen de agent bij hen aanbelde. Maar ze was bij Jan gebleven en naast hem komen zitten en had hem in haar armen genomen toen hij vertelde over zijn nachtelijke ontmoeting in het park.

De agent was een aardige man met vriendelijke ogen en hij vertelde Jan dat hij zelf een zoon had die ongeveer even oud was. Geduldig luisterde hij naar Jans beschrijvingen, stelde maar zo nu en dan een korte vraag en gaf Jan de tijd die hij nodig had om zich alles te herinneren. Daarna zei de agent dat Jan heel trots op zichzelf mocht zijn – in elk geval had hij in deze, zoals hij zei, 'precaire situatie' zijn hoofd niet verloren en met gevaar voor eigen leven geprobeerd Alexandra te redden. Daarmee had hij grote moed betoond.

Jan had weliswaar niet geweten wat 'precair' betekende, maar dat hij door een politieagent geprezen werd voor betoonde moed had hij erg prettig gevonden. Daarna voelde hij zich weer beter en rilde hij niet meer, ook niet toen hem duidelijk werd dat al zijn moed niets veranderde aan het feit dat Alexandra in het ijskoude water van de vijver in Fahlenberg was verdronken.

'Wat is-ie aan het doen?' wilde Sven weten.

Jan keek naar zijn broertje, dat in kleermakerszit op Jans bed zat en de ledematen van zijn Actionman zo had verbogen dat het leek alsof de gespierde held een luchtsprong wilde maken.

Sven was te vroeg geboren en nog steeds was hij kleiner dan zijn leeftijdsgenoten. Als je hem op stang wilde jagen, hoefde je hem maar voor 'dwerg' uit te maken, en Jan maakte daar gretig gebruik van. Maar onder de enorme Nick Kershaw-poster die achter hem hing – naast Darth Vader, Madonna en Adam Ant – zag het jongetje van zes er met zijn blonde krullenkoppie ook echt als een dwerg uit. Hij zat er bleek en in elkaar gedoken bij en was zichtbaar geschokt door de gebeurtenissen.

'Wie bedoel je?'

Sven knikte met zijn hoofd naar het raam. 'Kermit.'

Jan volgde de blik van zijn broertje en keek naar het huis van Marenburg aan de overkant. Er brandde alleen licht in het raam tegenover Jans kamer. De gordijnen waren dicht, maar als je goed keek, kon je net de omtrekken van een mens onderscheiden.

'Hij zit aan tafel.'

'Denk je dat hij huilt?'

Jan haalde zijn schouders op. Hij wist niet zeker of een man als Marenburg wel huilde, maar kon het zich volledig voorstellen.

'Misschien.'

'Waarom deed ze het?'

Dat had Jan zijn vader ook gevraagd en dus zei hij wat zijn vader had gezegd. 'Ze was geestelijk in de war. Daardoor wist ze niet meer wat ze deed.'

Jan hoopte dat het overtuigend klonk, ook al was hij zelf niet tevreden met deze verklaring. Maar op dit ogenblik had hij geen zin om antwoord te geven op de vragen van zijn broertje. Het liefst had hij nu helemaal niets gezegd. Maar hij wilde Sven ook niet wegsturen, omdat hij het prettig vond iemand in de buurt te hebben.

'En waarom gebeurt dat met iemand?'

'Dat weet ik niet,' antwoordde Jan zuchtend. Eigenlijk zou hij nu liever verder willen lezen in zijn boek. 'Zoiets moet je aan papa vragen, die is de expert.'

'Nou ja, papa.' Sven verboog zijn Actionman, die er nu uitzag alsof hij zich over kleine helden moest buigen. 'Die is altijd aan het werk en heeft nooit tijd. Of hij zegt dat ik nog te klein ben om het te begrijpen.'

Jan stond op het punt om te zeggen dat hun vader daarmee waarschijnlijk gelijk had. Maar voor hij iets terug kon zeggen, kwam Angelika Forstner de kamer binnen.

'Zitten jullie hier gezellig met z'n tweeën? Heb je je thee al op, Jan?'

Met een zucht keek Jan naar de thermoskan op zijn bureau. Die was nog ongeveer halfvol en bevatte Jans derde portie thee van de dag. Drie liter – mijn hemel, het spul kwam hem zowat de oren uit. Als ze hem er nou ten minste wat suiker bij lieten doen! Een of twee schepjes maar. Maar nee, dat was slecht voor je tanden. *En je wilt toch geen gebit dat eruitziet als een fietsenrek, schattebout.*

Mismoedig keek hij naar de thermoskan en zijn mok met Alf erop, waar nog een beetje koude thee in zat.

'Kom schat, drink even op, dan maak ik nog een kan voor je.'

Sven proestte het uit met zijn hand voor zijn mond en Jan stak zijn tong naar hem uit.

'Na een shock moet je veel drinken,' zei Angelika Forstner, greep de thermoskan en goot het restje in de mok. Die was bijna overgelopen, als Jan niet net op tijd zijn boek had weggetrokken en zijn moeder had gewaarschuwd.

Jan constateerde dat zij ook naar Alexandra's raam had gekeken. Waarschijnlijk had zijn moeder eveneens het silhouet van Marenburg achter het gordijn herkend. Ze liep om het bureau heen en trok het rolgordijn naar beneden.

'Mama,' zei Sven, 'weet jij waarom Alexandra geestelijk in de war was?'

'Nee schatje, dat weet ik niet.' Angelika Forstner pakte de metalen kan van het bureautje en keek er peinzend naar, alsof er een uitermate belangrijke boodschap in gegraveerd stond. 'Jullie moeten je vader daar ook niet mee storen. De hele toestand heeft hem ook erg aangegrepen. Denk liever aan andere dingen. Ik weet dat dat niet makkelijk is, maar het leven gaat door. We kunnen toch niets veranderen aan wat er is gebeurd.'

Terwijl zijn moeder daarna naar de deur liep, zag Jan zijn kans schoon om haar de vraag te stellen die hem sinds het gesprek met zijn vader bezighield.

'Denkt papa dat Alexandra's dood zijn schuld is?'

Angelika Forstner verstijfde in de deuropening. Toen draaide ze zich om en keek Jan aan, die een traan over haar wang dacht te zien lopen. Ze moest slikken voor ze antwoord kon geven.

'Hij denkt dat hij het had moeten voorzien. Niemand raakt zomaar in paniek, zei hij. Als arts voelt hij zich verantwoordelijk voor haar. Vandaar dat hij erg...'

Ze maakte de zin niet af. In plaats daarvan keek ze naar Jan en glimlachte gekweld. Nu waren de tranen duidelijk te zien. 'We moeten hem de tijd geven. Het is moeilijk voor ons allemaal. En vooral voor jou, schat. Als je dat graag wilt, mag je volgende week wel thuisblijven tot je je beter voelt.'

'Dat is niet eerlijk!' protesteerde Sven. Hij vond dat hij ook treurig was om wat er was gebeurd en dat hij dus ook thuis mocht blijven. Maar zijn moeder ging er niet op in en stuurde hem naar bed.

Toen Jan even later alleen in zijn kamer zat, deed hij het rolgordijn weer open. Er brandde nog steeds licht op Alexandra's kamer. In gedachten zag Jan zijn buurman gebogen aan de tafel van zijn dode dochter zitten huilen.

Hoe zou het klinken als hij huilde? Vast niet zoals Kermit de Kikker. Nu schaamde hij zich ervoor dat hij hem ooit zo had genoemd. Voor Jan was het naar geweest dat hij Alexandra had zien verdrinken, maar hoe erg moest het niet voor een vader zijn om zijn enig kind te verliezen – en dan ook nog op zo'n verschrikkelijke manier.

De bergingsploeg had er uren over gedaan om het lichaam van Alexandra boven water te krijgen. Weliswaar was de vijver niet erg groot, maar op sommige plaatsen wel erg diep. Jan was er zelf ook wel eens in gedoken, en hij kon lang zijn adem inhouden, maar de bodem had hij nooit bereikt.

Het gezicht van Alexandra verscheen. Het was bijna wit in het ijskoude water. Ze keek hem met grote ogen aan en haar mond was wijd opengesperd als in een eindeloze gil. Haar lange haar dreef als zwarte slangen om haar hoofd en af en toe steeg er een zilveren luchtbel uit op.

Jan huiverde. Hij zou nooit meer in de vijver zwemmen, laat staan erin duiken. Daar beneden was voor altijd de bevroren gil van een dode blijven hangen, dat wist hij zeker.

Hij bladerde in zijn boek om afleiding te vinden, wat hem algauw lukte.

Het boek was een kerstcadeau waar hij lang om had gebedeld. Zijn moeder was er fel tegen geweest, maar op een gegeven moment moest Jans vader haar ervan hebben overtuigd dat een encyclopedie van paranormale verschijnselen hun kind geen blijvende schade zou toebrengen. Maar hoewel ze uiteindelijk had toegegeven, was Jans moeder nog steeds van mening dat het hele onderwerp onzinnig was.

Jan zag dat anders. Natuurlijk stonden er dingen in het boek die gewoon ongeloofwaardig waren – levitatie bijvoorbeeld, waarbij mensen zonder enig hulpmiddel bleven zweven of over grote afstanden konden vliegen. Daar kon Jan niet in geloven. Nee, aan sommige dingen moest je twijfelen – maar niet aan alle.

Zo kon hij zich absoluut voorstellen dat er leven was op andere planeten en dat wezens van buiten de aarde misschien al eens op bezoek waren geweest. Of dat er iets uit het grijze verleden in de diepten van het Loch Ness de eeuwen had overleefd.

Maar het meest werd hij geboeid door het hoofdstuk dat hij nu las – over de adembenemende ontdekking van Friedrich Jürgenson, een Zweed. Dit hoofdstuk bracht Jan op een idee waar alleen een jongen van twaalf op zou kunnen komen. En toen Jans vader een paar uur later thuis kwam, was het idee al gerijpt tot een uitvoerbaar plan.

'Wat ben je nu aan het doen?' vroeg Rauh.

Jan had een tijdje gezwegen. Hij trok zijn benen op en kroop weg in zijn stoel. Hij had zijn armen eromheen geslagen alsof hij het koud had.

'Ik wacht.'

'Waar wacht je op?'

'Op mijn vader, tot hij eindelijk uit zijn werkkamer komt. Daar moet ik iets doen, begrijp je.'

'Waarom moet je in zijn werkkamer zijn?'

Jan draaide zich om naar Rauh. Zijn ogen waren nu open, maar hij leek door Rauh heen te kijken. Toen glimlachte hij samenzweerderig en zijn stem werd zachter.

'Omdat anders mijn plan niet lukt.'

'Wat voor plan, Jan? Vertel daar eens over.'

'Maar je mag het tegen niemand zeggen.'

'Dat beloof ik.'

'Echt waar?'

'Erewoord.'

Het was even na middernacht toen zijn vader eindelijk uit zijn werkkamer kwam. Jan zat gehurkt op zijn bed en luisterde naar de nachtelijke stilte in huis. Sven en zijn moeder sliepen al lang.

Er had een geprikkelde stemming geheerst. Toen Bernhard Forstner weer thuis was, had zijn vrouw hem op het hart gedrukt zich de zaak niet al te zeer aan te trekken. Als hij zich erin vastbeet, zou hij er nog een maagzweer aan overhouden. Hij moest eerst maar eens wat eten. Maar Bernhard Forstner had geen trek en trok zich in plaats daarvan nors terug in zijn werkkamer. Op een gegeven moment had Angelika Forstner op zijn deur geklopt om hem te zeggen dat ze naar bed ging.

Sindsdien zat Jan in het donker te wachten. Hij had het licht niet aan durven doen, omdat het op de gang onder de deur door zou schijnen. En hij wilde beslist niet dat zijn vader en moeder nog even naar hem kwamen kijken. Want dan hadden ze gezien dat hij nog steeds zijn kleren aanhad.

Nu kon Jan horen dat zijn vader de deur van de werkkamer dicht-deed. Ingespannen luisterde hij of de sleutel werd omgedraaid. In dat geval had hij zijn plan moeten opgeven. Maar in plaats van de sleutel hoorde hij de voetstappen van zijn vader op de plavuizen van de begane grond. Vlak daarna hoorde Jan de flessen in de deur van de koelkast rinkelen.

Jan zuchtte. Als zijn vader zin had in de restjes van het avond-eten, dan zou hij wel een poosje geduld moeten hebben. Hij hoor-de dat zijn vader iets voor zichzelf inschonk, even later nog iets, en dat hij toen het glas omspoelde. Daarna liep Bernhard Forst-ner de trap weer op. Jan glipte voor de zekerheid in bed en wacht-te af of zijn vader nog even bij hem kwam kijken. Maar toen hoor-de hij de deur van de slaapkamer van zijn ouders opengaan en voorzichtig weer gesloten worden.

Vooruit, dacht Jan. *Daar gaan we.*

Hij kwam uit bed, telde stilletjes tot vijftig en ging toen de kamer uit. De kier onder de deur van de slaapkamer was donker.

Voorzichtig en elk geluid vermijdend glipte Jan de trap af naar de begane grond. Hij was al bijna beneden toen hij van boven een licht gekraak hoorde. Er ging een deur open. Geschrokken draai-de Jan zich om. Boven bleef het donker.

Toen hoorde hij getrippel en Rufus verscheen in het trappor-taal. Jan haalde opgelucht adem en gebaarde naar de viervoeter, terug te gaan naar waar hij vandaan kwam. Rufus keek hem al-leen maar dom aan, geeuwde en ging zitten.

Jan liep verder en zorgde ervoor dat Rufus niet met hem mee-ging. Voor Rufus was de werkkamer verboden terrein, wat ook gold voor Jan en Sven. Maar net als voor de jongens had verboden terrein een onweerstaanbare aantrekkingskracht op de hond – en als je niet oppaste was hij, hup, ineens ergens waar hij niet mocht komen.

Deze keer bleef Rufus echter waar hij was en Jan glipte de werkkamer binnen. Op het bureau heerste een vreselijke wanor-de van paperassen, ordners en vakliteratuur, evenals op de beide stoelen die naast het bureau stonden.

En dan moet ik zo nodig mijn kamer opruimen, dacht Jan, en nam de chaos in zich op. De bureaula klemde, maar Jan hoefde hem niet ver uit te trekken. Wat hij zocht lag voorin, dat wist hij zeker.

Flauw maanlicht viel door het raam achter hem en verlichtte het ding dat hij zocht. Het was een GRUNDIG-dictafoon – een *Stenorette 2000*, zoals het etiketje onderop vermeldde. Jan pakte het uit de lade en deed het vakje voor de microcassette open. Het was leeg.

Verdomme!

Ongeduldig doorzocht Jan de lade. Daarbij mocht hij niets verschuiven, want in tegenstelling tot de rommel op het bureau heerste hier een nauwgezette orde. Ten slotte vond Jan – hoe kon het anders – helemaal achterin een doosje met lege cassettes. Hij deed een cassette in de dictafoon en stopte die in zijn zak. Hij legde het doosje terug op zijn plaats, schoof de zware lade weer dicht en glipte de kamer uit. Hij hoopte dat zijn vader het apparaatje niet juist de volgende ochtend nodig zou hebben.

Toen hij weer in de gang was, keek Jan naar boven. Rufus was weg. Waarschijnlijk was hij weer bij Sven op de kamer gaan liggen nadat hij had vastgesteld dat er met Jan niets spectaculairs te beleven viel.

Mooi!

Jan greep zijn windjack en zijn handschoenen van de kapstok, gleed haastig in zijn moonboots – hij had er een hekel aan omdat ze zo plomp waren, maar ze waren tenminste warm – en glipte het huis uit.

Een ijzige kou kwam hem tegemoet. Jan trok de ritssluiting van zijn jas helemaal omhoog, zodat de kraag zijn mond en neus bedekte. Toen zette hij de pas erin. Ergens blafte een hond en Jan hoorde een dieselmotor dichterbij komen, maar voor de lichtbundels van de vrachtwagen de hoek om waren gekropen, was Jan al op de weg naar het park.

Het was een bijzonder gevoel in deze duisternis zonder Rufus op pad te zijn. Niet dat Rufus zich ooit een bijzonder goede waakhond had getoond, maar hij zou Jan in elk geval het gevoel hebben gegeven dat hij niet alleen was. Zeker nu Jan onderweg was naar een plaats waar nog geen vierentwintig uur geleden iemand was gestorven.

Als Jan eerlijk was, deed hij het eigenlijk in zijn broek. Maar Rufus had hem bij zijn plan alleen maar in de weg gelopen. Het moest volkomen stil zijn, anders zou het niet lukken. Door de 'geluidsemissies' – zo noemden ze het in het boek – die Rufus zonder twijfel zou hebben voortgebracht, zou Jans plan misschien in duigen zijn gevallen.

Toch zat het hem niet lekker. Enerzijds voelde hij zich alleen en anderzijds ook weer niet. Hij had ergens het gevoel dat hij werd gevolgd.

Abrupt bleef Jan staan en keek om zich heen. De weg naar het park lag er eenzaam en verlaten bij in het licht van de straatlantaarns.

Er was niemand. Natuurlijk was er niemand. Wie zou er nu op het gestoorde idee komen, behalve hijzelf, om midden in de nacht en met deze kou een wandelingetje naar het park te maken? Terwijl er bovendien nog zware sneeuwval was voorspeld? Nee, vannacht had hij het park helemaal voor zichzelf. Voor zichzelf en...

Daar! Een geluid! Voetstappen op bevroren sneeuw. Jan wist het honderd procent zeker. Ze kwamen op hem af. Het kon niet missen.

Jan was al bijna bij het park aangekomen. Hij begon te rennen, maar vertraagde al na een paar stappen.

Wat doe ik nou? Voor wie loop ik eigenlijk weg?

Goeie vraag. Niemand kon vermoeden dat hij hier was. Wie zou er achter hem aan komen? Lag het niet veel meer voor de hand, dat er toch nog mensen waren die 's nachts op hetzelfde gestoorde idee kwamen als hij? Misschien was het een jogger, die een ongewone tijd voor zijn rondje hardlopen had gekozen.

Als hij nu voor die ander vluchtte, zou hij alleen maar opvallen. En omdat iedereen elkaar kende in deze buurt, zouden Jans ouders op zijn laatst de volgende ochtend horen van de ongeoorloofde nachtelijke omzwervingen van hun spruit. En dan had je de poppen aan het dansen. Hij kon zich maar beter verstoppen en wachten tot de ander hem voorbij was gelopen.

Jan verstopte zich achter een eik. Hij probeerde zo rustig te ademen als hij kon, opdat de wolkjes hem niet zouden verraden, maar na zijn sprintje was dat nog niet zo eenvoudig. Desondanks kon Jan alleen proberen voorzichtig vanachter de stam te zien wie de ander was.

In het zwakke licht van de lantaarns in het park kon hij de gestalte niet ontdekken. De ander moest nog een eind voorbij de bocht in de weg zijn. Zijn voetstappen werden langzamer. Jan kon ze horen knerpen in de sneeuw.

Jan kromp in elkaar. Rauh keek hem oplettend aan.

'Wat zie je, Jan?'

Jan schoof heen en weer in zijn stoel, alsof hij door een zware nachtmerrie werd gekweld.

'Een schaduw,' stootte hij uit. 'Hij wordt steeds langer en langer.'

'Kun je zien van wie de schaduw is?'

Jan kreunde en vertrok zijn gezicht. Zijn handen waren tot vuisten gebald.

'Dit was nooit mijn bedoeling,' hijgde hij. 'Echt waar, dit heb ik nooit gewild!'

'Wie is daar bij je in het park, Jan?'

Een paar keer gooide Jan zijn hoofd heen en weer alsof hij zich ergens tegen moest verdedigen.

'Er is geen reden om bang te zijn, Jan. Alles wat je nu meemaakt is al voorbij. Zeg me wie er bij je is. Ken je hem, of haar?'

Jan knikte. 'Ja, ik ken hem.'

10

Carla maakte zich zorgen. Er was al meer dan zeven uur voorbijgegaan sinds het telefoongesprek. Steeds weer had ze geprobeerd hem terug te bellen nadat hij plompverloren de hoorn erop had gelegd.

Ze was bij zijn huis langs gegaan, had aangebeld en geklopt en gehoopt dat achter een van de donkere ramen ten slotte toch licht aan zou gaan. Vergeefs. Daarna was ze weer naar huis gereden. Het had weinig zin hem te gaan zoeken. Blijkbaar wilde hij na het verschrikkelijke bericht liever alleen zijn, en dat wilde zij nu ook.

Ze boog zich voorover boven de wastafel en gooide koud water in haar gezicht. Ze had last van de jetlag en bovendien had ze gezwollen ogen van het huilen. Goeie hemel, ze zag er vreselijk uit.

Deze ochtend had ze na bijna dertig uur vliegen eindelijk weer Duitse bodem bereikt. Ze had zich geradbraakt gevoeld. Maar vergeleken met wat er nu gebeurde was dat maar een kleinigheid. Alles was anders geworden. Haar leven was in een nachtmerrie veranderd.

Meteen na haar terugkeer uit Nieuw-Zeeland was ze naar de redactie gereden. Zoals altijd had ze haar foto's en de artikelen die ze op de terugweg had geschreven persoonlijk afgeleverd. Wat dat betrof wantrouwde ze e-mail, die niet altijd bij de juiste geadresseerde terechtkwam.

Nu wenste ze zichzelf toe dat ze niet naar de redactie was gegaan. Dan had ze de tijd gehad om uit te slapen en was ze beter voorbereid geweest op het slechte nieuws. Maar terwijl ze haar gezicht nog eens in het koude water onderdompelde, besefte ze dat ze zichzelf wat wijsmaakte. Het deed er niet toe wanneer ze het had gehoord. Hoe dan ook was het een brute klap in je gezicht waar je je nooit op had kunnen voorbereiden.

Nathalie was dood. Ze was van de voetgangersbrug gesprongen op ongeveer hetzelfde moment waarop Carla's vliegtuig de landing op Stuttgart had ingezet. En toen Carla ten slotte op het station van Fahlenberg was aangekomen, stroomde het verkeer alweer over de snelweg en waren met de verse sneeuw ook de laatste sporen van het ongeluk uitgewist.

Uitgeput liep Carla van de badkamer naar de slaapkamer. Ze was duizelig en in haar hoofd woedde een orkaan van gedachten. Ze moest nodig uitrusten. Maar toen ze haar bed zag, werd het haar duidelijk dat ze daar geen rust zou vinden. Niet in het bed waarin Nathalie ontelbare keren naast haar had geslapen nadat ze samen waren wezen stappen. Niet in het bed waarin Nathalie haar op een nacht haar geheim had verteld.

Dat is de reden waarom ik ben zoals ik ben, hoorde Carla de stem van haar dode vriendin, die nu een geest uit het verleden was geworden. Carla deed haar ogen dicht. De tranen liepen haar over de wangen.

Een ogenblik bleef ze roerloos staan, liep toen naar de keuken, schonk zich het laatste beetje rode wijn in en dronk het glas in één teug leeg. Ze voelde zich aangeschoten en verdomme nog aan toe, waarom zou ze zich ook niet mogen bedrinken? Dat was haar goed recht. Ze was haar beste vriendin kwijt – sterker nog, Nathalie was als een zus voor haar geweest.

'Waarom deed je dat nou?' vroeg ze aan het glas in haar hand.

In de woonkamer liet ze zich op de bank vallen, pakte de telefoon en drukte op de herhaaltoets, zoals ze al ontelbare keren eerder had gedaan, maar ze hoorde alleen de eindeloze oproeptoon.

Waarom nam hij nou niet ten minste die stomme telefoon op? Ze moest tegen iemand aankletsen. En hij was de enige die begreep hoe erg ze Nathalie miste. En waarom had hij nou geen voicemail?

Ze pakte de tas waar haar laptop in zat, haalde er het label van de Nieuw-Zeelandse luchtvaartmaatschappij af en zette het apparaat aan. Ongeduldig wachtte ze tot de laptop was opgestart en ze het e-mail-programma kon openen.

Ze schreef maar een kort bericht: 'Laat wat van je horen!' Toen klikte ze op *verzenden/ontvangen* en haar korte boodschap ging de digitale snelweg op. Tegelijkertijd verschenen er tweeëndertig nieuwe berichten in haar postvak. Carla had al twee dagen haar mail niet gecheckt en het leek erop dat het alleen maar onzinnige spam was. Ze wilde net het programma afsluiten en haar laptop dichtdoen toen ze tussen de afzenders een naam in het oog kreeg.

Carla voelde het bloed uit haar hoofd wegtrekken. Ze dacht dat ze ging flauwvallen. Met opengesperde ogen keek ze naar het beeldscherm. Toen ze zichzelf er ten slotte toe kon brengen het bericht te openen, beefden haar handen. Ze had het ijskoud.

11

Jan kreeg het gevoel dat hij een gespleten persoonlijkheid had. De hele toestand was tenslotte tamelijk schizofreen: enerzijds was hij het jongetje van twaalf dat 's nachts het huis uit was geglipt met de dictafoon van zijn vader. De jongen die een dik boek over bovennatuurlijke verschijnselen voor Kerstmis had gevraagd, op Kerstavond met zijn ouders en zijn broertje 'Stille nacht' had gezongen en de jongen die de dood van zijn ongeveer zes jaar oudere, geestelijk verwarde buurmeisje mee had moeten maken. Dat was hij allemaal – en toch ook niet.

Tenminste, niet meer. Want anderzijds was hij vijfendertig jaar oud – een volwassen man, gescheiden, psychiater van beroep, die in trance verkeerde.

Wat Jan hier en nu meemaakte was al lang verleden tijd. Dokter Rauh, die als geestverschijning naast hem stond in het park, herinnerde hem er nog eens aan. Rauh hoorde hier niet. Hij maakte deel uit van een andere wereld, drieëntwintig jaren terug, wat je ook wel aan hem kon zien. Het duister deerde hem niet. Hij werd niet verlicht door de straatlantaarns, evenmin wierp hij schaduwen op de sneeuw. Rauh oogde alsof hij in een helverlichte kamer stond. En dat was ook zo. Alleen hier, in het stadspark van Fahlenberg, zag hij er daarom uit als een hersenschim. Als een hologram.

Jan vond het ontzettend moeilijk om de beeldgeworden herinnering, die zich zo bedrieglijk echt aan hem voordeed, te onderscheiden van de werkelijkheid. Natuurlijk wist zijn volwassen bewustzijn dat niet Rauh, maar het park de luchtspiegeling was. Alles wat hij nu dacht te beleven was 'alleen maar een herinnering', zoals hij Rauh hoorde zeggen, en hoewel de dokter in Jans huidige wereld een geestverschijning leek, was zijn stem nog altijd echter dan alle andere geluiden.

Rauh kreeg voor elkaar dat Jans angst voor de schaduw verminderde. Eigenlijk wist hij toch allang wie er bij de langer en langer wordende schaduw hoorde die als een zwart monster naar hem toe kroop.

Maar in Jans herinnering was hij toen vreselijk bang geweest. De adem kwam uit zijn mond als de stoom van een oude locomotief die een berg beklom. Toen de schaduw hem ten slotte bereikte, deed hij het bijna in zijn broek. En toen herkende hij hem – Sven. Zijn broertje, de dwerg, in een donsjas en met een skimuts op.

De reusachtige klauwen van het schaduwmonster waren niets anders geweest dan de vervormde schaduwen van Svens gebreide wanten.

'Ben je helemaal gek geworden?' riep Jan uit, deels opgelucht, maar ook verrast en pisnijdig. 'Wat doe jij hier?'

'Ik wilde kijken wat je ging doen,' antwoordde Sven.

'Dat gaat je niks aan.' Met fonkelende ogen keek Jan zijn kleine broer aan, die koppig zijn goed ingepakte armen over elkaar sloeg. Hij probeerde koortsachtig te bedenken wat hij met de kleine spelbreker moest beginnen.

Hem in zijn eentje terugsturen kon hij niet over zijn hart verkrijgen. Sven zou misschien aandacht trekken of thuis hun ouders wakker maken. Maar met hem mee naar huis gaan en zijn plan laten varen was ook geen optie. Hij had geen keus – hij moest Sven in vertrouwen nemen. En als hij eerlijk was, vond hij het nog niet zo erg dat hij niet meer alleen was.

'Nou goed dan,' zei Jan. 'Ik ben op weg naar de vijver waar Alexandra is verdronken.'

Sven sperde zijn ogen wijd open. 'Waarom wil je daarheen?'

'Ik wil iets uitproberen,' zei Jan en hij wenkte hem. 'Kom mee, het is bijna tijd.'

Sven liep vlak achter hem aan. 'Uitproberen? Wat dan? Zeg dan!'

Terwijl ze door het park liepen en de echo van hun knerpende stappen door de kale bomen werd teruggekaatst, vertelde Jan wat hij in zijn boek over Friedrich Jürgenson had gelezen en wat hem al dagen bezighield.

Volkomen toevallig had deze operazanger en schilder in de zomer van 1959 een ongelooflijke ontdekking gedaan. Jürgenson had de radio-uitzending van een operavoorstelling opgenomen met zijn bandrecorder. Toen hij de band later afspeelde, hoorde hij stemmen op de achtergrond, door de opname heen.

Eerst dacht Jürgenson dat er een storing was geweest bij de uitzending – misschien als gevolg van een andere radiozender die dezelfde frequentie gebruikte – maar toen hij nog eens goed luisterde kreeg hij kippenvel. Eén van de stemmen kende hij, daar had hij zijn hand voor in het vuur gestoken. Het was de stem van een bevriende zanger, die Jürgenson een paar keer bij zijn voornaam noemde. Het griezelige was: de bevriende zanger was al jaren dood.

Jürgenson zocht de zaak tot op de bodem uit. Hij nam een nieuwe band, vers uit de verpakking, en legde die in zijn bandrecorder. Toen drukte hij de opnametoets in, ging de kamer uit en liet de band doorlopen tot het einde. Wat er daarna gebeurde houdt wetenschappers tot op de dag van vandaag bezig.

Op de band, waarop eigenlijk niets anders te horen mocht zijn dan de stilte in Jürgensons werkkamer, waren opnieuw stemmen te horen. Sommige stemmen kende Jürgenson, andere kende hij niet, weer andere stelden zich aan hem voor als prominente persoonlijkheden. Maar alle stemmen hadden één ding gemeen: de personen bij wie ze hoorden waren dood toen de opname werd gemaakt.

In de boeken die Jürgenson in de loop van zijn onderzoek schreef, sprak hij het vermoeden uit dat hij met zijn opnamen de poort naar een andere wereld had opengedaan – een wereld waarin de doden konden communiceren met de levenden. En alsof dat nog niet fantastisch genoeg was, poneerde Jürgenson nog een stelling: hij beweerde dat hij in geen enkel opzicht een uitverkorene was aan wie gestorvenen zich bekend maakten. Nee, volgens Jürgenson was iedereen die een bandrecorder, een cassetterecorder of een dergelijk magnetisch opnameapparaat bezat in staat om zulke opnamen te maken en met de dodenwereld in contact te komen...

Jan en Sven waren aangekomen bij de vijver en bleven staan. Sven had met open mond naar zijn broer geluisterd. Het duurde even voor hij het begreep.

'Wil je ook zo'n opname maken?'

'Jürgenson zegt dat je de dode alleen een vraag moet stellen en dat je dan de band moet laten opnemen,' legde Jan uit, alsof dat volkomen vanzelf sprak.

Hij haalde de dictafoon uit zijn zak. Sven keek hem ongelovig aan. Toen keek hij naar de dictafoon die Jan in zijn wanten klemde en schudde als in slowmotion zijn hoofd.

'Daarvoor moeten we minstens twee weken binnen blijven.'

'En wat dan nog,' zei Jan, 'dat is het waard. Ik moet gewoon weten waarom Alexandra hierheen is gerend, voor wie ze vluchtte – of voor wat.'

Sven slikte. Het was duidelijk dat hij er spijt van had dat hij achter Jan aan was gelopen.

'Wat is er nou?' vroeg Jan. 'Wil je er niet meer bij blijven?'

Sven knikte alleen maar en Jan had niet anders verwacht. In zijn eentje zou Sven nu al helemáál niet meer door het park terug naar huis lopen.

'Daar gaat-ie dan,' zei Jan.

Ze gingen op de bank zitten. Sven kroop dicht tegen zijn broer aan.

'Waarom doen we het eigenlijk niet thuis, op je kamer?' vroeg hij zachtjes. 'Die figuur over wie je het net had heeft toch ook niet 's nachts door de buurt gelopen?'

'Ja, dat is zo,' zei Jan, die die mogelijkheid ook al had overwogen. 'Maar ik denk dat Alexandra's geest nog steeds hier is. Ze is nog niet begraven. Dus pas op. Je blijft zitten waar je zit en verroert je niet. Geen kik, begrijp je dat?'

Met zijn ogen nog steeds wijdopen drukte Sven zijn lippen op elkaar en knikte.

'Goed, daar gaan we dan.'

Jan schraapte zijn keel. Ergens vond hij het nu toch een beetje raar en hij was bang dat hij een figuur zou slaan tegenover zijn broertje. Maar toen dacht hij aan Jürgenson en hij voelde weer de opwinding die hem had overvallen toen hij over de experimenten van de Zweed had gelezen. Dat gaf hem het nodige zelfvertrouwen.

Jan stond op, deed zijn ogen dicht en concentreerde zich. Toen stelde hij Alexandra in gedachten de vraag die hem niet met rust liet.

Hij wilde weten waar ze zo vreselijk bang voor was geweest en waarom ze voor hem was gevlucht. Ze moest hem toch herkend hebben? Of niet?

Jan drukte op de opnametoets van de dictafoon. Het kleine rode lampje begon te branden. Jan hield zijn wijsvinger voor zijn mond en maakte Sven duidelijk dat hij geen geluid mocht maken. Toen wachtten ze.

De cassette had een speelduur van vijftien minuten per kant. Dat was niet erg lang, maar als je stil moest zijn, moe was en het bovendien ijskoud had, kon een kwartiertje uitdijen tot een eeuwigheid.

Steeds weer boog Jan zich voorover om te zien hoe ver de band al was doorgelopen. Maar hoewel de bank pal onder een lantaarnpaal stond, lag het vakje met de cassette in het donker en Jan kon er niets van zien.

Tot overmaat van ramp begon het nu te sneeuwen. Dikke vlokken vielen er uit de lucht, eerst een voor een, toen steeds dichter. Het zou niet lang duren of er lag een dik pak verse sneeuw in het park.

En alsof dat nog niet genoeg was, moest Jan ook nog plassen. En dringend ook. Dat kwam door die stomme thee waarmee zijn moeder hem de hele dag had volgegoten, omdat het zogenaamd belangrijk was dat iemand die in shock had verkeerd veel vocht binnenkreeg. Waarschijnlijk was de werkelijke reden dat je daarom zo vaak moest plassen dat je geen tijd meer had om na te denken over wat die shock veroorzaakt had.

'Wanneer gaan we weer naar huis?'

Sven had zich niet langer in kunnen houden. Op hetzelfde moment sprong de opnametoets terug. Kant één van het bandje was afgelopen.

'Nu nog kant twee,' zei Jan.

'Ach man,' mokte Sven, 'Zoveel tijd heeft ze toch niet nodig? En dan nog gaat het niet lukken. Spoken bestaan toch helemaal niet.'

'Niemand heeft je gevraagd of je mee wilde komen,' zei Jan, terwijl hij de cassette omdraaide. 'Dat wilde je gewoon zelf. Dus hou op met zeuren. Deze kant nemen we ook nog op en daarna gaan we naar huis.'

Sven begon te pruilen en keek verdrietig naar zijn gevoerde laarzen. 'Nou goed, maar dan gaan we ook echt naar huis. Straks sneeuwen we nog in.'

'Dat zweer ik je,' zei Jan. 'Ik ga alleen even plassen achter die boom. Laat de band lopen, oké?'

Verschrikt keek Sven hem aan.

'Ik ga mee!'

'Wil je dan kijken hoe ik sta te plassen?'

Sven oogde alsof hij liever zijn broer zag staan plassen dan dat hij alleen op de bank moest blijven zitten terwijl naast hem de stem van een geest op een bandje werd opgenomen. Desondanks zei hij met een stem die heel volwassen moest klinken: 'Nee, ik ben toch geen homo.' Dat was wat stoere jongens tegenwoordig tegen elkaar zeiden.

'Dat lijkt me ook,' zei Jan, die het nu geen minuut langer uithield. 'Nu mag je op RECORD drukken. Maar verpruts het niet, anders stuur ik je morgennacht alleen hiernaartoe.'

'Oké,' zei Sven, en deze keer klonk hij echt volwassen. 'Als je maar direct terugkomt.'

'Natuurlijk.'

Jan racete weg, zocht een plekje achter een grote dennenboom en deed zijn rits open. Tjonge, dat scheelde geen haar. Hij had het gevoel alsof zijn blaas op ontploffen stond. De straal ging maar door en door en groef een groot, dampend gat in de sneeuw.

Toen hij eindelijk klaar was, deed hij snel de rits weer dicht, trok zijn handschoenen weer aan en sloop terug naar de bank – langzaam, stap voor stap, om geen vreemde geluiden te veroorzaken.

Het sneeuwde intussen verschrikkelijk. Zijn vader zou de volgende ochtend wel vloeken als hij zag dat hij weer sneeuw moest ruimen.

Jan had nog maar een paar meter gelopen toen hij plotseling bleef staan. Waar was Sven? Een seconde lang had hij gedacht dat hij hem vanwege de dichte sneeuw niet had gezien – maar de bank was leeg.

Alleen de dictafoon lag er nog. Die was al door een dun laagje sneeuw bedekt, en de rest van de bank ook, zodat je kon denken dat er niemand had gezeten. Had Sven ook moeten plassen? Misschien, maar dan was hij toch wel achter Jan aan gekomen.

Jan keek om zich heen. Door de sneeuwstorm kon hij nergens sporen onderscheiden.

Heeft hij er gewoon genoeg van gekregen en is hij naar huis gegaan?

Nee, hij kon zich niet voorstellen dat zijn broertje dat lef zou hebben gehad, alle broederliefde ten spijt.

Sven is verdwenen. Hij is niet weggegaan, hij is verdwenen. Er moet hem iets zijn overkomen!

Jan raakte in paniek. Hoe onzinnig de gedachte ook was – wat kon er nu in de twee, drie minuten die hij weg was geweest met zijn broertje zijn gebeurd? – toch zat er een verschrikkelijke logica in het denkbeeld.

'Sven!' Zijn roep galmde door het park. 'Verdomme Sven, waar ben je?!'

Geen antwoord.

'Hee, dwerg, hou op met die onzin! Zeg eens wat!'

Stilte.

'Sven, verdomme! Kom op!'

IJzige stilte.

Jan begon te krijsen als een waanzinnige. Maar het hielp niets, hoe hard hij ook riep, Sven gaf geen antwoord. Er was alleen die koude, onverschillige stilte, die zich in Jans hoofd vastbeet als een kwaadaardig dier. Het begroef zijn stalen tanden in zijn hersenen en liet niet meer los.

Hij gilde en gilde en gilde...

Toen was het park verdwenen.

De sneeuw was verdwenen.

Sven was verdwenen.

Liggend op een rood tapijt kwam Jan weer tot zichzelf.

'Doe rustig aan. Heel rustig aan,' zei Rauh en hij hielp Jan overeind.

Jan voelde zich ellendig en in de war. Rauh leidde hem terug naar zijn stoel en Jan ging zitten.

'Hier,' zei Rauh en hij gaf Jan een glas aan. 'Neem een slokje water.'

Jan dronk het glas in een teug leeg. Hij voelde zich uitgedroogd en het water was weldadig.

'Ik denk dat we het hier voor vandaag maar bij moeten laten,' zei Rauh, en hij ging weer op zijn stoel zitten. 'Je hebt je dapper geweerd, Jan. Buitengewoon dapper zelfs. Voor een eerste sessie heb je behoorlijk je nek uitgestoken.'

'Toch weet ik nu niet meer dan eerst,' antwoordde Jan en hij zette het glas naast een van de klankschalen, die inmiddels zwegen. Zijn hand beefde.

Rauh knikte. 'Daar gaat het voor het ogenblik ook niet om. Het is belangrijk dat je je verleden tegemoet treedt en het aanschouwt zoals het daadwerkelijk is geweest. Pas daarna krijg je antwoorden.'

Jan knikte vermoeid en verhief zich uit zijn stoel. 'Neem me niet kwalijk, maar voor vandaag heb ik genoeg gehad. Ik heb rust nodig en frisse lucht.'

Rauh stond ook op. 'Natuurlijk. Laat alles eerst maar eens rustig bezinken. Maar we moeten elkaar zo gauw mogelijk weer zien om het over de verdere behandeling te hebben.'

Jan schoot zijn jas aan en liep naar de deur. 'Ik laat wel weer van me horen.'

Rauh groette hem met een vriendelijke glimlach, maar Jan dacht dat hij hem had doorzien. De therapeut wist dat Jan er nog niet klaar voor was om het te hebben over wat er ná die nacht was gebeurd.

12

Voor de komende nacht was op de radio zware vorst voorspeld en het was nu al bitter koud. Jan stampvoette half bevroren, wreef zich in zijn gehandschoende handen en keek ongeduldig naar de benzinepomp, waar een onverschillig zoemen uit kwam.

En dan was er een tijd geweest waarin Jan hoopte dat het tanken nog veel langer zou duren – toen hij hier met zijn vader was. En met Sven.

Voor Jan was het benzinestation aan de rand van Fahlenberg zoiets als de versteende belichaming van wat je wel de verandering der tijden kon noemen.

Tot in de late jaren vijftig had dit gebouw, drie verdiepingen hoog, onderdak geboden aan het gemeentelijk ziekenhuis. Zowel Bernhard Forstner als zijn vrouw Angelika waren er ter wereld gekomen. Toen er een bijna twintig keer zo groot ziekenhuis werd gevestigd in de buurt van de Boskliniek ging het oude gebouw over in privébezit en werd het tot woonhuis verbouwd. Zo'n tien jaar later kwam er een benzinestation in, en niet lang daarna werd daar vlak naast een speelgoedwinkel geopend.

Jan zag de vriendelijke eigenares nog voor zich. Zo bezien sprak het vanzelf dat Jan en Sven graag met hun vader mee gingen tanken. Vooral op zaterdagen, als Bernhard Forstner na het tanken ook door de wasstraat reed en de broertjes daardoor meer tijd hadden zich te vergapen aan de spannende dingen in de etalage. In november veranderde die elk jaar in een modeltrein-landschap met tunnels, bergen, bruggen en meertjes, en stond ook Bernhard Forstner met zijn zonen voor het raam te kijken.

Als je Jan naar de mooiste herinneringen aan zijn vader had gevraagd, had hij beslist de jaarlijkse adventstijd genoemd – de tijd waarin Bernhard Forstner elk vrij ogenblik met Sven en Jan doorbracht. Dan knutselden ze samen in de avonduren en de vrije weekends van hun vader aan het landschap voor de modeltrein, dat elk jaar opnieuw werd opgebouwd.

Jan herinnerde zich nog zijn laatste aankoop in de winkel: een goederenwagon die zes mark kostte. Dat was drie dagen voor de verdwijning van Sven geweest. Drie dagen voor de nacht waarin Bernhard Forstner met onbekende bestemming was weggereden en niet veel later in het wrak van zijn Volkswagen Passat was gestorven.

Nu, na al die jaren, leken het wel herinneringen van een vreemde.

Jan keek naar de lege etalage en een gevoel van weemoed bekroop hem. In de loop van het onderzoek naar de verdwijning van Sven werd onder andere de eigenaar van het benzinestation verdacht. Men liet de verdenking al snel vallen, maar niet lang daarna sloot hij de benzinepomp. Ongeveer tegelijkertijd ging ook de speelgoedwinkel dicht.

Hoe lang zou die winkel nu al leegstaan? Aan de overblijfsels van de affiches bij de ingang te zien, had er het laatst een reisbureau gezeten. Een ijzige oostenwind rukte aan de repen papier en voerde herrie mee uit het gebouw ernaast. Daar waar ooit de garage was geweest stond nu laagbouw; er zat een café met de veelzeggende naam 'De Pomp'.

Het vulpistool klikte en Jan kromp in elkaar. In de eenzaamheid van de winteravond klonk het als de opnametoets van een dictafoon. Meteen schudde Jan de gedachte van zich af en ramde het vulpistool terug in de houder – harder dan nodig.

Terwijl hij de dop op de tank draaide, zag Jan een oude man op de fiets aankomen bij de kiosk van het benzinestation. Het dunne haar van de man waaide als spinrag om zijn schedel. De versleten legerjas en de vlekkerige ribfluwelen broek leken afkomstig uit een uitdragerij, zoals hij waarschijnlijk ook de fiets van het grofvuil had gered.

Onvast stapte de man af. Hij zette zijn fiets tegen een rek met motorolie en maakte hem er met een ketting aan vast. Toen wankelde hij naar de deur van de kiosk. Bij de deur aangekomen keek hij nog even om naar zijn fiets, alsof hij die geen seconde uit het oog wilde verliezen. Toen ging hij naar binnen.

Toen Jan de felverlichte kiosk binnenkwam, drong een bijtende stank in zijn neus – een mengsel van verrotting, koude rook en goedkope drank. De oude man, naar Jan vaststelde de bron van de stank, leek juist zijn bestelling te hebben opgegeven bij de puistenkop aan de kassa, want die grijnsde en zei iets harder dan nodig: 'Moet er weer benzine in?'

De man nam twee flessen korenwijn in ontvangst en stopte die in een plastic tas. Het heupflesje liet hij voor zich op de balie staan. Toen haalde hij een vettige portemonnee uit zijn jaszak. Zijn handen beefden alsof hij koorts had.

'Schiet een beetje op, Hubbi,' drong de jongen achter de toonbank aan. 'Ik heb er geen trek in om vanwege jou weer urenlang te luchten. Het is hier binnen toch al ijskoud.'

De puistenkop was nog niet uitgesproken of de portefeuille glipte uit de handen van de oude man. Munten rolden rinkelend over de grond.

'O, nee hè!' De jongen sloeg geïrriteerd zijn ogen ten hemel, maar maakte geen aanstalten om achter de toonbank vandaan te komen en te helpen.

'Wacht, ik help wel even.' Jan liep naar de oude man toe en hielp hem zijn geld bij elkaar te rapen. De man onderzocht uiterst nauwkeurig elke hoek van de vloer. Pas toen Jan en hij naar dezelfde euro grepen, die onder een rek met tijdschriften was gerold, keek hij Jan aan.

Jan zag een gezicht dat was getekend door jarenlang drinken. Zijn geelverkleurde ogen verrieden ernstige leverschade en zijn slappe huid, waar een net van ontelbare adertjes in te zien was, hing om de hoekige schedel als een grauw, kreukelig laken. Jan dacht de man te herkennen, maar herinnerde zich niet waarvan.

De man bromde een nauwelijks hoorbaar 'bedankt', telde bevend een handjevol munten uit en legde ze op de toonbank. Toen greep hij het heupflesje en leegde het op weg naar zijn fiets.

'Wie was dat?' vroeg Jan, terwijl hij betaalde.

'Geen idee.' De puistenkop haalde zijn schouders op. 'Iedereen zegt gewoon Hubbi tegen hem. Hij komt nooit voor het donker is en zegt bijna niets. Een of andere alcoholist. Verder nog iets?'

Jan zag een plank met een reusachtige uitstalling sigaretten en dacht even na. Toen knikte hij. 'Twee sloffen West, alstublieft.'

De puistenkop draaide zich om en begon zo langzaam met sloffen sigaretten te schuiven dat het leek alsof hij een nieuw traagheidsrecord wilde vestigen. Ten slotte gaf hij Jan de sigaretten aan. Op hetzelfde moment sperde hij zijn ogen wijd open.

'Ach, verdomme!'

Jan keek de jongen onthutst aan, maar begreep toen dat er iets achter zijn rug gebeurde.

'Verdomme, verdomme!' schreeuwde de jongen, 'niet nog eens!'

Met een snelheid die Jan niet van hem had verwacht, stormde hij achter de toonbank vandaan naar de deur.

Jan keek hem na en nu herkende ook hij de voorovergebogen gestalte die op dezelfde plek stond over te geven waar een paar minuten geleden nog de fiets van Hubbi de dronkelap stond.

Omdat hij er niet op rekende dat de jongen snel terug zou komen, legde Jan het geld dat hij moest betalen gepast op de toonbank en ging naar buiten. Daar stond de puistenkop naast een ongeveer even oude man die nog steeds de inhoud van zijn maag op het asfalt uitbraakte.

'Viespeuk!' riep de jongen. 'Kun je niet voor het café kotsen?!'

Voor 'De Pomp' zag Jan een groepje mannen staan roken en lachen. Een paar mannen applaudisseerden.

'Stelletje zuipschuiten!' riep de jongen. Toen zei hij tegen Jan: 'Als ze eens wisten hoe vaak ik hier de zooi moet opruimen. Waarom zuipen die kerels toch als ze het niet binnen kunnen houden?'

Jan antwoordde niet, maar keek verbluft naar de man, die alleen zijn hoofd optilde en de speekseldraden met zijn mouw uit zijn sikje veegde. Het was Ralf Steffens, zijn ernstige collega uit het ziekenhuis.

De verpleger lalde iets wat klonk als 'Dag dokter Forstner', kokhalsde weer en zou bijna in zijn eigen braaksel zijn gevallen als Jan hem niet op het laatste moment bij zijn kraag had gegrepen.

Verbaasd trok de jongen zijn wenkbrauwen op. 'Kent u hem?'

Jan negeerde hem en ondersteunde Ralf, die nogmaals dreigde om te vallen.

'Gaat het lukken?'

Ralf probeerde hem aan te kijken, maar hij kreeg het niet voor elkaar om zijn blik op Jan te concentreren.

Jan zuchtte. Terwijl hij Ralf met beide armen omvatte, leidde hij hem naar zijn auto. Met enige moeite lukte het hem om het rechterportier open te doen en de beschonkene in de auto te tillen. Toen draaide hij het raampje naar beneden.

'Als je het weer te kwaad krijgt, dan graag uit het raam, oké?'

Maar Ralf hoorde het niet. Hij was onmiddelijk in slaap gevallen zodra hij in de auto zat.

Mooi is dat, dacht Jan, en ik weet niet eens waar hij woont.

'Hee, u bent iets vergeten!'

De puistenkop kwam naar hem toe en gaf hem de sigaretten aan. Toen maakte hij een walgend gebaar in Ralfs richting.

'Bent u de barmhartige samaritaan of zo?'

'Nee, ik ben arts.'

De puistenkop knikte naar de sigaretten die Jan vasthield. 'En ik maar denken dat die gezond leven en niet roken. Nou ja, wat kan het schelen.' En toen draaide hij zich om en liep weg.

Jan gooide de sigaretten op de achterbank. Toen probeerde hij Ralf wakker te maken, maar dat lukte niet. Hij zocht in Ralfs jaszak en vond een sleutelbos en een portefeuille.

Het zag ernaar uit dat Ralf al zijn contanten in café De Pomp had achtergelaten. In het venstertje van de portefeuille zat een foto uit een automaat. Op de foto stonden Ralf en zijn vriendin. Typisch een spontaan idee van een verliefd stel dat even in een pasfoto-automaat op het station klimt om het ogenblik te vereeuwigen met een snapshot. Ze kusten elkaar, waardoor je van het langharige meisje alleen het achterhoofd zag. Ralf had zijn ogen wijdopen en zag er duidelijk beter uit dan nu op de passagiersstoel.

Jan pakte het identiteitsbewijs achter de foto vandaan en vond Ralfs adres. De Bachstrasse. Hij kende het daar wel. Vroeger woonde daar een vriendje van hem, met wie hij in de Fahle kreeftjes ving die ze dan in jampotjes mee naar huis namen. Onderweg zette Jan de verwarming van de auto op maximum, maar die kon niet op tegen de ijskoude rijwind die door het open raam naar binnen waaide. Ralf merkte er niets van. De blonde krullenkop snurkte met zijn mond wijdopen. Zo nu en dan schokte zijn lichaam alsof hij een nare droom had.

De lift was defect, maar ze kregen het min of meer samen voor elkaar om de vier trappen naar Ralfs appartement te beklimmen. Toen Jan eindelijk weer in de auto zat en terugreed naar huis, had hij het in elk geval niet meer koud.

Hij nam de autosnelweg, dat was de kortste weg. Toen hij bij de voetgangersbrug kwam, overviel hem een gevoel van beklemming. Hij voelde een steek in zijn borst toen hij ook nog een gestalte aan de balustrade zag staan. Daar stond iemand naar beneden te kijken.

Bijna was Jan op de rem gaan staan, maar juist voor hij bij de brug kwam, wendde de gestalte zich af en ging op in het donker.

Weer moest Jan denken aan het verpletterde gezicht van de vrouw denken, en aan de onmenselijke kreet, die zich aan haar keel had ontworsteld.

Geeooh!

13

'Ik wed om alles wat je maar wilt dat je vandaag nog niets behoorlijks hebt gegeten.'

Marenburg stond in de deuropening van de woonkamer en keek Jan aan met een onderzoekende blik.

Jan hing zijn jas aan de kapstok en keek zijn gastheer aan. 'Je klinkt nu net als mijn ex.'

Marenburg grijnsde. 'Wat zie je eruit! Je zou denken dat je in de bouw werkt en niet in een ziekenhuis.'

Jan voelde zich inderdaad alsof hij urenlang tegels had gesjouwd. Het akkefietje met Ralf Steffens was de kroon geweest op een toch al slopende dag.

Marenburg knikte met zijn hoofd naar de keuken. 'Wat denk je van haringsalade met rode biet? Een oud recept van mijn grootvader. Ik heb een extra grote portie gemaakt.'

Jan bood weerstand aan de verleiding een vies gezicht te trekken. Het was niet het goede moment om zijn vriend te vertellen dat hij niet zo van vis hield. Marenburg had er duidelijk plezier in iemand in huis te hebben om wie hij zich kon bekommeren en Jan had honger als een paard. Hij had inderdaad nog niets gegeten en als om dat te beklemtonen kwam er nu een luid knorren uit zijn maag. De twee mannen schoten in de lach.

'Dat zal ik maar als "ja" opvatten,' zei Marenburg.

Hij verdween in de keuken en Jan ging zich omkleden. Toen hij even later de trap af liep naar de keuken, kwam hem een kruidige geur van gebakken aardappeltjes tegemoet. De tafel was gedekt en Marenburg had zelfs een paar flessen Schlossquell-bier in de koelkast liggen.

De twee vielen aan op de stevige burgerkost en Jan stelde vast dat hij zijn mening over visgerechten moest herzien. De salade smaakte uitstekend, zelfs al wekte de eigenaardig rode roomsaus een ogenblik lang onaangename associaties bij hem op. De volgende ochtend zou hij bij zijn patiëntengesprekken beslist pepermuntjes nodig hebben. Marenburg was niet zuinig geweest met de uien.

Gulzig werkte Jan de gebakken aardappeltjes naar binnen, terwijl Marenburg grappige verhalen over zijn grootvader vertelde, die op zijn zestiende van huis was weggelopen om naar zee te gaan en die op een gegeven moment in Fahlenberg terecht was gekomen. Voortaan woonden de Marenburgs in deze stad en leidden ze, anders dan hun avontuurlijke grootvader, een onopvallend leven. Rudolfs vader, Siegfried Marenburg, was bij leven in dienst geweest van de Fahlenberger Elektrowerken en Rudolf had tot zijn pensionering bij het bevolkingsregister gewerkt.

Marenburg kon goed vertellen en Jan besefte andermaal dat de oude man alles en iedereen in Fahlenberg kende. Dat bracht hem op een idee. Hij schoof zijn bord opzij, leunde achterover en keek Marenburg aan.

'Zeg, jij kent toch zo goed als iedereen hier?'

'Nou, niet écht iedereen,' zei Marenburg, en hij veegde zijn mond af met een papieren servetje. 'Maar van de oudere inwoners weet ik vrijwel alles. Hoezo?'

'Zegt een zekere Hubbi je iets?'

Marenburg legde zijn servetje opzij en veegde de laatste restjes saus van zijn bord met een stukje brood.

'Hubbi?'

'Zo wordt hij genoemd. Hij schijnt zwaar aan de drank te zijn en maakt een nogal verlopen indruk. Het is moeilijk te zeggen hoe oud hij is. Waarschijnlijk ziet hij er ouder uit dan hij is.'

'Ja ja.' Marenburg knikte en schoof zijn bord van zich af. 'Dat is Hubert Amstner, kan niet missen. Hoezo?'

'Ik kwam hem vanavond tegen bij het benzinestation,' zei Jan, en terwijl hij nog praatte, ging hem een licht op. 'Wacht even, Amstner was daar toch de eigenaar van?'

Jan zag de man voor zich zoals die vroeger zijn vader had bediend. Hij was nooit op het idee gekomen dat de afgetakelde man die hij vandaag had gezien dezelfde Hubert Amstner was.

'Dezelfde,' zei Marenburg, en hij nipte van zijn bier. 'Zag je hem bij het benzinestation?'

'Ja.'

'Waar hij vroeger de eigenaar van was?'

Jan knikte en Marenburg zuchtte. 'Hij kan het niet laten. Het is een treurig verhaal. Eerst dat gedoe met zijn broer, toen zijn vrouw...'

'Zijn vrouw?'

'Die had toen de speelgoedwinkel.'

'Was dat zijn vróúw?'

'Rosalia Amstner.' Marenburg knikte weer. 'Waarschijnlijk kende jij haar alleen als Rosa, zoals iedereen. Door "mevrouw Amstner" had die lieve Rosa zich niet aangesproken gevoeld, denk ik.'

'Hoe goed kende je ze?'

'Ze trouwden in hetzelfde jaar als Flora en ik.' Hij knikte naar de trouwfoto's die op een plank stonden. 'En met hun ging het net zoals met ons: net als Flora kon Rosa geen kinderen krijgen. En toen het met Flora toch nog lukte, was dat voor ons een wonder. Niemand had voorzien dat ze de geboorte niet zou overleven.' Hij haalde treurig zijn schouders op. 'Rosa leek goed met haar kinderloosheid overweg te kunnen. Maar voor Hubert was het een behoorlijke klap. Hij was dol op kinderen, weet je. Die speelgoedwinkel was zijn idee. Nou, en toen werd zijn liefde voor kinderen zijn ongeluk.'

'Vertel.'

Marenburg dronk zijn bier op, stond op en pakte twee nieuwe flesjes uit de koelkast.

'Het moet in de zomer van 1983 zijn geweest, toen Gabriele Jost hier kwam wonen met haar zoon Christian. Nou weet ik niet meer waar ze oorspronkelijk vandaan kwamen, maar de namen herinner ik me nog precies.' Marenburg tikte tegen zijn slaap en glimlachte lichtjes. 'Ik mag dan wel met pensioen zijn, maar soms lijkt het wel alsof ik het hele bevolkingsregister daarboven heb opgeslagen.'

'Tja, Rudi, het langetermijngeheugen wordt beter met de jaren.'

'Zo precies wilde ik het nou ook weer niet weten,' bromde Marenburg, en hij gaf Jan zijn bier aan.

'Wat was er met die twee?'

'Christian was tien, maar hij maakte voor zijn leeftijd al een heel verstandige indruk. Hij was aardig. Een beetje verlegen en terughoudend, maar altijd vriendelijk. Zijn ouders waren een paar jaar eerder uit elkaar gegaan en ik denk dat Christian in Hubert een soort plaatsvervangende vader zag. Achter het huis had hij een hok met konijnen; dat was natuurlijk hartstikke leuk voor een jochie van tien. Dus sloten ze vriendschap.' Met een geroutineerd gebaar liet Marenburg de beugel van zijn flesje openklappen en nam een grote slok. 'Het moet die zomer zijn gebeurd. Herinner je je Karl Lehmann, de postbode nog? Dat was er een van de oude stempel, die nog tijd had voor een praatje hier en een praatje daar. Zolang hij de post rondbracht, had je voor lokaal nieuws geen krant nodig.'

Jan herinnerde zich Karl Lehmann inderdaad. Toch had hij geen erg positieve herinnering aan hem. Lehmann had een hekel aan Rufus gehad, omdat hij Rufus' vreugde om een vermeende speelkameraad had misverstaan.

'Op een ochtend,' ging Marenburg verder, 'zag Karl Hubert en Christian bij de vijver zitten. Het was nog geen vakantie en eigenlijk had die jongen op school moeten zitten. Daarom was Karl wantrouwig. Hij bleef dus naar die twee staan kijken. En toen...' Marenburg liet een korte stilte vallen, alsof hij er moeite mee had, erover te praten. 'Nou, Karl beweerde dat Hubert zich aan de jongen had vergrepen en dat hij, Karl dus, op het nippertje het ergste had weten te voorkomen. Hij is tussenbeide gekomen en heeft Hubert flink op zijn donder gegeven. Hij was geen zwaargewicht, maar Hubert zag er naderhand uit alsof-ie onder een trein was gekomen.

'Zoals je je kunt voorstellen brak daarna de hel los. Hubert heeft keer op keer zijn onschuld betuigd. Niemand geloofde hem. Opeens stond zijn liefde voor kinderen in een ander licht. Die jongen nam het weliswaar voor hem op, maar je wist niet zeker in hoeverre Hubert daar al invloed op had gehad.'

Het was vast niet bij één keer gebleven, dacht Jan, en hij dronk zijn bier op. Pedofiele verhoudingen werden vaak voorafgegaan door een lange fase van vriendschap; er ontstond dan een soort wederzijdse afhankelijkheidsrelatie voordat het tot seksuele handelingen kwam. Als de dader dan schuldig werd bevonden, werd hij vaak in bescherming genomen door zijn slachtoffer, dat zijn vriend – die het slachtoffer vaak als zijn enige echte vriend beschouwde – niet kwijt wilde raken. Het waren altijd de pijnlijkste ogenblikken in de loop van Jans carrière geweest, als een kind zichzelf er de schuld van gaf de dader te hebben verleid.

'Wat is er met die jongen gebeurd?'

'Hij is niet lang daarna met zijn moeder uit Fahlenberg weggegaan. Naar Augsburg, als ik het goed heb. Voor Hubert was het het begin van het einde. Het geklets hield niet op en algauw zag het er op zijn tankstation uit alsof de ernstigste oliecrisis aller tijden was uitgebroken. Hubert moest zijn huis en zijn bedrijf verkopen. Hij ging met Rosa wonen in het baanwachtershuisje dat hij van zijn vader had geërfd. Klein huisje, vlak bij de Waldweg. Je kent het vast.'

'Die ruïne? Maar die viel toen toch ook al van ellende uit elkaar?'

Marenburg haalde zijn schouders op. 'Wat moest hij anders? Hij kreeg hier niet eens meer werk.'

'Waarom bleef hij dan in Fahlenberg? Hij had toch ergens heen kunnen gaan waar niemand hem kende?'

'Ik denk dat hij bleef omdat ze het als een schuldbekentenis hadden opgevat als hij was weggegaan,' zei Marenburg, en hij pulkte aan het etiket van zijn fles. 'Dat stempel hadden ze hem natuurlijk al opgedrukt, maar misschien hoopte Hubert dat er in de loop der tijd gras over zou groeien.'

'Hoe weet je eigenlijk zo zeker dat Lehmann het niet toch bij het rechte eind had?'

Marenburg stootte een vreugdeloze lach uit. 'Ten eerste, omdat die goeie Karl – God hebbe zijn ziel – een vreselijke kletskous was. Die moest je niet zomaar blindelings geloven. En verder...'

Marenburg keek naar de trouwfoto. Hij aarzelde even, en zei toen: 'Nou, en verder was Hubert in zijn jonge jaren een behoorlijke rokkenjager. Meisjes die niet oppasten nam hij te grazen. Toentertijd zag hij er ook nog verdomd goed uit. Er waren er best veel die zogenaamd vergaten op te passen, als je begrijpt wat ik bedoel...'

Jan begreep heel goed wat hij bedoelde en het was hem ook duidelijk waarom Marenburg even had geaarzeld.

'Nou, en toen kwam Rosa en van de ene op de andere dag veranderde de versierder van vroeger in een brave echtgenoot. Zo gaat het soms.' Hij keek Jan doordringend aan. 'Hij had zijn vrouw lief, Jan. Ook dat hadden we gemeen. En als al die toestanden er niet zouden zijn geweest, dan waren ze nu nog bij elkaar.'

'Ging ze bij hem weg?'

'Ze ging niet zomaar bij hem weg.' Hij nam nog een slok bier en veegde zijn mond af met de rug van zijn hand. Je kon wel aan hem zien dat de zaak hem ter harte ging. 'Na die kwestie met je broer moet het haar te veel zijn geworden. Rosa is altijd achter haar man blijven staan, ook toen ze in die ouwe gribus moesten wonen en van hun spaargeld moesten leven. Maar het geroddel hield nooit helemaal op. Toen verdween Sven en meteen werd Hubert daarvan verdacht. De politie geloofde Rosa wel toen ze zei dat Hubert de hele nacht thuis was geweest, maar de mensen in Fahlenberg hadden hun eigen mening al gevormd. Dat was de druppel.'

'Heeft ze er een eind aan gemaakt?'

Marenburg knikte. 'Ze is het bos in gelopen en heeft zich verhangen. Dat was voor Hubert de nekslag. Daarna heeft hij ieder contact met anderen verbroken. Intussen is dat allemaal al lang vergeten. Veel oude mensen zijn nu dood en voor jongere mensen is Hubert Amstner hooguit nog Hubbi de zatlap, die in een krot woont en van de hand in de tand leeft.'

Een loodzware stilte breidde zich uit in het keukentje en drukte Jan op de schouders. De verdwijning van Sven had oneindig veel ellende teweeggebracht – en niet alleen in zijn familie. Jan vroeg zich af of de dader van toen er iets van had opgevangen en wat zich daarbij in hem had afgespeeld.

'Heb jíj nog contact met Amstner?'

Marenburg schudde zijn hoofd. 'Nee. Die praat met niemand meer. Of hooguit nog met de man van de drankhandel. Kun je hem niet kwalijk nemen.'

Hoewel Jan doodmoe was, lag hij nog lang in bed te woelen. Het beeld van de stervende vrouw, de therapie bij Rauh en het verhaal van Hubert Amstner spookten door zijn hoofd en lieten hem lang niet met rust. Toen hij ten slotte toch insliep, had hij een droom, die eigenlijk geen droom was maar een herinnering. Een lang vergeten demon bracht hem een bezoek.

14

Het was zaterdag 12 januari 1985 en Jan hurkte achter de balustrade boven aan de trap. Hij had zijn armen om zijn knieën geslagen en zijn ogen brandden van het huilen. De afgelopen uren had hij veel gehuild – zo veel, dat er geen tranen meer kwamen. Hij was uitgeput en bang en in de war. Uit de woonkamer op de begane grond steeg de stem van zijn moeder naar hem op. Angelika Forstner was nog steeds de hysterie nabij. Hoewel het nu al een paar uur geleden was dat ze Jan een paar flinke draaien om zijn oren had gegeven en als een gek tegen hem tekeer was gegaan, geloofde hij nog steeds dat hij haar klappen kon voelen.

Zolang de politie bij hen thuis was geweest, had zijn moeder zich nog enigszins kunnen beheersen, maar de agenten waren nauwelijks de deur uit, of ze was door het lint gegaan. Ze had zichzelf niet meer in de hand en ging vreselijk tekeer. Hoe Bernhard Forstner ook probeerde zijn vrouw te kalmeren en haar moed in te spreken, zijn pogingen hadden geen resultaat.

'Hoe kun je in godsnaam zo stom zijn om je broertje van zes mee te nemen naar het park en daar alleen te laten? Mijn arme kind!'

Elk woord deed Jan net zoveel pijn als een volgende klap. Toen hij de politieagent vertelde wat er was gebeurd, had die met een stoïcijnse blik geluisterd en aantekeningen gemaakt. Hij had geen commentaar gehad op Jans idee en het evenmin met blikken of gebaren beoordeeld, en Jan was hem er dankbaar voor geweest. Ten slotte had hij Jan zelfs moed ingesproken.

'We gaan je broertje zoeken,' had de agent gezegd, en toen was hij samen met zijn collega weggegaan om zijn belofte na te komen.

Daarna barstte de wanhopige woede van Jans ouders boven hem los. Weliswaar had Bernhard Forstner geen woord tegen zijn oudste zoon gezegd, maar aan zijn blik kon Jan duidelijk zien dat hij maar beter naar zijn kamer kon gaan. En juist toen Jan de kamer uit wilde lopen, kreeg hij zijn moeder over zich heen.

Jans vader was naar haar toe gelopen, had zijn gillende vrouw beetgepakt en door de kamer heen gesleurd naar de bank. Jan was van de vloer opgekrabbeld. In een mondhoek had hij bloed geproefd. Hij had de doordringende blik van zijn vader beantwoord en daarbij iets opgemerkt dat hij nog nooit eerder had gezien: Bernhard Forstner had tranen in zijn ogen. Van dat gezicht was Jan bijna nog meer geschrokken dan van het feit dat Sven was verdwenen en dat zijn moeder haar verstand verloren leek te hebben.

Tot op deze dag had Jan gedacht dat zijn vader overal tegen opgewassen was, hoe erg het ook mocht zijn. Hij had immers altijd ergens een verklaring voor, vond altijd een oplossing als zich problemen voordeden. Maar nu stortte Jans geloof in zijn heldhaftige vader als een kaartenhuis in elkaar.

'Alsjeblieft, Jan. Ga naar boven. Je moeder is in shock. Ik kom straks even met je praten, oké?'

Dus was Jan naar boven gegaan, maar daar had hij het niet lang uitgehouden. Ook Jan was bang dat Sven iets heel ergs was overkomen. Iets waarover je anders alleen in de krant las of op vrijdagavond op de televisie zag in *Opsporing verzocht*.

En in de ogen van zijn ouders was het zíjn schuld. Natuurlijk was het een oerdom idee geweest om de stem van een geest op te willen nemen. Maar hij had het toch niet slecht bedoeld. En bovendien was Sven achter hém aangekomen. Het was Svens idee geweest om achter zijn grote broer aan naar het park te gaan. Maar dat wilde niemand horen. Jan was de oudste, dus was hij verantwoordelijk voor wat er was gebeurd – en voor wat er misschien nog gebeuren zou.

'We gaan je broertje zoeken,' had de agent gezegd, en Jan klampte zich aan die woorden vast als aan een reddingsboei. Ze móésten hem gewoonweg vinden, er was immers een reusachtig aantal opsporingsbeambten onderweg. Heel Fahlenberg was intussen op de been om de omgeving uit te kammen. Dat had zijn vader zonet ook tegen zijn moeder gezegd.

Jan hield zijn hoop op een goede afloop maar liever voor zich. Want het uitspreken van de wens betekende ook dat ze niet in vervulling zou kunnen gaan. En daar kon en wilde Jan niet aan. Nog niet.

Als er werkelijk een God was die in de harten der mensen kon zien, dan zou hij de wens daar zeker ontdekken en in vervulling laten gaan. Diep vanbinnen wenste Jan dat de mannen zijn broer niet zomaar zouden vinden, maar dat ze hem lévend zouden vinden. Jan werd gek bij het idee dat Sven door zijn toedoen aan zijn eind was gekomen.

Langzamerhand werd het rustig op de begane grond. Waarschijnlijk begonnen de pilletjes die Bernhard Forstner een tijdje geleden voor zijn vrouw had gehaald te werken.

Ook Rufus waagde het er niet op de trap af te lopen naar zijn baasje. Hij kwam voorzichtig uit Svens kamer tevoorschijn, trippelde met zijn staart tussen de benen naar Jan toe en ging zachtjes piepend naast hem liggen. Jan kroelde door zijn vacht en voelde zich een klein beetje beter. Het gaf hem troost dat hij de hond bij zich had, zelfs al nam het zijn angst niet weg.

Sven was ergens daarbuiten en er was een reden waarom hij niet thuis was gekomen. Hij had vast al lang voor de deur gestaan als hij had gekund. Sven had het koud gehad, hij was moe geweest en Jans spokenjacht had hem na een tijdje alleen nog maar verveeld. Als niets of niemand het hem had belet, was hij toch gewoon thuisgekomen?

Ze gaan de buurt uitkammen, dacht Jan. *En ze zullen vast ook bij de vijver zoeken.*

Hij dacht aan Alexandra en zijn ogen begonnen weer te prikken. Stel je voor dat Sven naar de vijver was gelopen en op het dunne ijs...

Op dat moment ging de telefoon in de gang. Toen de bel voor de tweede keer overging, stond Bernhard Forstner al bij het apparaat. Hij rukte de hoorn van de haak, zijn gezicht was krijtwit.

Lieve God, laat ze alsjeblieft Sven gevonden hebben, bad Jan. *Laat ze hem levend gevonden hebben. Alsjeblieft Alsjeblieft Alsjeblieft!*

'Niet nu,' hoorde hij zijn vader zeggen. 'Mijn jongste zoon is verdwenen en de politie is naar hem op zoek.'

Toen zag Jan tussen de spijlen van de balustrade door, hoe zijn vader ineenkromp.

'Wát?'

De hand van zijn vader die de hoorn vasthield, begon te trillen. Met zijn andere hand streek hij door zijn haar, alsof dat opeens vol luizen zat.

'Wáár?' riep Bernhard Forstner in de hoorn. En toen: 'Ik kom eraan!'

Hij ramde de hoorn terug op het toestel, rende naar de kapstok en rukte zijn jas van de haak.

Zonder nog aandacht te schenken aan zijn vrouw in de woonkamer holde Forstner naar de voordeur en stormde naar buiten.

Toen de deur achter zijn vader in het slot viel, werd Jan gegrepen door een gedachte die als een schreeuw door zijn hoofd galmde. Dit was geen droom, dit was een herinnering die leek te zijn gaan leven.

Opeens begreep hij dat hij geen twaalf meer was. Hij was volwassen en hij wist wat er nu ging gebeuren. Zijn vader zou de plaatstalen garagedeur opendoen en de motor van zijn gele Passat starten. Dan zou hij achteruit de oprit af rijden en het hek van de buren schampen zonder het in de gaten te hebben. En dan zou hij met plankgas wegrijden en voor altijd verdwijnen in die wilde sneeuwjacht.

Jan zou hem nooit meer levend terugzien. Het enige wat er van hem over zou blijven was het bidprentje na de begrafenis en de vraag wat Bernhard Forstner ertoe gedreven had om in de vroege ochtend met onbekende bestemming te vertrekken en kort daarop bij een botsing met een boomstam zijn leven te verliezen.

Dat wist Jan, want wat hij nu meemaakte was meer dan alleen een droom. Maar misschien bestond nu ook de mogelijkheid dat alles ongedaan te maken. Dat hoopte zijn droom-ik – die ook te weten hoopte te komen of Bernhard Forstners overhaaste vertrek in verband stond met Svens verdwijning, zoals Jan al die jaren had vermoed.

Dus sprong Jan uit zijn schuilplaats boven aan de trap en rende hij de trap af.

De woonkamer was leeg. Eigenlijk had daar zijn moeder moeten zitten of liggen, slapend of ten minste bedwelmd door de sterke medicijnen die ze haar hadden gegeven. Maar er was niemand en de woonkamer zag eruit alsof er al jaren niemand was geweest. Er lag stof op de meubels, er zat een lange barst in een ruit van de grote vitrine en de salontafel lag vol rattenkeutels. Nee, hier was al jaren niemand geweest.

Jan stond stokstijf. Dat was onmogelijk. Een paar minuten geleden had hij hier de stem van zijn moeder nog gehoord.

Buiten startte een auto. De Passat! Met een sprong was Jan bij de voordeur. Hij rukte de deur open en rende naar buiten.

'Niet doen! Wacht!'

Maar zijn uitroep was vergeefs. Hij zag de rode achterlichten van de auto terwijl ze door het duister werden opgeslokt, toen daalde er een ijzige stilte over hem neer. Zo realistisch als de droom ook mocht zijn, het veranderde niets aan het feit dat Bernhard Forstner zijn dood tegemoet scheurde.

Jan sloeg zijn handen voor zijn gezicht en huilde. Hij huilde als een krankzinnige, gaf zich over aan zijn wanhoop.

Toen voelde hij een hand op zijn schouder en hij draaide zich om. Verschrikt keek hij in de ogen van een man die ongeveer tegen de dertig was. Hij keek Jan met treurige ogen aan. Ogen die Jan meteen herkende, ook al waren het bij hun laatste ontmoeting nog de ogen van een kind geweest.

'Sven?'

De man knikte. 'Dag, grote broer.'

Als Jan er ook maar een ogenblik aan had getwijfeld dat hij dit alles alleen maar droomde, dan wist hij nu helemaal zeker dat dit nooit of te nimmer werkelijkheid kon zijn.

'Ach, mijn arme grote broer,' fluisterde Sven. Zacht streelde hij Jans gezicht en veegde zijn tranen af. 'Je kunt het verleden niet veranderen. Onthou dat, want zo is het nu eenmaal, zelfs in je dromen.'

'Maar... maar je bent dood!'

'Als je nog langer naar me wilt zoeken,' fluisterde Sven, 'denk dan aan één ding: ga nooit op geruchten af.'

15

In het echte leven heette ze Dunja Koslowski, maar toen ze in het *Love Palace* kwam werken, noemde ze zich Mandy. Als aankomend actrice moest ze tenslotte een goede artiestennaam hebben die niet deed denken aan het eenvoudige boerenmeisje uit Oekraïne dat ze vroeger was. En ook toen had al voor haar vastgestaan dat ze ooit Mandy zou heten – net als het meisje dat Barry Manilow lang geleden had bezongen.

Over haar achternaam had ze nog geen besluit genomen, maar ze zou zich tegen die tijd laten adviseren door een professional – door iemand die wist hoe je een ster werd. Tot dan toe zou ze Mandy heten – alleen Mandy.

Bijna al haar klanten noemden haar zo. Er was er één die 'Carmen' zei. De grote onbekende, die haar zijn naam niet wilde verklappen. Hij was een van de weinige vaste klanten.

'Carmen' was de tweede grote rol in haar leven. De eerste was in een pornofilm geweest, waarvoor acht werklieden uit een fabriek in Düsseldorf haar hadden betaald. Ze had de hoofdrol gespeeld in een gangbang op een sjofele hotelkamer. Zelfs al had dat in haar ogen geen grote acteerprestaties gevergd, ze vond dat ze overtuigend was overgekomen.

De rol van Carmen was een stuk veeleisender. De grote onbekende was niet zomaar op zoek naar een miepje om mee te wippen, zoals die kerels van toen. Hij had haar doelgericht uitgekozen – *gecast*, zoals ze zeiden. Had had Dunja weliswaar nooit verteld waarom hij haar had uitgekozen – hij sprak überhaupt niet veel met haar – maar ze was er nog steeds van overtuigd, dat het om meer ging dan haar lichaam alleen. Hij moest haar talent hebben aangevoeld.

In laatste instantie had haar haar de doorslag gegeven, daar had ze haar hand voor in het vuur gestoken. Natuurlijk hechtte ze veel waarde aan haar uiterlijk en ze had een lijf waar niets op aan te merken viel: lange, slanke benen, een strak kontje en stevige borsten – niet erg groot, maar wel zo, dat de blik van de mannen er als vanzelf naartoe werd getrokken. Vanzelfsprekend waren er nergens op haar lichaam vetkussentjes te vinden. Ze volgde een streng sterrendieet waar ze over gelezen had. Madonna zwoer erbij, en Penelope Cruz en Cameron Diaz ook. Maar vooral haar lange, kastanjebruine haren maakten haar bijzonder. Die waren haar handelsmerk, als je het zo kon zeggen. Net zoiets als het platinablond van Marilyn Monroe of de krullen van Julia Roberts.

Dunja verzorgde haar haar met dure shampoos en glansspoelingen, en ze hoopte dat het kleine vermogen dat ze in haar kapsel investeerde zich op een dag zou terugverdienen. De grote onbekende was de eerste die haar haar werkelijk op waarde wist te schatten. Daarom was ze zijn Carmen geworden.

Haar rol was met haar benen wijd op het grote bed in haar kleine eenkamerflat te gaan liggen, met haar linkerarm gestrekt van zich af. Met haar rechterhand hield ze een kartonnen masker, dat hij elke keer meebracht, voor haar gezicht.

Het masker was met de hand gemaakt, dat kon je zien, en hij had er veel zorg aan besteed. Het was beplakt met de foto van een knappe, jonge vrouw en Dunja twijfelde er geen moment aan, dat zij de èchte Carmen was – de vrouw wier rol zij moest spelen.

Al bij de eerste keer had ze hem gevraagd wat voor vrouw deze Carmen was, hoe de klank van haar stem was en hoe ze liep. Juist bij het vormgeven van bestaande personen was die kennis zeer belangrijk, volgens Dunja's *Leidraad bij het acteren*, die ze vanbuiten kende. Maar hij had zich op de vlakte gehouden.

'Zoals je het nu doet is het goed,' had hij gezegd, waarna Dunja had besloten af te gaan op haar intuïtie en zo goed als ze kon te improviseren.

Bij elk bezoek nam hij behalve het masker ook een briefje mee. Daar stond haar tekst op. Het was met de hand geschreven, in grote, gelijkmatige blokletters.

Dunja moest de tekst uit haar hoofd leren, terwijl ze zich allebei uitkleedden. Dan moest ze hem het briefje teruggeven en op bed gaan liggen. Hij kwam naar haar toe, drapeerde haar haar over het blauwsatijnen hoeslaken en legde een hoek van het dekbed over haar buik.

Dat laatste was het gedeelte waar híj moest improviseren. Hij hield niet van de glanzende piercing in haar navel – dat wist ze, omdat hij haar bij de eerste ontmoeting had gevraagd of ze hem eruit kon halen. Daar had ze ontkennend op moeten antwoorden. Zodra hij tevreden was met haar houding en voor haar ging staan, kroop ze in de huid van haar personage. Ze speelde niet zomaar Carmen, ze wérd Carmen en liet alles zien wat ze kon. Met het masker voor haar gezicht als een *moretta* in het Venetiaanse carnaval sprak ze haar tekst uit. Daarbij legde ze in elk woord gevoel en lette ze op haar intonatie, zodat het in elk geval niet klonk alsof ze de tekst alleen opzegde.

'Ik ben nu bij jou,' fluisterde ze. 'We horen voor altijd bij elkaar. Niets kan ons nog scheiden. Alles wat er gebeurd is, zij je vergeven. Alles is vergeven.'

Ze voelde hoe hij bij haar binnenkwam en in haar bewoog. Eerst zacht en aarzelend, dan sneller en heviger.

'Ik hou van je,' hijgde hij. 'Ik hou van je, ik hou van je, ik hou van je.'

'Ja, mijn liefste,' fluisterde ze. 'Bemin je koningin.' Dat laatste was geïmproviseerd en ze vond dat het goed klonk. 'Alles is je vergeven.'

'Ik wilde... het... niet,' snikte hij.

Dan kwam hij klaar en zoals meestal begon hij te huilen. Maar deze keer kwam hij Dunja wanhopiger voor dan anders. Ze voelde hoe hij uit haar gleed en legde het masker weg.

Hij stond snikkend voor haar, zijn gezicht in zijn handen.

Dunja vond het hartverscheurend om een man te zien huilen. Normaal gesproken waren mannen eerder geneigd tot gewelddadigheid; ze gingen tegen haar tekeer, schreeuwden of sloegen. Als mannen huilden dan leden ze onder zeer ernstige problemen. En al helemaal, als ze tegenover een vrouw in tranen uitbarstten.

Het deed haar verdriet hem zo te zien. Ze vond hem aardig. Hij was anders dan de anderen. Hij schold haar niet uit en maakte haar niet uit voor 'lekker ding' of 'neukbeestje' of 'geile teef' zoals de meeste andere mannen. Integendeel, hij maakte een bijzondere vrouw van Dunja – in de eerste plaats natuurlijk voor zichzelf, maar op een bepaalde manier ook voor haar.

'Wil je me over haar vertellen?'

Hij schudde zijn hoofd en draaide zich om.

Ze sloeg hem gade, terwijl hij zich aankleedde. Het was een erg treurig gezicht. Hij legde zijn geld op haar kaptafel met een envelopje coke ernaast. Zijn gangbare toegift, zodat ze werkelijk niemand over hem zou vertellen. Terwijl ze met de beste wil van de wereld niet wist wie ze over de grote onbekende moest vertellen.

'Je kunt ook met me praten, niet alleen neuken,' probeerde ze hem op te monteren. 'Ik kan goed luisteren en we hebben nog tijd.'

'Hou je kop!'

Hij greep een parfumflesje, draaide zich naar haar om en smeet het flesje tegen de muur achter haar. De zoete geur van bloemen vulde de kamer.

Toen ging hij weg en knalde de deur achter zich dicht.

Dunja keek hem verbaasd na. Zo had ze hem nog nooit meegemaakt.

'Nou, dan niet.'

Zuchtend keek ze naar de scherven. Ze was te dichtbij gekomen en daar hield hij niet van. Ook goed. Ze kon niets meer doen dan zich aanbieden. Het parfum kon er ook nog wel bij. Alleen de dope was al meer waard dan dat flesje.

En wie weet, dacht ze, misschien zegt hij de volgende keer iets meer over haar.

Op een dag vertelden ze allemaal hun geheimen. Vroeg of laat.

16

Jan werd woensdagochtend wakker, nog voor de wekker afliep, en het leek wel alsof hij de nacht in een centrifuge had doorgebracht. De als dromen vermomde herinneringen en gedachten wervelden nog steeds door zijn hoofd en kwamen maar heel langzaam tot rust.

Als je nog langer naar me wilt zoeken...
denk dan aan één ding...
ga nooit op geruchten af...

Een gevoel van benauwdheid leek hem met een onzichtbare hand de keel dicht te knijpen. Zijn ontmoeting met Sven – een volwassen Sven, van wie alleen de ogen nog herinnerden aan het zesjarige jongetje van vroeger – had hem diep geschokt.

Het was maar een droom, riep Jan zichzelf in herinnering. De volwassen Sven was niet méér geweest dan het resultaat van psychische activiteit onder het slapen. Dromen zijn gebeurtenissen die we uitsluitend in onze gedachtenwereld doormaken. Ze zijn de verwerking van voorbije belevenissen in een samenspel met speculaties en wensdenken. Dat waren de definities die Jan tijdens zijn studie had geleerd. Zoals hij ook had geleerd dat dromen meestal irreëel zijn en doortrokken van symboliek. Het lag zogezegd in de aard van dromen dat daarbij elke cognitieve wetmatigheid buiten werking kon worden gesteld. Vandaar dat Sven ouder kon zijn geworden en weer met Jan kon praten.

Desondanks wilde een deel van Jans verstand zich daar niet bij neerleggen en probeerde het de rationele wijsheden van de psychologie te omzeilen.

Stel je voor, dat deze Sven méér was dan alleen het resultaat van herinneringen en wensdenken, dacht het irrationele deel van Jans verstand. *Wat als ik zojuist niet Svens denkbeeldige*

geest, maar zijn ware ik heb ontmoet? Wat als we over de lange
afstand telepathisch met elkaar hebben gecommuniceerd, zoals
het in hetzelfde boek stond dat me er toentertijd toe heeft aan-
gezet, naar het park te gaan?

Jan voelde tranen bij zichzelf naar boven komen. Meestal lukte
het hem die ene kwellende vraag te onderdrukken, maar na deze
vreemde droom was hij weerloos. Daarbij was de vraag net zo voor
de hand liggend als de vraag, hoe en waar Sven destijds was gestorven, of hij pijn had geleden en wat het laatste was geweest wat
zijn broertje aan het eind van zijn veel te korte leven had gezien.

En als Sven nu eens niet dood was? Misschien had zijn ontvoerder hem laten leven en hem zo ver weg gebracht dat Sven de
weg terug niet meer kon vinden. Op een dag was Sven misschien
vergeten wie hij was en waar hij vandaan kwam en had hij een
ander leven geleefd. Misschien was hij ergens anders gelukkig en
tevreden, en leidde hij een onafhankelijk leven, zonder dat hij
wist dat de wereld waar hij drieëntwintig jaar geleden uit weg
was gerukt volkomen overhoop was gegooid.

En als Sven zich zijn familie en Fahlenberg wél herinnerde,
maar opzettelijk niet terugkwam – uit bitterheid, omdat hij zich
op dat moment in de steek gelaten had gevoeld?

Zo uit de lucht gegrepen als die theorieën ook mochten lijken,
ze moesten evengoed in aanmerking worden genomen als de theorie van zijn dood. Een weggegooid onderbroekje was op zichzelf
nog geen bewijs voor moord. Die vondst en het feit dat er verder
geen sporen van de jongen waren gevonden brachten die conclu-
sie wel dichterbij, maar zekerheid was er niet.

Dat Sven nog leefde en ergens een normaal, gelukkig leven leidde, was een heerlijke fantasie waar Jan zich graag aan had overgegeven. Anderzijds wist hij dat dat niets meer was dan wensdenken. Het gevonden ondergoed suggereerde in elk geval iets anders.
Ze hadden het pas dagen na Svens verdwijning gevonden en Jan
was zich er heel goed van bewust dat hij maar beter kon hopen
dat zijn broer snel en pijnloos uit deze wereld was vertrokken.

De stof was gescheurd. Sven had het broekje niet gewoon uitgetrokken. Alles wees erop dat iemand het hem van het lijf had getrokken. En je kon toch moeilijk anders dan het ergste denken, als je hartje winter het gescheurde onderbroekje van een vermist zesjarig jongetje vond.

Een paar jaar geleden was Jan tijdens zijn onderzoek een verhaal tegengekomen dat hem sindsdien niet meer had losgelaten. In Engeland had een pedofiel een jongetje ontvoerd. De man was chirurg bij een gerespecteerde kliniek in Londen en had zijn slachtoffer gelobotomiseerd. Hij had het kind door de traanbuis een dunne naald in de hersenen gestoken en delen van de frontaalkwab zodanig verwoest, dat de jongen in een willoze schaduw van zichzelf was veranderd. De man had zijn slachtoffer zo jarenlang thuis gevangengehouden en misbruikt. Pas toen de jongen op zijn zestiende aan een hersenembolie was gestorven en de chirurg zich van het lijk wilde ontdoen, waren ze hem op het spoor gekomen.

De schrijver van het artikel had het vermoeden uitgesproken dat het geval niet op zichzelf stond. Steeds weer werden er pedofielen opgepakt, die de wil van hun slachtoffer hadden gebroken om ze vervolgens te gebruiken als menselijk speelgoed. Vandaar dat Jan zichzelf maar liever geen valse hoop gaf – ongeacht wat het irrationele deel van zijn verstand ook mocht wensen. Want dat deel liet met krampachtige naïviteit een besef vervagen dat de rest van zijn verstand allang als vaststaand feit had leren accepteren: misschien zegeviert het goede in sprookjes, in Hollywoodfilms en romans, maar de echte wereld is het speelterrein van het kwaad.

Jan slofte naar de badkamer, nam een warme douche en probeerde orde te scheppen in de chaos van gevoelens in zijn hoofd.

denk dan aan één ding...

ga nooit op geruchten af...

Nee, dat waren niet Svens woorden geweest. Het waren Jans eigen gedachten geweest. En ze hadden hem niets anders verteld dan de waarheid: *blijf niet op het onmogelijke hopen!*

Toen Jan even later de keuken binnenkwam, werd hij begroet door de gorgelende geluiden van het koffiezetapparaat. Marenburg zat aan de keukentafel en keek met een lege blik uit het raam. Bij dit licht zag hij er eigenaardig vaal uit, als een wassen beeld. Jan dacht even dat Marenburg misschien ook geen beste nacht achter de rug had.

Hopelijk heb ik vannacht niet gegild in mijn slaap en hem wakker gemaakt.

'Goeiemorgen. Lekker geslapen?'

Marenburg reageerde niet. Zijn geest scheen ergens daarbuiten te zijn, aan de andere kant van het raam.

Er klopte iets niet. Het koffiezetapparaat liet nog een oprisping horen en toen Jan goed keek, schrok hij. Uit het filter druppelde helder water in de glazen kan. Marenburg was de koffie vergeten.

'Hee, Rudi, wat is er met je?'

Marenburg deed zijn hand voor zijn ogen en pas nu werd het Jan duidelijk dat hij had gehuild.

'Rudi, goeie genade, wat ís er aan de hand?'

Marenburg schoof Jan over tafel de krant toe. Jan draaide hem om, zodat hij de koppen van het regionale katern kon lezen.

Marenburg was iemand die de krant van achter naar voren las. Zoals de meeste mensen van zijn leeftijd begon hij bij de overlijdensberichten en nam hij het sportkatern door voordat hij aan het nieuws uit de regio begon. De wereldpolitiek moest wachten tot het laatst, aangezien je het meeste daarvan toch al in het journaal van de vorige avond had gezien.

Jan nam snel de koppen uit het regionale katern door, dat Marenburg had opengeslagen. FAHLENBERGSE ONDERZOEKER ONTDEKT REUZENINKTVIS BIJ NIEUW-ZEELAND, meldde het hoofdartikel, geschreven door Carla Weller, die de nu beroemde zoon van de stad ter plaatse had geïnterviewd.

Jan kon niet geloven dat de ontdekking van een gigantisch zeemonster de oorzaak was van Marenburgs toestand, evenmin als de voorgenomen verbreding van de ringweg of de recordopbrengst van de jaarlijkse Rotary-tombola.

Toen zag hij het bericht. Onder het kopje TRAGISCHE ZELFMOORD stond een artikel over de jonge vrouw die de vorige dag van de voetgangersbrug was gesprongen. Meteen leek hij weer te horen hoe de stervende vrouw had geprobeerd iets te zeggen.

Geeeooohhh.

Marenburg wreef met zijn mouw over zijn gezicht en keek Jan aan. In zijn door tranen versluierde ogen stond verbijstering.

'Kijk even bij de overlijdensberichten.' Marenburgs stem was dof en bibberig.

Jan bladerde naar de voorlaatste pagina. Meteen zag hij wat Marenburg bedoelde. Temidden van zwart omrande kennisgevingen met kruisen, duiven en Dürers biddende handen stond een korte tekst:

In de bloei van je leven
ben je van ons weggegaan
We rouwen om onze lieve collega
NATHALIE KÖPPLER
Zij zal altijd in onze herinnering blijven

Het team van het Fahlenbergse Stadsbestuur

Jan twijfelde er niet aan dat deze Nathalie Köppler de jonge vrouw van de brug was. Het artikel maakte zelfs melding van een 'jonge ambtenaar'.

Maar nu pas begreep Jan waar Marenburg zo van ondersteboven was: de foto bij de tekst. Zijn adem stokte. Toen hij het gezicht van de vrouw zag en de glimlach die ze de fotograaf schonk, geloofde hij zijn ogen niet.

'De gelijkenis is verbluffend, hè?' fluisterde Marenburg, alsof hij het niet hardop durfde te zeggen.

Jan kon alleen maar knikken. De gelijkenis was wel meer dan verbluffend. Als het niet volkomen onmogelijk was, dan had Jan bij hoog en bij laag gezworen dat het Alexandra Marenburg was. Hetzelfde ovale gezicht, dezelfde brede jukbeenderen, hetzelfde donkere, lange haar en hetzelfde begin van een glimlach als op de foto die in Marenburgs woonkamer stond.

Vooral van die glimlach, die eigenlijk niet meer dan een poging was om een ernstige en angstige blik voor de fotograaf verborgen te houden, had Jan tot nu toe gedacht dat die enig was in haar soort.

Kreunend stond Marenburg op en schoof daarbij zijn stoel naar achteren. Het piepen van de stoelpoten op de vloer klonk Jan in de oren als een hees gekras – *Geeeooohh*. Hij kromp ervan in elkaar.

'Ik heb frisse lucht nodig,' mompelde Marenburg en hij liep naar de deur. Hij stokte even en keek om. 'Geloof jij in toeval, Jan?'

Jan was nog te verbouwereerd om daar antwoord op te kunnen geven. De gedachte dat Alexandra en deze Nathalie Köppler niet alleen als twee druppels water op elkaar leken, maar ook allebei voor zijn ogen waren gestorven, snoerde hem de keel dicht. Als dit allemaal slechts toeval was, dan was het het macaberste wat hem ooit was overkomen.

'Ik geloof er níet in,' zei Marenburg, en hij liep de keuken uit.

Toen even later de voordeur dichtsloeg en Jan door het keukenraam keek naar een gebogen Rudolf Marenburg, die in de schemering van de winterochtend verdween, vroeg hij zich af of zijn vriend misschien gelijk had.

Misschien geloven we alleen maar in toeval omdat we de gedachte aan het alternatief niet kunnen verdragen.

17

'Ha, de nieuwe!'

Hieronymus Liebwerk zat aan zijn bureau en kauwde op een stuk volkorenbrood. Hij grijnsde tegen Jan met tanden die geel waren van de nicotine. Er zat mosterd, leverworst en broodkruim op.

'Ik heb iets voor u meegebracht,' zei Jan, en hij legde een plastic tas op tafel. 'Twee sloffen, zoals afgesproken.'

Liebwerks grijns werd nog breder. Hij gluurde in de tas en knikte tevreden.

'De afspraak was dat ik het dossier zou opzoeken, toch? Nou, dan zijn we nu allebei ons deel van de afspraak nagekomen.'

'Hoe bedoelt u dat?'

Liebwerk liet de sigaretten verdwijnen in een bureaula. 'De patiënte heette Alexandra Marenburg, toch? En het jaar was 1985?'

'Ja. Hoezo?'

'Ik heb alle dozen van dat jaar doorgenomen, maar een Alexandra Marenburg was er niet bij.'

Verbaasd schudde Jan zijn hoofd. 'Dat kan niet. Ze was in 1985 patiënt in de kliniek, dat weet ik zeker.'

'Toch is er geen dossier,' zei Liebwerk, en hij pakte met zijn verweerde vingers het pakje sigaretten dat op tafel lag. 'Ofwel, er is destijds geen dossier aangelegd, ofwel, het is nooit in het archief terechtgekomen. Maar ja...' en hij liet zijn aansteker opvlammen, 'in zo'n lange periode kan er natuurlijk wel eens iets zoekraken.'

Jan stootte een teleurgestelde zucht uit. Het kon inderdaad gebeuren dat een arts vergat een dossier terug te sturen naar het archief, maar het leek hem toch erg merkwaardig dat uitgerekend het dossier van Alexandra ontbrak.

'Zou het niet kunnen dat het dossier, nou ja, bijvoorbeeld gewoon op de verkeerde plek staat?' Jan probeerde het niet te laten klinken als een verwijt.

Liebwerk hield zijn hoofd scheef. 'Luister eens, jongeman, het ziet er misschien niet zo uit, maar ik heb de zaak hier in de hand. Er staat hier niets "op de verkeerde plek".'

'Nee, zo bedoelde ik het ook niet,' zei Jan verdedigend, 'Maar iedereen kan zich toch vergissen.'

Liebwerk trok aan zijn sigaret en zag eruit, alsof hij die met één trek tot aan het filter op wilde roken.

'Ze laten me hier beneden wel verkommeren, maar één ding zal elke medewerker van de kliniek bevestigen: als Hieronymus Liebwerk iets doet, dan doet hij het nauwgezet.'

'Als ik u beledigd heb, dan spijt me dat,' zei Jan, en dat meende hij. 'Het leek me alleen merkwaardig dat juist dit dossier zou zijn verdwenen. Bestaan er mogelijkheden om uit te zoeken wat ermee gebeurd is?'

'Nee,' antwoordde Liebwerk. 'Tegenwoordig kan ik in mijn sluwe computer kijken en zien of er een dossier is aangelegd en waar het is, maar de oude dossiers zijn nooit ingevoerd. Zoals gezegd, als de versnipperaar werkte, was die berg karton hiernaast al lang verdwenen.'

Hij kreeg een hoestbui en voegde er toen aan toe: 'Die twee sloffen ben je kwijt. Het heeft me bijna drie uur gekost om die stoffige dozen door te nemen. Maar daarvoor heb je wat bij me tegoed.' Weer brak hij in hoesten uit.

'U zou moeten stoppen met roken,' kon Jan het niet laten op te merken. 'Ik hoor het gereutel van uw longen zelfs zonder stethoscoop.'

'Kom op,' grijnsde Liebwerk, 'Rookvlees blijft langer goed. Wist je dat niet?'

Op de terugweg naar de afdeling schoot Jan een rijmpje van vroeger te binnen.

Zie je de lijken in het dal?
Dat waren de rokers van Pall Mall
Zie je de lijken aan de rand?
Die rookten allemaal Stuyvesant
Zie je het lijkje in het meer...

Het lijk in het meer.

Alexandra.

Waarom was uitgerekend háár dossier niet meer te vinden? Was dat net zo'n merkwaardig toeval als die verbazingwekkende gelijkenis tussen Alexandra en de jonge vrouw van de brug? Voor Jan waren dat een paar toevallen te veel.

18

Van: Nathalie Köppler
Aan: Carla Weller
Betreft: !!!

Carla! Waar zit je, verdomme? Ik kan je mobiele nummer niet vinden. Bel me!!! Ik weet me geen raad meer. Ze zijn er echt!!! Het was geen inbeelding! De demon in mijn hoofd is echt!!! Hij zit in mij!!! Ik trek het niet meer. Met hem kan ik er niet over praten, want dan stuurt hij me terug. Wat moet ik doen??? Carla, alsjeblieft, neem contact op!!!

Met een ernstig gezicht bestudeerde hoofdinspecteur Kröger de uitdraai van de e-mail. Hij nam er de tijd voor, alsof hij elk teken van het bericht van Nathalie uit zijn hoofd wilde leren.

Carla schoof zenuwachtig op de ongemakkelijke bezoekersstoel heen en weer. Ze huiverde. Op het politiebureau van Fahlenberg scheen de verwarming permanent op de spaarstand te staan en Carla was nog niet van de zomerse temperaturen van Nieuw-Zeeland overgeschakeld op de Duitse winter. De jetlag deed de rest. Naast een asbak op het bureau zag ze een pakje sigaretten liggen dat de agent met een broodtrommeltje poogde te verbergen voor de blikken van het bezoek. Carla was zes jaar geleden gestopt met roken, maar nu moest ze zichzelf bedwingen om Kröger niet om een sigaret te vragen.

Maar voordat ze kon toegeven aan haar stress-gerelateerde aanval van verslaving legde Kröger het vel papier op tafel.

'Eigenaardig,' was zijn eerste commentaar. 'En u heeft die e-mail pas vandaag gevonden?'

'Gisteravond. Ik was voor mijn werk in het buitenland en heb twee dagen mijn e-mail niet gecheckt.'

Kröger knikte. 'Hoe kende u de overledene?'

Natuurlijk was Nathalie voor deze Kröger niets anders dan een van de velen, maar desondanks deed het Carla pijn, zoals hij het met zakelijke nuchterheid over de 'overledene' had.

'Nathalie was mijn beste vriendin,' zei Carla. 'We kennen elkaar al heel lang,' voegde ze eraan toe, en merkte meteen haar eigen vergissing op. 'Ik bedoel, we kenden elkaar al heel lang.' Ze keek naar de vloer. 'Ik maak mezelf de vreselijkste verwijten...'

De agent keek haar meelevend aan. 'Dat is begrijpelijk. Bestond er behalve u nog iemand anders, tot wie mevrouw Köppler zich had kunnen wenden?'

Carla schudde haar hoofd. 'Nee, voor zover ik weet niet.'

'Had ze geen familie of vrienden?'

'In elk geval niemand met wie ze het over problemen zou hebben gehad.'

Met een verlegen zucht pakte Kröger een notitieblok en maakte een aantekening. Carla kon aan hem zien dat het geval hem aangreep. Er brandde haar een vraag op de lippen, sinds ze de dag ervoor had gehoord dat Nathalie dood was.

'Waarom bent u er zo zeker van,' begon ze aarzelend, 'dat Nathalie zelfmoord heeft gepleegd?'

Kröger keek op van zijn notitieblok. 'Daar bestaat geen enkele twijfel over, mevrouw Weller. Een ongeluk is uitgesloten. Daar komt bij dat uw vriendin ten tijde van de gebeurtenis alleen op de brug was. Ze is zonder toedoen van derden op de weg gesprongen. Dat is door twee onafhankelijke getuigen bevestigd. Bovendien had het gesneeuwd en op de brug konden alleen de voetsporen van mevrouw Köppler worden teruggevonden. Verder had mevrouw Köppler al langere tijd geestelijke problemen, zoals ons onderzoek heeft laten zien. Dat zou u toch niet onbekend moeten zijn, als u zo hecht bevriend was met haar.'

'Die problemen had ze toch al lang opgelost?' liet Carla zich ontvallen, en ze liet zich tegen de harde rugleuning van haar stoel zakken.

'Tja, afgaande op de toon van dit bericht lijkt ze een soort te-
rugval te hebben gehad. Gebruikte ze misschien drugs?'

'Drugs?' Carla stootte een bittere lach uit. 'Als u Nathalie had
gekend, had u wel geweten hoe misplaatst die vraag is.'

Kröger maakte een afwerend gebaar. 'Nou ja, het klinkt toch
vreemd als iemand schrijft over een demon die in haar hoofd zit,
denkt u niet?'

Carla zei niets. Nathalie had het met haar vaak over een demon
gehad en Carla wist wat ze ermee bedoelde. Het was niet zozeer
een persoon, maar eerder een gebeurtenis uit het verleden van
Nathalie; een gebeurtenis die haar niet met rust liet. Maar wat
bedoelde ze ermee, dat de demon nu 'in haar' was?

'Wie bedoelde uw vriendin toen ze schreef dat ze er niet "met
hem" over kon praten?' onderbrak Kröger de loop van haar gedachten.

'Haar vriend. Ze waren nog niet zo lang bij elkaar en ik vermoed
dat ze dacht dat hij haar niet zou begrijpen.'

Kröger schoof haar zijn notitieblok en een balpen toe. 'Mag ik
u vragen, naam en adres van die vriend voor me op te schrijven?'

'Ja, natuurlijk.' Carla schreef het adres voor hem op.

'Wat dacht u...' – Kröger hield zijn hoofd scheef – '... wat zou
die vriend volgens u dan niet begrijpen? Hebt u enig idee wat uw
vriendin tot deze wanhoopsdaad kan hebben gedreven?'

'Nee. Ik heb geen idee. Kijk, Nathalie had wel psychische problemen, maar daarom zou ze nooit zelfmoord hebben gepleegd.'

Iets in Krögers ogen verraadde dat hij haar niet geloofde. 'En wat
bedoelt ze met de formulering "anders stuurt hij me terug"? Dat
is dan toch: terug naar de psychiater?'

Carla zuchtte diep. 'Ja, waarschijnlijk. Maar zoals gezegd, het
ging echt een stuk beter met haar. En er was geen enkele aanwijzing voor suïcidale neigingen. Ook niet vóór haar bezoek aan
de kliniek.'

Kröger leunde achterover en vouwde zijn handen om zijn im-
posante buik. 'Ziet u, mevrouw Weller – ik begrijp heel goed dat
de zelfdoding van uw vriendin erg moeilijk te aanvaarden is.

Maar ik zou niet weten hoe ik u kon helpen. Zoals ik het zie, was mevrouw Köppler ten tijde van haar dood niet toerekeningsvatbaar, ongeacht wat de redenen daarvoor ook mochten zijn. De tekst van deze e-mail en het feit dat mevrouw Köppler kort geleden nog in psychiatrische behandeling is geweest, bevestigen deze veronderstelling. Meer kan ik u over deze gebeurtenis helaas niet vertellen. Ik kan u echter verzekeren dat uw vriendin niet lang heeft geleden. Ze is nog voor de aankomst van de ambulance gestorven. Dokter Forstner, die toevallig aanwezig was op de plaats van het ongeluk, heeft dat bevestigd. Hij was net op weg naar zijn werk.'

Carla sperde haar ogen wijd open. 'Forstner? Jan Forstner?'

Kröger keek even in het dossier en knikte. 'Ja, zo heet hij. Dokter Jan Forstner. Ik schrok ook even toen ik de naam las. Ernstige zaak, wat die familie is overkomen. Destijds was ik nog maar surveillant.' Hij maakte een bedremmeld gebaar. 'Maar goed, dokter Forstner is pas sinds kort weer in Fahlenberg. Kent u hem?'

Zonder de vraag van de hoofdinspecteur te beantwoorden, stond ze op. Ze groette en liep het bureau uit. Buiten bleef ze nog een tijdje staan, haar kraag omhooggeslagen tegen de ijskoude wind, en dacht na.

19

Het was al donker toen Jan aankwam bij het huis van Hubert Amstner. Hij parkeerde naast de spoorwegovergang en zette de motor uit. IJzige windvlagen rukten aan zijn haar, terwijl hij over het besneeuwde kiezelpad naar het huis liep.

Sinds zijn jeugd was hij niet meer in deze buurt geweest. Destijds stond het gebouwtje nog leeg. Het was een relict uit een lang voorbije tijd – een tijd, waarin nog wisselwachters bestonden, die met hun gezinnen in huisjes naast baanvakken, splitsingen en wissels woonden om daar het werk te doen dat tegenwoordig door computergestuurde seinen wordt gedaan.

Het middelste gedeelte van het huis was net één kamer breed, links en rechts daarvan waren iets grotere delen aangebouwd. Rechts, dat wist Jan, bevond zich de bediening van de wissels. Het raam was nu met planken dichtgespijkerd. De pleister van de oude muren leek intussen alleen nog door de dichte klimop te worden vastgehouden.

Een gammel houtschuurtje, dat er in Jans kindertijd al uitzag alsof het elk moment uit elkaar kon vallen, stond er wat afgedankt bij en streed met zijn laatste krachten tegen de last van de sneeuw op het dak.

De lucht was vol van een doordringende brandlucht. Het leek er sterk op dat Hubert Amstner alles verstookte wat er in zijn kachel paste, of het wettelijk was toegestaan of niet. Binnen was het donker, maar op de binnenplaats bij de schuur brandde licht. Jan liep door het knarsende tuinhek en ging het smalle pad af dat om het huis heen leidde.

Juist vóór Jan bij de binnenplaats kwam, hoorde hij een gil waarvan hij in elkaar kromp. Geschrokken bleef hij staan. Hij luisterde en vroeg zich af of hij zich niet had vergist, maar toen hoorde hij weer een gil. Daarop volgde een langgerekt jammeren. Het klonk als de stem van een klein kind dat verschrikkelijk bang was. Jan voelde hoe de haren hem te berge rezen. Wat gebeurde daar in 's hemelsnaam?

Nog voor hij had bedacht wat hij moest doen, hoorde hij een klap van een stuk hout. De gekwelde kinderstem verstomde meteen. Jan greep het eerste het beste voorwerp dat hij tegenkwam – een roestige sneeuwschep die tegen een vuilnisemmer stond – en liep de binnenplaats op. Hij was er met een paar stappen.

Het duurde even voor hij begreep wat hij zag. Hubert Amstner stond bij een hakblok. In zijn rechterhand hield hij een zware houten knuppel. In zijn linkerhand bungelde een levenloos lichaam.

Een haas!

Jan herinnerde zich dat zijn grootvader hem op een dag had verteld dat hazen krijsen als kleine kinderen als ze pijn hadden of bang waren. Toentertijd had Jan gedacht dat dat maar een bakerpraatje was, maar nu wist hij dat zijn opa de waarheid had verteld.

Amstner gooide de knuppel in de sneeuw en keek Jan onderzoekend aan.

'Kom je helpen sneeuwruimen?'

Jan keek naar de sneeuwruimer in zijn hand en zette hem tegen de muur. 'Ik wilde graag even met u praten.'

'Jij bent toch die jongen van Forstner?'

Jan knikte.

'Dacht al dat je hierheen zou komen,' zei Amstner, en hij pakte een hamer van het hakblok.

In het licht van de lamp op de binnenplaats zag de magere oude man met zijn spinnenweb-haar er onheilspellend uit, bijna als een geest. Die indruk werd nog eens versterkt door de vervormde schaduw die hij wierp op de deur van de houtschuur. Jan keek naar de hamer en overwoog even of hij zich niet beter weer kon bewapenen met de sneeuwschep, maar Amstner draaide zich om en liep naar de schuurdeur. Daar legde hij de haas in de sneeuw en viste een paar spijkers uit zijn broekzak. Hij pakte de haas weer op en spijkerde hem met zijn achterpoten vast aan de schuurdeur.

Toen keek hij even om naar Jan. 'Het kan niet wachten. Het vel gaat er het best af als het lichaam nog warm is. Wat kom je doen?'

'Hoezo verwachtte u me hier te zien?'

Amstner haalde een knipmes uit zijn jaszak, liet het openklappen en legde de rug van het dier bloot met een Y-vormige snede. Het dode dier dampte in de winterse lucht.

'Je wil het vast over je broer hebben, toch?'

Daar keek Jan van op. Niet alleen verbaasde het hem dat hij Amstner min of meer nuchter aantrof, maar ook dat de oude man uit zichzelf over de zaak begon.

'Nou ja, ik zou graag uw kant van het verhaal willen horen. Tot nu toe weet ik alleen maar wat er algemeen bekend is.'

Amstner stootte een verbitterd lachje uit en ging aan de gang met de haas. Hij sneed de achterpoten open tot bij de tenen, tilde het dier op en sneed het vel van de buik open tot de keel. Al trilden de handen van de alcoholist een beetje, toch waren zijn bewegingen zeker en routineus.

'Wat algemeen bekend is? Wat er zoal over me wordt geroddeld, zal je bedoelen.'

'De verdenkingen tegen u zijn toch ingetrokken?'

Amstner keek Jan aan en vertrok zijn gezicht tot een grijns. Daarbij werden zijn ingevallen wangen met diepe voren doortrokken, en Jan moest denken aan een te groot uitgevallen koppensnellerstrofee.

'Door de politie, ja. Maar de brave burgers van Fahlenberg zijn dapper doorgegaan met roddelen. Ik zal je wat verklappen, jongen. Wat je ook over me gehoord hebt, het was onzin, vuile praatjes. Ze hebben een emmer stront over me uitgegoten omdat ze me al lang gebrandmerkt hadden. Die schijnheilige heikneuters hadden een zondebok nodig, omdat wat je broertje is overkomen niet in hun naïeve wereldbeeld paste. Ze kunnen er niet tegen dat er soms dingen gebeuren waarvoor geen simpele verklaringen bestaan. Pas als je een dader hebt, is de wereld weer in orde. Dan kun je op de oude voet verder, en is alles weer zoals het altijd al was.'

Amstner draaide zich weer om naar zijn haas en begon met de haakvormige kling van zijn zakmes het vel van de achterpoten af te stropen. Er liep een breed bloedspoor langs de schuurdeur naar beneden.

'Moet u horen,' zei Jan, 'ik ben niet gekomen om u met oude verwijten te confronteren...'

'Waarom dan?' Amstner onderbrak hem en keek Jan aan. Toen fonkelde er iets in zijn ogen. 'Ah, ik zie het al. Je zoekt naar de waarheid, hè?'

Jan maakte een hulpeloos gebaar. De ware reden voor zijn bezoek was maar moeilijk onder woorden te brengen. Vanaf het moment dat hij wegreed bij de kliniek met het idee Amstner op te zoeken, had hij een antwoord gezocht op die onvermijdelijke vraag. Maar alles wat hij daarbij had bedacht, zou hem zelf ook niet echt hebben overtuigd.

'Ik kan u niet zeggen wat ik hier kom doen. Niet omdat ik het niet wil, maar omdat ik het zelf ook niet zo goed weet. Je zou kunnen zeggen dat ik probeer hier in Fahlenberg rust te vinden. Of omdat ik de waarheid daadwerkelijk heb gevonden, of omdat ik heb geaccepteerd dat die niet te vinden is.'

Amstner knikte en Jan zag aan zijn blik dat hij hem heel goed had begrepen.

'Je wilt de waarheid horen? Goed. Hier is-ie dan, de waarheid. De waarheid die verdomme niemand horen wil. Ik weet niet wie je broer heeft ontvoerd, net zomin als ik weet wat er met hem gebeurd is. Ze dachten dat ik het was. Ze hebben gedacht dat ik een monster was dat het op jongetjes had voorzien. Ik! Kun je je ook maar even voorstellen hoeveel pijn dat doet?' Hij spoog naast zich in de bloederige sneeuw. 'Je leidt jaar in, jaar uit een fatsoenlijk leven en eert de Here Jezus en op een dag komen ze op je af en wijzen je na. Ze beweren dat je een vies mannetje bent wiens pik moet worden afgehakt. En God zelf, ondankbaar stuk vreten, staat erbij en kijkt ernaar. Hij kan mijn reet likken.'

Amstner pakte het vel van de haas en trok het met een hevige ruk naar beneden. Met een geluid dat Jan deed denken aan klittenband scheurde de onderhuid en het vel gleed eraf als een jas.

'Wat is er toen dan echt gebeurd?' vroeg Jan. 'Ik bedoel, tussen u en Christian? Waarom hebben ze gedacht dat u tot iets dergelijks in staat was?'

'Ah, daar heb je ook al van gehoord,' zei Amstner. Hij haalde een tang uit zijn jaszak, maakte met bebloede handen de haas los van de schuurdeur, liep naar het hakblok en legde de haas erop. Toen veegde hij met zijn mouw een snotje van zijn neus en haalde een heupflesje uit zijn jaszak. Hij nam een flinke slok.

'Ik denk niet dat je het nog weet,' zei Amstner, 'maar ik vond jullie erg aardig, de kleine Sven en jou. Herinner je je nog die gele rangeerlocomotief in de etalage?'

Daar hoefde Jan niet lang over na te denken. Natuurlijk herinnerde hij zich de kleine diesellocomotief, zo geel als een Zwitserse postbus, dezelfde kleur als de auto van zijn vader. Sven en hij hadden er maanden bij hun vader om gebedeld.

'Jazeker. Hij was van Märklin. Die wilden we heel graag hebben.'

'Herinner je je ook nog dat die locomotief vlak voor Kerstmis in de aanbieding was?'

Jan knikte. 'Ja, dat weet...' Hij maakte de zin niet af. Ineens begreep hij waar Amstner heen wilde.

'Ik dacht, als die locomotief op kerstavond bij íemand rondjes moet rijden, dan het liefste bij jullie. Je had jullie koppies eens moeten zien!' Een flauwe glimlach ging over Amstners gezicht, toen ging hij ernstig verder. 'Alles wat ik je daarmee wil zeggen, is dat ik jullie aardig vond. En Christian vond ik ook aardig. Was ook een lieve jongen. Een beetje te week voor deze wereld, maar een verdomd lieve jongen. Nou, en toen zag ik hem op een dag bij de vijver zitten.

Het was een ontzettend warme dag en in mijn werkplaats had de duivel zelf het nog te warm gehad. Dus nam ik een uurtje vrij en wilde een eindje gaan zwemmen. Toen ik bij de vijver kwam, zag ik Christian zitten. Ik vroeg hem waarom hij spijbelde en daarna pas zag ik dat hij gehuild had. En Christian was dan wel een gevoelige jongen, maar hij kwam niet uit een nest van waterdragers, als je begrijpt wat ik bedoel.'

Jan begreep het. 'Had hij het moeilijk?'

'Daar kun je vergif op innemen. De ergste problemen die een jongen van die leeftijd maar kan hebben, tenminste voordat hij voor het eerst de bons krijgt. Hij voelde zich door niemand geaccepteerd. Zijn moeder had nooit tijd voor hem, ze werkte de klok rond. Ze had hem veel te vroeg gekregen, bij de geboorte was ze zelf bijna nog een kind. De vader was een lapzwans die haar liet stikken. En op school werd Christian niet voor vol aangezien. Vriendjes had hij niet.'

'Behalve u dan.'

Amstner keek laatdunkend. 'Wat je vriendschap noemt. Hij was een tenger jochie, om niet te zeggen graatmager. Hij was geen voetballer, ging vechtpartijtjes uit de weg en verloor zichzelf liefst in avonturenromans. Of hij hielp mij met het verzorgen van de hazen. Met meisjes kon hij wel makkelijk overweg – alles in het nette, natuurlijk. De andere jongens lachten hem uit. Ze hielden hem voor de gek, pikten zijn fiets en gooiden zijn boterhammen in de plee. Meer zei hij er niet over, maar ik vermoed zo, dat het ook wel eens wat anders was dan boterhammen.'

Amstner haalde zijn flesje weer tevoorschijn, keek ernaar en borg het weer weg zonder eruit te drinken. 'Goed, om een lang verhaal kort te maken: school was voor hem een hel en hij wilde er niet meer naartoe. Zelfs die laatste paar dagen voor de vakantie niet. Het was me duidelijk dat hij het meende. Dus deed ik hem een voorstel. Ik zei tegen hem: als je je nu aankleedt en ten minste vanmiddag nog naar school gaat, dan kom ik vanavond bij je thuis om met je moeder te praten. Dat arme mens had met drie schoonmaakbaantjes al een hoop aan d'r kop en misschien zou een beetje steun haar goed doen, dacht ik. In geval van nood had ik ook met zijn leraren gepraat, ik bedoel, van man tot man. Kijk, dat was in 1984 en Fahlenberg is in maatschappelijke ontwikkelingen nooit een schoolvoorbeeld van vooruitgang geweest.'

'Was Christian het daarmee eens?'

'O ja, zeker. Hij was net zo blij als je broer en jij over die gele rangeerlocomotief. Maar het liep heel anders af.'

'Hoe dan?'

Weer spuugde Amstner in de sneeuw bij zijn voeten.

'Het was zo'n stom toeval dat je erover had gelachen als het niet zo slecht was afgelopen. Maar als er iemand werkelijk om kon lachen, dan was het de duivel zelf.' Opnieuw haalde hij zijn heupflesje tevoorschijn. Deze keer schroefde hij met bevende handen de dop eraf. 'Christian wilde zich dus weer aankleden, maar zijn ritssluiting bleef haken…'

Amstner dronk en keek naar zijn afgetrapte schoenen.

'De ritssluiting bleef haken,' zei hij met een zachte stem. 'Dat kloteding ging niet meer open of dicht. Christian wilde in geen geval met een open gulp terug naar school gaan, wat ik me in zijn situatie goed kon voorstellen. Dus probeerde ik hem te helpen dat stomme ding dicht te krijgen. Tja, en dat was de allergrootste blunder die ik ooit van mijn leven heb begaan.'

'Terwijl u bezig was stond Karl Lehmann te kijken.'

Amstner lachte bitter. 'Uitgerekend die kletskous. Hij had de pest aan me sinds ik hem op school zijn meisje afpikte. Ja, en dit was natuurlijk zijn grote kans. Hij…'

Amstner stopte even met praten, fronste zijn voorhoofd en schudde zijn hoofd. 'Nee dat is verkeerd. Ik geloof niet dat hij me erin wilde luizen. Voor zo'n kortzichtige uil als hij moet het er echt zo hebben uitgezien alsof ik met die jongen…' Hij maakte een afwerend gebaar, alsof hij de afschuwelijke gedachte zo verdrijven kon. 'Hoe dan ook, van het een kwam het ander. Geruchten zijn meedogenloos. Ze kruipen de mensen in het hoofd en maken het zich gemakkelijk tot ze voor waar worden aangenomen. Niemand heeft me geloofd. Niemand. Op een gegeven moment ook Rosa niet meer. Om haar mogen ze van mij branden in de hel.'

Amstner pakte de bijl die tegen het hakblok stond, haalde uit en hakte de kop van de haas eraf. Toen legde hij het kadaver in een verkleurd plastic teiltje met het vel eroverheen.

'Waarom bent u hier niet weggegaan? U had alles kunnen verkopen en ergens anders opnieuw kunnen beginnen.'

Met een bitter glimlachje wendde Amstner zich naar Jan toe. 'Als het echt zo eenvoudig was geweest, dan had ik dat gedaan, geloof dat maar. Maar je bent zeker slim genoeg om te begrijpen dat ik de kletsers dan echt munitie had bezorgd. Een slechte reputatie blijft aan je vastplakken, weet je. Die veeg je niet zomaar af alsof je in de poep hebt getrapt.'

Hij ging voor Jan staan en die rook weer de bedorven lucht die de oude man verspreidde. Een ogenblik lang moest Jan denken aan de spookverhalen die hij las toen hij klein was. Zo roken wezens die niet meer bij een wereld hoorden. De levenden gingen hun uit de weg en voor de dood waren ze nog te levend. En zo hoorden ze nergens bij en moesten rusteloos over de aarde zwerven.

Amstner tikte met zijn magere, bebloede vinger op Jans borst en Jan bood maar met moeite weerstand tegen de neiging terug te deinzen.

'De wereld is klein, jongeman. Ontzettend klein zelfs. Overal vind je wel iemand die iemand kent die je verhaal kent. En als die er de verkeerde versie van heeft gehoord, ben je de lul. Geloof me, het is echt zo.'

Na deze woorden draaide Hubert Amstner zich om, pakte de plastic teil met de haas en liep naar de achteringang van het huis, zonder zich nog om te draaien.

Jan keek Amstner na tot hij in het huis verdwenen was en ging op weg naar zijn auto. Hij was net het tuinhek door, toen hij Amstner hoorde roepen.

'Hee, Forstner!' De oude man keek naar hem vanuit het helverlichte raam aan de voorkant van het huis. 'Toen je broer verdween – ik heb die nacht iets gezien.'

Jan voelde een kille huivering, die niet door de ijzige wind werd veroorzaakt.

'Wat heeft u dan gezien?' riep hij, en hij liep terug de tuin in.

'Een auto.' Amstner wees achter zich. 'Hierachter door het keukenraam. Rosa zag hem ook. Ging met een noodvaart over de weg langs het bos. Ik heb het nog tegen de politie gezegd, maar die vond geen sporen meer. Het sneeuwde ook vreselijk.'

'Weet u nog wat het voor auto was?'

Amstner schudde zijn hoofd. 'Nee. Het ging allemaal te snel. Bovendien was het pikdonker en de sneeuw was te dicht. Ja, goed, ik was een beetje aangeschoten. Maar ik was nog nuchter genoeg om te begrijpen dat-ie met dat pestweer veel te hard reed.'

20

Begeleid door het doffe klokgelui van de Fahlenbergse Christop-herus-kerk liep Jan naar het huis van Marenburg. Het was half-negen, maar Jan had het gevoel alsof het middernacht was. Een kille wind woei door de straten en dreef ijskristallen voor zich uit. De hele dag had het gesneeuwd en overal in de straten lagen hopen sneeuw langs de kant. Ook het trottoir en het pad naar de deur waren geruimd. Marenburg had zich uitgesloofd.

Nog voor Jan met stijve vingers de sleutel in het slot kon steken, ging de deur van binnenuit open.

'Goed dat je er bent,' zei Marenburg. 'Ik begon me al zorgen te maken.'

Binnen was het weldadig warm. Marenburg had de tegelkachel in de woonkamer aangestoken en Jan voelde hoe zijn gezicht begon te gloeien. Op de binnenplaats van Hubert Amstner was het winderig en koud geweest en Jan had het ondanks zijn warme jas koud tot op het bot. Hij ging bij de kachel zitten.

'Heb je op me gewacht?'

Marenburg ging in een stoel zitten en knikte. 'In de kliniek zeiden ze dat je er meteen na je dienst vandoor was gegaan.'

'Heb je de kliniek gebeld?' In Jans stem klonk een zekere wrevel door. Overdreef die goeie Rudi zijn zorgzaamheid niet een beetje?

Marenburg maakte een afwerend gebaar. 'Neem het me niet kwalijk. Het gaat er alleen maar om dat iemand je al meer dan een uur probeert te bereiken en het lijkt dringend te zijn.'

'Er heeft iemand voor me gebeld?'

'Ja, drie keer al.'

Jan fronste zijn voorhoofd. Wie zou hem hier nou proberen te bereiken? De enige die hij kon bedenken was Martina. Maar die kon het niet geweest zijn. Ze wist niet dat hij bij Rudolf Marenburg woonde en zelfs al had ze dat geweten, dan zou ze nog geen contact opnemen.

'Wie was het?'

'Geen idee. Een man. Ik heb zijn naam gevraagd en of ik iets moest doorgeven, maar hij zei dat hij later weer zou bellen. En toen je niet thuiskwam, heb ik het op de afdeling geprobeerd. De verpleger zei dat je al een hele tijd weg was. Omdat de straten nogal glad zijn was ik bang dat je met je ouwe bak in de sloot was gereden.'

'Ach Rudi, dank je wel. Het spijt me dat ik...'

'Je hoeft je niet te verontschuldigen,' zei Marenburg, en hij lachte begrijpend.

'Ik ben bij Amstner langsgeweest,' verklaarde Jan, alsof hij iets goed wilde maken.

'Bij Hubert?' Marenburg was zichtbaar verbaasd.

'Ja. Ik wilde met hem over Sven praten.'

'En hij heeft met je gepraat?'

Jan knikte. 'Amstner heeft toen iets gezien. Een auto die heel hard naar het bos reed. Ik denk dat het mijn vader was, vlak voor het ongeluk. De tijd en de plaats zouden kunnen kloppen. En daar moet ik absoluut achteraan, Rudi. Dat is een van de demonen waar je het over had. Ik zou er veel voor overhebben om te weten te komen waar mijn vader naar onderweg was.'

Rudolf Marenburg zuchtte diep en krabde zich op zijn hoofd. 'Tja, daar heb ik me ook het hoofd over gebroken. Ik heb geen idee wat hem ertoe kan hebben aangezet, midden in de nacht en met die sneeuwbuien naar het bos te rijden.'

'Het kan toch alleen met Sven te maken hebben gehad?' zei Jan. 'Anders was hij nooit van huis gegaan. Hij was bij mijn moeder gebleven en had op bericht van de opsporingsdiensten gewacht.'

'Dat denk ik ook,' beaamde Marenburg. 'Dat was ook de reden waarom ze eerst aan een ontvoering dachten. Eerst een telefoontje en dan Bernhards overhaaste vertrek.'

'Weet je, Rudi, ik heb nooit zo in die ontvoeringstheorie geloofd. Wie had er op het idee moeten komen Sven te ontvoeren en vooral: waarom? Rijk waren we niet. Ja, het ging ons goed, maar papa was de enige die geld binnenbracht, hij moest het huis afbetalen en zijn eigen vader had hem ook bepaald geen vermogen nagelaten. Een kidnapper die een beetje bij zijn verstand was, had vooraf de vermogenspositie van zijn potentiële slachtoffer onderzocht en vastgesteld, dat er bij ons niet veel te halen viel. Maar zelfs als het inderdaad een ontvoering was en papa erop uitging om Sven los te krijgen, had hij het losgeld bij zich moeten hebben. Maar dan had hij ook moeten wachten tot de bank openging. En dan is er nog wat ze later van Sven terugvonden. Zijn...'

Jan kreeg het woord niet over zijn lippen. In plaats daarvan keek hij droevig naar het tapijt bij zijn voeten.

Marenburg kneep de lippen samen. 'Ik heb geen flauw idee wat hij daar van plan was, Jan. Als je die weg afrijdt, kom je ergens bij Kössingen uit. Maar ik kan nauwelijks geloven dat Bernhard op weg was naar dat gat. Waarom? In Kössingen zou de paus nog kunnen leren wat een strenggelovige katholiek is. Niemand ontvoert daar toch kleine jongetjes.' Alsof hij zijn uitspraak wilde bevestigen, schudde hij zijn hoofd. 'En verder is er halverwege alleen het Wald-parkeerterrein. En daar was niets te vinden. De politie heeft de hele omgeving uitgekamd. Verderop in het bos van Fahlenberg staan nog wel een paar jachthutten, maar daar zijn ook geen sporen gevonden. Ze worden ook wel eens gebruikt door houthakkers. In de winter is daar vrijwel nooit iemand. Ik was erbij, toen het bos werd uitgekamd.

'Een aantal mensen dacht dat de ontvoerder met je vader op de parkeerplaats had afgesproken en dat Bernhard op weg daarheen was verongelukt. Dat had gekund, ja. Maar met die dichte sneeuw zouden ze geen bruikbare sporen hebben kunnen vinden.

'En dan nog. Op die parkeerplaats wemelt het van de bandensporen. De stelletjes komen er nog steeds graag. Ze zeggen dat minstens de helft van Fahlenberg daar verwekt is. Als je er overdag gaat kijken, vind je er meer condooms dan paddenstoelen. En als de passie groot genoeg is, is zelfs de koudste winter niet te koud.

'Aan de andere kant heb ik jouw argumenten ook al overdacht. Nee, ik geloof ook niet in een ontvoering. En wat je vader betreft, denk ik – wat Bernhard daar ook van plan was, hij heeft het antwoord op die vraag mee het graf in genomen.'

'Ik ben bang dat je gelijk hebt,' moest Jan toegeven. Vanbinnen leek hij weer te dwalen door een doolhof waar alleen maar doodlopende weggetjes in zaten.

De telefoon ging. Marenburg knikte naar het apparaat. 'Dat is voor jou.'

Jan stond op, liep naar de telefoon en nam de hoorn op. Aan het andere eind van de lijn hoorde hij een bekend hoesten, en toen een 'Hèhè, eindelijk'.

Aan de telefoon klonk Hieronymus Liebwerk als een koffiemolen die al heel lang niet meer was gebruikt. 'Ik begon al te denken dat je helemaal niet meer thuis zou komen.'

'Meneer Liebwerk?' vroeg Jan. 'U overvalt me een beetje. Wat is er zo dringend?'

'Ik wil u graag spreken. Maar niet over de telefoon. Kunnen we vanavond nog afspreken?'

'In de kliniek?'

'O nee, alsjeblieft niet,' kwam er uit de hoorn, waarop een blaffend hoesten volgde. 'Kent u Het Spinnewiel? Klein café in de binnenstad.'

Jan trok een mismoedige grimas. Hij was moe en had een warm bad nodig.

'Meneer Liebwerk, waarom doet u zo geheimzinnig? Kunt u niet gewoon zeggen wat er aan de hand is?'

Er werd weer gehoest. Toen: 'Het gaat om wat u me gevraagd heeft. Ik geloof dat ik iets heb ontdekt. Wat denkt u? Komt u nog even langs?'

Had hij het dossier van Alexandra Marenburg dan toch gevonden? Waarom deed hij anders zo geheimzinnig?

'Dokter?' kraakte de koffiemolen. 'Bent u daar nog?'

'Het is goed. Ik zal er zijn.'

Zonder nog iets te zeggen legde Liebwerk de hoorn erop.

Verbouwereerd keek Jan naar de hoorn. Wat moest dit nou weer betekenen?

'Alles oké?' Marenburg kwam met een bezorgd gezicht de gang op. 'Is er iets gebeurd?'

'Ik weet het niet, Rudi. Heb je zin in een biertje? Ik denk dat jij dit ook interessant vindt.'

21

Het was een griezelig gevoel. Voorzichtig deed Carla de deur achter zich dicht. Ze had het idee dat ze iets deed wat niet mocht. Toen het slot klikte, kromp ze in elkaar. Met kloppend hart leunde ze tegen de deur en haalde diep adem. Er was toch geen enkele reden waarom ze zich een inbreker zou moeten voelen. Tenlotte was dit het huis van haar beste vriendin en Nathalie had haar de extra sleutel al op de eerste avond in de hand gedrukt. *Voor het geval iemand de planten water moet geven of zoiets,* had ze gezegd, terwijl ze samen de verhuizing naar het nieuwe appartement vierden, gezeten op verhuisdozen met een fles prosecco van het benzinestation.

Dus waarom glipte ze hier binnen als een onbekende? Ze kon hier toch in en uit lopen wanneer ze wilde? Dat had Nathalie zelf gezegd.

Omdat het een dodenhuis is, zei een stem binnen in haar – een deel van haar dat de dingen graag bij hun naam noemde en dan steeds zo koud klonk dat Carla de rillingen over de rug liepen. Ook nu had ze kippenvel.

Ja, nu was dit het huis van een dode. Nooit meer zou haar vriendin een van de sleutels uit de klankschaal op de tafel in de gang pakken. Nooit meer zou ze de briefjes op het prikbord naast de gangspiegel lezen en ze zou er al helemaal geen nieuwe briefjes meer op prikken.

Maar terwijl ze zich dat realiseerde, werd het Carla ook duidelijk waarom ze zich een indringer voelde. Alles wat ze in dit huis vond, had een eigen plekje gekregen van de voormalige bewoonster. Iedereen die hier iets aanraakte, verplaatste of verschoof zou een kleine getuigenis van haar voorbije bestaan vernietigen.

Carla raapte haar moed bij elkaar en liep verder het appartement in. *Daar was Nathalie het wel mee eens geweest,* zei ze tegen zichzelf. *Ze heeft als een zuster van me gehouden en ze zou hebben gewild dat ik naar een aanwijzing zocht.*

'Ik wil het kunnen begrijpen,' zei ze tegen de foto op het prikbord. Nathalie en zij stonden erop. De foto was genomen op een Halloween-feestje. Ze hadden zich allebei met veel wit poeder en zwarte eyeliner als Morticia Addams opgemaakt en droegen nauwsluitende zwarte kleren met wijde mouwen waar franjes aanzaten. Carla had een donkere pruik opgezet, terwijl Nathalie in haar van nature lange en donkere haar gewoon een scheiding had getrokken en er glanzende haarlak op had gespoten.

Carla glimlachte verdrietig. Ze hadden een dolle avond gehad, waar ze zich wekenlang op hadden verheugd. Ze herinnerde zich dat ze de pruik op een vlooienmarkt vonden en op het idee voor hun kostuums waren gekomen. Vrijwel tegelijk hadden ze 'Morticia Addams!' gezegd en waren meteen in luid geschater uitgebarsten.

Ze pakte de foto van het prikbord en stak hem in haar jaszak. Toen ging ze naar de woonkamer. Die was klein en gezellig en getuigde van de ordentelijkheid van de vroegere bewoonster. Carla had er zich altijd thuis gevoeld, al had ze nooit dezelfde voorliefde voor kitsch gehad als Nathalie. Wat dat betrof hadden ze veel van elkaar verschild.

Het leek wel alsof je de kamer van een kind van twaalf binnenstapte. Tegen de rugleuning van de bank zaten verscheidene pluchen beesten en poppen, in de stellingkast stonden allerlei ballerina's van plastic en porselein die voor altijd midden in hun pirouettes waren blijven steken en op de boekenplank stond een verzameling romannetjes en Walt Disney-dvd's, waarvan Assepoester zonder twijfel het vaakst was bekeken.

Carla keek in alle hoeken van de kamer. Zoals altijd was alles netjes en opgeruimd. Niets wees erop, dat de bewoonster in de war was geweest – zodanig in de war dat ze van de voetgangersbrug af was gesprongen, haar dood tegemoet.

Het appartement wekte de indruk alsof elk moment de sleutel

in het slot kon horen draaien. Dan zou Nathalie binnenkomen met een plastic tas van de supermarkt of een snelle hap van de snackbar om de hoek. Ze zou aan de lage glazen tafel gaan zitten en voor de honderdste keer naar *Assepoester* kijken, of naar *Frank en Frey*, of een aflevering van *Verbotene Liebe*.

Of ze zou met haar beste vriendin een latte macchiato gaan drinken in Pedro's ijssalon. Ze zou Carla de oren van het hoofd vragen over haar interview in Nieuw-Zeeland en Carla zou haar vertellen over de aardige marien bioloog met de diepblauwe ogen die vanuit Fahlenberg naar de andere kant van de wereld was gereisd om daar wezens uit de diepzee te onderzoeken. En alles zou zijn zoals altijd.

Nee. Niets zou meer zijn zoals anders, dacht Carla, en ze beet op haar onderlip om de tranen terug te dringen. Ze kon en wilde het simpelweg niet inzien. Weer moest ze denken aan de woorden uit de e-mail: *Het was geen inbeelding! De demon in mijn hoofd is echt!!!*

Carla liep de keuken in. Die was net groot genoeg voor één, al hadden ze het steeds weer klaargespeeld om er met zijn tweeën in te koken. Meestal een of andere groentevariatie of pasta met zelfgemaakte pesto en salade.

Naast de waterkoker deed Carla een ontdekking die haar verraste. Daar stond Nathalies lievelingsbeker met het opschrift KOFFIE – EN VERDER?, met daarnaast een open pakje kamillethee. In de beker lag een uitgedroogd theezakje.

Nathalie en thee? Nathalie had een hekel gehad aan thee, en al helemaal aan kamillethee.

Carla ging naar de slaapkamer. Het bed zag eruit alsof er net iemand uit was opgestaan. Het laken was verkreukeld, het dekbed en de grote pluchen olifant die gewoonlijk naast het kussen stond, lagen op de grond.

Zo zou Nathalie nooit van huis zijn gegaan. Niet de Nathalie die Carla had gekend. Ze had toch minstens het dekbed teruggeslagen en het laken strakgetrokken. En Dumbo – haar knuffelminnaar, zoals ze de olifant in Carla's bijzijn had genoemd, waarna ze het over de voordelen van knuffeldieren ten opzichte van mannen hadden gehad – Dumbo had de rest van de dag niet op de grond hoeven doorbrengen. Dat was bij de ordelijke Nathalie niet gebeurd.

Nog terwijl Carla probeerde daar wijs uit te worden, viel haar een scherpe geur op die uit de badkamer kwam. Carla deed de deur open en knipte het licht aan. De stank kwam uit de wc-pot. Toen Carla het deksel omhoog klapte, prikte een scherpe lucht van aceton in haar neus. Ze zag de enorme hoeveelheid gifgroene toiletreiniger die in de witte pot was opgedroogd. Het stonk zo doordringend, dat Carla automatisch doorspoelde.

Ze ging terug naar de gang en haalde diep adem. Toen viel haar het schrijfblok op dat naast de telefoon lag. Het was volgekrast met warrige lijnen en symbolen. Enerzijds was dat kenmerkend voor Nathalie, dacht ze, en ze stelde zich haar vriendin voor, zoals ze onder het bellen in gedachten op haar schrijfblok tekende. Maar op de een of andere manier waren deze patronen helemaal niets voor haar. Nathalie had wel hokjes getekend, bloemen of poppetjes, of ze had notities aangedikt. Maar deze zigzagpatronen wezen niet op een afwezige toestand van een evenwichtige geest. Ze zagen er verward en agressief uit.

Carla kreeg een ingeving. Ze pakte de telefoon uit de lader en drukte op de herhaaltoets. Ze hoorde de piepjes waarmee een nummer werd gekozen, toen de oproeptoon. Na drie keer overgaan hoorde ze een antwoordapparaat.

Goedendag, zei een aardige mannenstem. *U bent verbonden met de praktijk van dokter Wolfgang Hesse.*

De stem legde uit dat de praktijk nu gesloten was en dat ze in dringende gevallen het nummer van de centrale doktersdienst kon bellen.

Verbaasd verbrak Carla de verbinding. De kamillethee, de wanorde in de slaapkamer, de toiletreiniger en het telefoontje naar de dokter...

De demon in mijn hoofd...

Ineens hield Carla het niet langer uit. Het leek alsof een onzichtbare hand op het punt stond haar keel dicht te knijpen. Ze moest maken dat ze wegkwam.

Carla deed alle lichten uit en ging naar buiten. Op straat werd ze ontvangen door een ijzige nachtlucht die Carla gretig naar binnen zoog. Het ging meteen beter, de paniek hield op.

Ze keek nog even naar de ramen van Nathalie. Wat was er met haar gebeurd? Was ze ziek geweest?

Misschien... maar een telefoontje naar een dokter was nog geen verklaring voor die ene zin uit de e-mail, die Carla niet meer uit haar hoofd kreeg: *De demon in mijn hoofd is echt!!!*

Iets klopte hier niet.

22

Toen hij haar naar buiten zag komen, drukte hij zich tegen de rugleuning aan, alsof hij één wilde worden met de duisternis in de auto. Hij hield nog steeds het stuur omklemd en zijn hart bonsde in zijn keel. Hij was geschrokken toen hij licht in het huis van Nathalie had gezien. Eerst dacht hij dat Nathalie het op de ochtend voor haar dood had aangelaten, maar toen had hij een schaduw tegen de gordijnen gezien en zijn hart stond bijna stil.

Toen hij de jonge vrouw op straat zag die naar Nathalies raam keek en toen in haar auto stapte, begreep hij dat ze daar binnen moest zijn geweest.

Het stomme wijf had hem de stuipen op het lijf gejaagd. En dan was hij toch alleen maar hierheen gekomen om in alle stilte te rouwen om Nathalie. Zolang ze niet was begraven, was dit de enige plek waar hij zich dicht bij haar kon voelen.

Hij zag de vrouw in haar Mini wegrijden en haalde adem. Ze had hem niet gezien. Mooi zo.

Voor de zekerheid had hij zich haar kenteken ingeprent. Beter nog, hij moest ook maar wat inlichtingen over haar inwinnen. Misschien was ze ongevaarlijk, maar voor hetzelfde geld was ze van de politie of had ze andere redenen om Nathalies geheim te achterhalen. Hij mocht geen risico's meer nemen.

God, wat had hij ook gedaan! Het had nooit mogen gebeuren. Maar hij had zichzelf gewoon niet meer in de hand gehad. De ontmoeting met Nathalie was een teken geweest. Hij had zo gehoopt door haar eindelijk rust te vinden en van zijn obsessie te worden bevrijd. In plaats daarvan was alles alleen maar erger geworden.

Carmen – waar ze ook mocht zijn – had wraak op hem genomen. In de gedaante van Nathalie was ze naar hem teruggekeerd, had hem volledig in verwarring gebracht en opnieuw in het verderf gestort. Hoe gestoord de gedachte hem ook leek, het was de waarheid.

Schuld is als een ziekte, dacht hij. *Schuld vreet aan elke vezel van het lichaam als een dodelijk gezwel. En er is geen therapie die ertegen helpt.*

Er zijn daden die onvergeeflijk zijn. Dat had hij uiteindelijk begrepen. Hij zou nooit vergiffenis krijgen, evenmin als hij zichzelf ooit zou kunnen vergeven.

De wond die Carmen hem had toegebracht zou nooit meer helen. Integendeel, die plaagde hem steeds weer met een onverdraaglijke jeuk en elke keer dat hij zich krabde, scheurde ze weer open en stortte ze meer onheil over hem uit.

Carmen. Voortdurend moest hij aan haar denken. Haar beeld leek voor de eeuwigheid in zijn hersenen gebrand. Haar beeld als in de nacht waarin ze voor hem had gestaan en hem met haar ondoorgrondelijke groene ogen had aangekeken. Hij kon haar bijna ruiken en haar stem horen. En weer voelde hij de steek die haar woorden hem hadden toegebracht. Als witgloeiend staal dat zijn hart doorboorde.

Hij slikte en klemde zijn vingers om het stuur. Het zou nooit ophouden. Carmen zou hem overal achtervolgen. De enige manier om het vol te houden was om het geheim onder alle omstandigheden te bewaren en elke situatie onder controle te houden.

Geen uitglijders meer!

Hij keek omhoog naar het raam van Nathalie en voelde diep medelijden en rouw.

'Ik heb dit niet gewild,' fluisterde hij, en hij zag zijn adem in een heldere vlek neerslaan op de voorruit.

Toen richtte hij zijn blik op de vrije parkeerplaats, waar net nog de rode Mini van de jonge vrouw had gestaan.

Nu was hij aan zet. Hij moest de situatie weer onder controle krijgen. Tegen elke prijs.

23

Café Het Spinnewiel was gelegen aan een zijstraatje van het marktplein van Fahlenberg. Het was een soort café op de hoek waar Jan
in andere omstandigheden nooit naartoe zou zijn gegaan. Het
bordje bij de ingang zou hem al hebben tegengehouden: WIJ ZIJN
EEN ROKERSCLUB stond erop. Binnen was het lawaaiig, druk en benauwd. Er was bijna geen
stoel meer vrij. Dikke rookslierten hingen in de lucht, vermengd
met de geuren van verschaald bier, politoer en zweet. Uit de luid-
sprekers boven de toog schetterde schlagermuziek, speelautoma-
ten toeterden tegen de muren en op een flatscreen was een voet-
balwedstrijd te zien. Het geluid stond voluit.

Hieronymus Liebwerk wachtte op hen aan een tafeltje in een
alkoof. Toen hij Jan herkende, zwaaide hij naar hem en beduidde
de twee mannen, bij hem te komen zitten.

De oude archivaris leek in deze omgeving op zijn gemak. Hij
zat op een houten stoel met een halve liter bier en een reeds goed
gevulde asbak voor zich.

'Mijn stamkroeg,' groette hij. 'Hier zijn we onder elkaar.'

Jan stelde Liebwerk en Marenburg aan elkaar voor.

Liebwerk grijnsde. 'Marenburg,' herhaalde hij. 'Dus dat is het
persoonlijke aspect van de zaak.'

'Persoonlijke aspect?' Marenburg keek Jan vragend aan, maar
die ging er niet op in.

'Eerst moet meneer Liebwerk maar eens vertellen wat er zo ge-
voelig is dat het niet per telefoon kan worden besproken.'

Nog voor Liebwerk kon antwoorden, kwam er een potige kerel
naar hun tafel – duidelijk de barkeeper – om de bestellingen op te
nemen. Marenburg koos voor oud bruin en Jan bestelde een cola,
wat hem een meewarige blik van de barkeeper opleverde.

Die legde met een klap een beduimeld opschrijfboek op tafel en kloste weg.

'U moet zich inschrijven,' verduidelijkte Liebwerk en hij stak een nieuwe sigaret op. 'De toegang is alleen voor leden.'

Jan sloeg het boek open en las verbaasd wie er volgens deze lijst leden van Rokersclub Het Spinnewiel waren. Toen schreef hij twee namen bij op de lijst. Nu hoorden niet alleen Oliver Kahn, Dieter Bohlen, Harald Schmidt en Günther Jauch bij de stamgasten van het café, maar ook Ulla Schmidt en Horst Seehofer.

'Het moet nou eenmaal,' zei de barkeeper, toen hij de drankjes kwam brengen en het boek weer meenam. 'Ik stel de regels niet vast.'

De drie mannen hieven hun glazen en dronken, en toen keerde Jan zich weer naar Hieronymus Liebwerk, die met trillende handen het cellofaan van een nieuw pakje sigaretten haalde.

'Goed, laten we ter zake komen. Wat hebt u voor belangrijks ontdekt?'

Liebwerk trok zijn stoel dichter bij de tafel en boog zich naar hem toe. 'Er is iets niet helemaal koosjer in mijn archief, dokter. In zekere zin hebt u mij daarop attent gemaakt.'

'Ik?'

Liebwerk bevochtigde zijn lippen en liet zijn blik door de ruimte gaan voor hij verder praatte. Bij hun eerdere ontmoetingen had Jan de archivaris steeds ervaren als zelfverzekerd en ietwat cynisch, maar nu leek hij onrustig en zenuwachtig.

'Kort nadat u vandaag bij mij wegging, kreeg ik een nieuw stuk ter archivering binnen. Een politieverslag, dat in een dossier moest worden afgelegd. Dat dossier lag nog in de stapel met nieuwe aanwinsten die ik nog moet sorteren.'

'Ja?'

Liebwerk trok aan zijn sigaret, inhaleerde diep en toen hij verder sprak ging elk woord met een rookwolkje gepaard.

'Ik heb iets heel vreemds ontdekt. Weet u, als je met succes een archief wilt bijhouden, heb je in de eerste plaats twee dingen nodig: een goed geheugen voor namen en een strikte manier van werken.

Als je geen betrouwbaar archiveringssysteem ontwikkelt, raakt de boel snel in de war. Daarom sorteer ik de inkomende dossiers altijd meteen op naam voor ik ze in dozen opberg. Meestal wacht ik tot ik een stapeltje bij elkaar heb – dat spaart tijd en energie, omdat ik dan niet voor elk los dossier op de ladder hoef te klimmen. Tenslotte ben ik ook de jongste niet meer.'

'Dat is allemaal heel interessant,' viel Jan hem in de rede, 'maar we zouden u dankbaar zijn als u ter zake kwam.'

'Kalm aan,' zei Liebwerk, en hij drukte zijn peuk uit. 'Dat van die stapel moet u weten, omdat u anders niet begrijpt wat ik met "vreemd" bedoel. Toen ik vanmiddag dat politieverslag kreeg en het in het dossier wilde stoppen, viel me op dat de stapel niet meer op alfabetische volgorde lag. Het dossier dat ik zocht lag helemaal onderop, maar het had hoger moeten liggen. En ik weet volkomen zeker dat ik de stapel correct had gesorteerd. Wie zou die stapel dan door elkaar hebben gegooid? Ik krijg daar beneden toch zo goed als nooit bezoek. Iedereen stuurt me zijn rommel alleen via de interne post en na werktijd is het archief gesloten.'

Liebwerk werd overvallen door een hoestbui en liep rood aan. Jan en Marenburg keken elkaar al bezorgd aan, toen de archivaris ten slotte verderging: 'Dus heb ik iets nauwkeuriger in mijn archief om me heen gekeken. Eerst vond ik geen sporen van een mogelijke indringer. Dat kan moeilijk anders, het archief is groot. Maar toen ontdekte ik toch iets. Het slot van de grote archiefkelder was maar één keer afgesloten. En ik draai de sleutel altijd twee keer om.'

'En dat moet iets bewijzen?' vroeg Marenburg met een verbaasd gezicht.

'Natuurlijk,' knikte Liebwerk. 'Een verzekering keert alleen tegen diefstal uit als het slot naar behoren is afgesloten. Als je de sleutel tweemaal kunt omdraaien, moet je dat ook doen. Zelfs al stamt genoemd slot nog uit het stenen tijdperk. Het is een roestig, oud kreng. Gewone bezuinigingen. Maar dat is nog niet alles.' Liebwerk keek Jan aan. 'Ik heb u die stapel kartonnen dozen laten zien. Die zijn dan wel op weg naar de versnipperaar, maar ook daar neem ik de uiterste zorgvuldigheid in acht. Voor het geval dát. En toen ik nog eens goed keek, viel me op dat er een doos weg was. Een doos waarvan ik met zekerheid weet dat hij er had moeten zijn, omdat ik hem gisteren nog had doorgespit. U raad vast wel over welke doos ik het heb.'

'Ik gok de namen met een M uit 1985,' zei Jan. De doos waar Alexandra's dossier in had moeten zitten, dat er niet in zat.'

Liebwerk knikte. 'Juist, die.'

'Wacht eens even,' kwam Marenburg er tussen. 'Hebben jullie naar het dossier van Alexandra gezocht? Daar heb je niets over gezegd.'

Jan keek Marenburg schuldbewust aan. 'Ja, nou, toen ik zag dat de oude dossiers nog allemaal waren opgeslagen, wilde ik er wel even naar kijken. Ik dacht dat ik misschien een aanwijzing kon vinden die je er misschien van had overtuigd dat Alexandra... nou goed, dat ze destijds gewoon erg in de war was. Dus heeft meneer Liebwerk hier voor me naar het dossier gezocht. Maar daarbij heeft hij vastgesteld dat juist Alexandra's dossier er niet meer is.'

Jan keerde zich weer om naar Liebwerk. 'En nu is dus de hele doos weg? Dat is inderdaad wel meer dan vreemd. Weet u het echt helemaal zeker?'

'Zo waar als ik Hieronymus Pankraz Liebwerk heet.'

'Wie heeft er behalve u nog meer toegang tot het archief?'

Liebwerk dronk zijn glas leeg en stak een nieuwe sigaret op. 'Een paar mensen. De bewakingsdienst, de bedrijfsbrandweer, de directiesecretaresse... o ja, en dan is er nog een extra sleutel in de postkamer. Maar dat hoeft niets te betekenen, want er is ook nog mijn eigen duplicaatsleutel. Die bewaar ik in een spleet boven het deurkozijn, voor het geval ik mijn gewone sleutel vergeet. Dat is nog nooit voorgekomen, maar je weet nooit.'

'U bedoelt dus dat iemand van uw duplicaatsleutel kan hebben geweten en zo het archief binnen is gekomen?'

Liebwerk knikte. 'Precies, dokter.'

Nadenkend draaide Jan zijn colaglas op zijn bierviltje en veegde met zijn duimen de druppeltjes condens af. 'Ergens begrijp ik dat toch niet. Waarom zou iemand een doos met oude dossiers jatten? En als die iemand het inderdaad op oude dossiers heeft voorzien, waarom gooit hij dan eerst de nieuwe dossiers door elkaar?'

'Dokter,' antwoordde Liebwerk, 'ik had u beslist niet opgebeld als ik er niet honderd procent zeker van was dat het zo is gegaan. Ik zou er mijn kat onder verwedden dat ik de nieuwe dossiers correct heb gearchiveerd. En mijn kat betekent verdomd veel voor me.'

'Zo bedoelde ik het niet,' verzekerde Jan hem. 'Ik geloof u op uw woord. Ik begrijp alleen niet wat het een met het ander te maken heeft.'

'En als Alexandra's dossier al langer geleden is verdwenen?' vroeg Marenburg met gefronste wenkbrauwen. 'Misschien is iemand erachter gekomen dat jullie er samen naar gezocht hebben, en heeft die nu de hele doos laten verdwijnen zodat jullie niet kunnen aantonen dat alleen dat ene dossier ontbreekt.'

'Dat is zeker denkbaar,' beaamde Liebwerk.

'Maar wat heeft dat te maken met de dossiers van nu?' zei Jan. 'Als die iemand inderdaad de weg weet in het archief, zou hij daar niet zoeken. Behalve als de persoon in kwestie daar een reden voor had. Meneer Liebwerk, weet u toevallig van wie het dossier was dat bij de nieuwe gevallen op de verkeerde plek lag?'

'Natuurlijk weet ik dat.' Liebwerk wierp Marenburg een snelle blik toe. 'Maar ik moet wel de gegevens beschermen, als u begrijpt wat ik bedoel.'

'Natuurlijk,' knikte Jan. 'Maar ik ben zelf medewerker van de kliniek en meneer Marenburg is er eigenlijk helemaal niet... hè, Rudi?'

'Ik kan toch al niet tegen rook,' bevestigde Marenburg en wuifde zichzelf frisse lucht toe met zijn bierviltje.

'Goed dan.' Liebwerk blies rook uit door zijn neus. 'Het was het dossier van Nathalie Köppler. U weet wel, dat meisje van de voetgangersbrug. In het verslag dat ik moest archiveren stond dat ze zelfmoord had gepleegd.'

Jan had het gevoel alsof iemand hem een emmer ijsklontjes in zijn kraag leegschudde. 'Nathalie Köppler was patiënte van de Boskliniek?'

'Ja, tot voor kort. Ze is een paar weken geleden ontslagen.' Met een uitdrukking van het diepste medeleven beschouwde Liebwerk de sigaret tussen zijn vingers. 'Echt jammer, zo'n jong ding. Ze had beter nog een tijdje in de kliniek kunnen blijven.'

Jan keek naar Marenburg. Hun blikken ontmoetten elkaar. Ze leken allebei hetzelfde te denken. Het zag ernaar uit dat Alexandra en Nathalie Köppler wel meer gemeen hadden dan een verbluffende fysieke gelijkenis.

'En, Jan? Geloof je nog steeds in een toeval?'

24

Jan probeerde juist met veel moeite het koffiezetapparaat in zijn kantoor aan de gang te krijgen toen er werd geklopt. Ralf Steffens stak zijn hoofd om de deur.

'Dokter Forstner, kan ik u even spreken?'

'Natuurlijk, kom binnen,' zei Jan, terwijl hij vergeefs probeerde iets te begrijpen van de Italiaanse bijschriften bij de knoppen van het apparaat. Het was een afscheidscadeautje van zijn voorganger, hadden ze Jan verteld, en het ding had vast een hoop geld gekost. Maar helaas had dokter Behrendt geen gebruiksaanwijzing achtergelaten. Daar kwam bij dat Jan een kop koffie wel kon gebruiken. Na het gesprek met Liebwerk had hij nauwelijks meer kunnen slapen. Urenlang had hij in bed liggen woelen – elke keer dat hij zijn ogen sloot, zag hij de gezichten van Alexandra Marenburg en Nathalie Köppler voor zich. Het ene gezicht keek naar hem van onder een laag ijs, het andere was daarentegen zo wreed misvormd, dat je het nauwelijks nog als gezicht kon herkennen.

Voortdurend spookte de vraag door zijn hoofd wat de samenhang was tussen de dood van die twee vrouwen – als er überhaupt een samenhang bestond – en zelfs nu, terwijl hij zich op zijn werk zou moeten concentreren, lieten die gedachten hem niet met rust.

'Ik zal u niet lang storen,' zei Ralf en hij deed de deur achter zich dicht. 'Ik wilde alleen...'

Jan gaf zijn poging op het apparaat aan de gang te krijgen. Hij keek Ralf aan, en pas nu viel hem op hoe slecht de jonge man eruitzag. Zijn gezicht was gezwollen en onder zijn ogen tekenden zich donkere wallen af.

'Vanwege dat gedoe van eergisteren wilde ik u zeggen... dank u wel.'

'Geen dank!' Jan glimlachte. 'Als je er maar geen gewoonte van maakt. Was je gisteren vrij?'

De blonde man knikte.

'Je ziet er toch niet zo heel fit uit. Gaat het wel goed met je?'

'Het is niet wat u denkt. Normaal gesproken drink ik niet zoveel,' antwoordde Ralf, en hij keek naar zijn schoenen.

'Het is al goed. Je hoeft jezelf niet te rechtvaardigen. Waarom wilde je me spreken?'

Ralf keek op. 'Ik wilde u vragen of u vanavond tijd voor me zou hebben. Ik wil u graag spreken – en iemand anders ook.'

Jan keek hem verbaasd aan. 'Waar gaat het over?'

'Nou eh... iets persoonlijks.'

'Heb je medisch advies nodig? Dat kan ik je nu ook geven.'

'O nee.' Ralf stak zijn handen in de zakken van zijn witte jas en wiebelde zenuwachtig van zijn ene been op zijn andere. 'Het gaat... om Nathalie Köppler. U was toch bij dat ongeluk?'

Jan keek hem verwonderd aan. 'Kende je haar dan?'

Ralf drukte zijn lippen op elkaar en knikte. Er blonken tranen in zijn ogen.

'Ze was... mijn vriendin.'

Jan moest ineens denken aan de foto in Ralfs portefeuille – Ralf die een jonge vrouw kuste van wie je alleen het achterhoofd zag. En lang, donker haar.

In de plas bloed had het eruit gezien als zeewier in een diep-rode zee.

Jan probeerde zijn huivering te verbergen. Ralf zat zonder twijfel lang genoeg in het vak om zich te kunnen voorstellen hoe zijn vriendin er na de sprong van de brug uit moest hebben gezien, maar Jan wilde de herinnering met zijn reactie niet ook nog bij hem oproepen.

'Ik vrees dat ik je daar niet zoveel over kan zeggen, Ralf. Maar misschien is het een troost voor je dat ze niet erg lang heeft hoeven lijden.'

Met een onderdrukte snik keerde Ralf zich om en hij haalde diep adem. Toen veegde hij zijn tranen af en keek Jan bijna smekend aan.

'Daar gaat het niet om. Alstublieft, ik kan het er hier niet over hebben. Kunnen we vanavond afspreken?'

Jan dacht heel even na en knikte toen. 'Oké. Kun je bij me langskomen, zeg, rond een uur of acht?'

De verpleger vond het een goed idee en Jan schreef het adres voor hem op. Voor Ralf Steffens het kantoor weer uitging, draaide hij zich nog even om.

'Wilt u er alstublieft met niemand in de kliniek over praten?'

Jan beloofde het. Toen hij weer alleen op zijn kantoor zat, liet hij zich in zijn draaistoel achterover zakken en keek hij nadenkend uit het raam.

Waar ben ik nu weer in terechtgekomen?

Hij had weinig tijd om erover na te denken, want al na een paar minuten klopte zijn eerste patiënt aan. De routine van het werk gaf Jan afleiding. De patiënten liepen de deur plat en pas toen één van Jans ambulante patiënten opbelde om zijn afspraak van die middag af te zeggen, kwam de gedachte aan Nathalie Köppler weer bij hem boven. Jan besloot nog een bezoekje aan het archief te brengen.

'Geen goed idee om hier weer langs te komen.'

De archivaris leek allesbehalve blij om Jan weer te zien. Hij trok zenuwachtig aan een sigaret, tot hij merkte dat hij die niet had aangestoken. Jan pakte de aansteker van de werktafel en gaf hem Liebwerk aan.

'Ik zou het dossier van Nathalie Köppler graag even inzien, daarna ben ik weer weg.'

Liebwerk schudde zijn hoofd energiek. 'Dat hele verhaal zit me volstrekt niet lekker, dokter. Ik voel aan mijn water dat het geen goed idee is als we hier samen gezien worden.'

'Dat klinkt een beetje alsof u zeker weet dat de inbreker iemand uit de kliniek is geweest.'

'Dat klinkt niet alleen zo.' Liebwerk blies rook door zijn neus en zag er even uit als de magerste stier aller tijden. 'Er was hier iemand die de weg wist, geen twijfel aan. Hij wist waar ik mijn tweede sleutel bewaar, wanneer ik ophou met werken en waar hij moest zoeken.'

'Ik begrijp het niet,' zei Jan, en hij wees op de enorme stapel dossiers die hoog van de tafel oprees, 'waarom heeft de inbreker het dossier van Nathalie Köppler teruggestopt in de stapel, maar de doos met oude dossiers meegenomen? Ik bedoel, waarom heeft hij dat dossier er niet bij gelaten?'

'Dat was opgevallen. Op zijn laatst zodra ik het politiebericht had willen archiveren.'

Jan hield zijn hoofd schuin. 'Dat zou kunnen, maar de Boskliniek is toch niet bepaald een klein ziekenhuis. Dan kan het toch voorkomen dat een dossier zoekraakt, niet?'

'Vroeger misschien wel,' zei Liebwerk, en hij ging aan zijn bureau zitten. Hij wees naar de monitor. 'Maar vandaag de dag worden de dossiers elektronisch geregistreerd, zelfs al voor ze bij mij binnenkomen. Het zou dus helemaal geen zin hebben om een dossier van later datum te stelen; je zou het alleen maar opnieuw hoeven af te drukken.'

Jan knikte. Maar waarom had iemand zich dan toch met het dossier bemoeid? Er was eigenlijk maar één verklaring.

Liebwerk sprak uit wat Jan dacht. 'Strikt genomen heb je maar één keer de wachtwoorden nodig waarmee de artsen inloggen in de patiëntenadministratie, als je dossiers wilt aanmaken of veranderen. Maar als je niet wilt dat dat opvalt, moet je ook het dossier in het archief veranderen. En ik denk dat dat de reden voor de inbraak was.'

Op het laatst fluisterde de archivaris alleen nog maar, alsof hij bang was dat hij werd afgeluisterd.

'Ik zou het dossier graag nog eens zien,' verzocht Jan.

Liebwerk vertrok zijn gezicht tot een bange grimas. 'Ik heb liever dat je nu weer weggaat.'

'Pas als ik het dossier heb gezien,' zei Jan, en toen Liebwerk geen aanstalten maakte, hem het dossier te geven, voegde hij eraan toe: 'Vergeet niet dat ik als arts recht op inzage heb.'

Met een gelaten zucht stond de archivaris op.

'Je zult wel weten wat je doet,' bromde hij, diepte een bruine map op en gaf die aan Jan. Die ging ermee aan het bureau zitten, haalde er op Liebwerks computer de gegevens bij en begon het dossier van Nathalie Köppler te vergelijken met de database. Liebwerk stak een nieuwe sigaret op en bleef naast Jan staan kijken.

Volgens het dossier was Nathalie Köppler behandeld vanwege een *angststoornis als gevolg van een traumatische gebeurtenis in haar jeugd.* Ze was vrijwillig in de kliniek opgenomen door dokter Norbert Rauh op afdeling 12. Alles bij elkaar had Nathalie vijftien sessies hypnotherapie bij hem gehad.

Het dossier eindigde met de opmerking van Rauh, dat Nathalie veel vooruitgang had geboekt en dat de therapie in elk opzicht succesvol was geweest. Al na een paar sessies hadden de symptomen van angst zich nog maar weinig voorgedaan en Nathalie was in toenemende mate stabiel geworden.

Ten tijde van haar ontslag omschreef Rauh zijn patiënte als vrij van symptomen. In zijn slotopmerkingen beval hij na het verblijf in de kliniek een aansluitende ambulante psychotherapie aan.

Jan fronste zijn voorhoofd. Dat leek toch niet bepaald op het verslag van een patiënte die drie weken geleden van een brug was gesprongen. Als je Rauh moest geloven, had je hier met een patiënte te maken die met zeer goed resultaat was behandeld – wat de door haar trauma veroorzaakte angsten ook mochten zijn geweest; het dossier zei daar niets over. Maar dat was niet ongewoon. De meeste van Jans collega's drukten zich in hun dossiers zo beknopt uit. De tijdsdruk waaronder de meeste artsen stonden was gewoon te groot.

Jan vergeleek de computergegevens woord voor woord met de gedrukte versie. Hij kon geen enkele afwijking vinden. Als iemand de data had gemanipuleerd, dan had hij inderdaad een nieuwe uitdraai gemaakt en de oude en de nieuwe versie verwisseld.

'Helaas, daar kom ik ook niet verder mee,' zei hij en stond op.

'Goed dan, dokter.' Liebwerk kwam iets dichter bij hem staan. Jan kon zijn zurige rokersadem ruiken. 'Dan zou ik je nu willen verzoeken weg te gaan.' De archivaris leek zenuwachtiger dan ooit.

Jan keek hem vragend aan. 'Bent u ergens bang voor?'

Met een lelijke grijns liet Liebwerk zijn nicotinegele tanden zien. 'Ik ben niet bang,' fluisterde hij Jan toe. 'Ik heb er alleen spijt van dat ik je überhaupt zoveel heb verteld. Over precies zeventien maanden en twee weken ga ik met welverdiend pensioen en ik wil ervan genieten. Ik vermoed echter, dat ik een hoop moeilijkheden krijg als ik me hier nog een seconde langer mee bezighou. Ik heb er de hele nacht niet van kunnen slapen. Is dat duidelijk, dokter?'

Jan maakte aanstalten om weg te gaan. 'Nou, goed, dan zal ik u niet langer lastigvallen. Maar ik wil u toch danken voor uw hulp.'

'Niet door de hoofdingang!' hoorde hij Liebwerk roepen. 'Neem de zijdeur door de administratie.'

Hoofdschuddend draaide Jan zich om. 'Overdrijft u niet een beetje?'

'Het maakt me niet uit wat je ervan vindt,' gooide Liebwerk eruit. 'Ik wil niet dat ze je hier zien. Punt uit.'

Een ogenblik lang vroeg Jan zich af of Liebwerks angst misschien toch terecht was. En als ze nu toch ergens in waren terechtgekomen waarvan ze de omvang en het gevaar nog niet konden beoordelen?

Maar misschien ben je ook alleen maar besmet met achtervolgingswaanzin.

Toen Jan door de zijdeur was gegaan en in een klein trappenhuis stond, hoorde hij dat de deur achter hem op slot werd gedraaid.

Het oude administratiegebouw deed Jan denken aan het kasteel uit een avonturenroman die hij in zijn jeugd had gelezen. Ook hier waren allerlei gangen, trappen en zijvleugels waarin je zou kunnen verdwalen. Maar in tegenstelling tot de taferelen uit de roman viel hier niets opwindenders te ontdekken dan een grote hoeveelheid bureau's, een kopieerruimte, diverse vergaderkamers en toiletten.

Door de zij-ingang kwam Jan terecht in de centrale hal, waar zich bij de uitgang een groep artsen had verzameld. Na een blik op de klok besefte Jan dat de dagelijkse bijeenkomst van hoofdartsen een paar minuten geleden was afgelopen.

Bad timing.

Norbert Rauh maakte zich los van de groep en kwam naar hem toe. 'Ha Jan, heb je vandaag geen dienst?'

'O, jawel,' antwoordde Jan en zocht krampachtig naar een uitvlucht om te verklaren wat hij hier verloren was. 'Ik wilde even naar de personeelsafdeling voor een handtekening. Ik ben ergens verkeerd afgeslagen.'

'Het is hier ook nogal een doolhof in dit oude gebouw,' zei Rauh, en hij glimlachte.

Hij wees Jan de weg en die wilde al gedag zeggen, toen Rauh hem nog even staande hield.

'Onze afspraak morgenmiddag om vijf uur gaat gewoon door, toch? We hebben in de eerste sessie al veel bereikt, Jan. Hoe langer we met de volgende wachten, des te moeilijker wordt het voor jou om verder te gaan waar we zijn opgehouden.'

Jan zag dat Fleischer ook tussen de artsen stond. De professor zag hem staan en knikte hem toe.

Je kunt Rauh in geen geval afzeggen, dacht Jan. *Die therapie was de voorwaarde van Fleischer om je je baan te geven. En misschien heb je werkelijk steun aan die blik in het verleden, zelfs al valt het je zwaar.*

'Ja, natuurlijk,' zei Jan. 'Morgenmiddag, vijf uur.'

Rauh wilde nog iets zeggen, maar ze werden onderbroken door Jans pieper, die hem terugriep naar zijn afdeling.

25

Toen Jan vijf jaar was en op de kleuterschool van Fahlenberg zat, was daar een jongen die door iedereen de 'Malle' genoemd werd. Alfred Wagner, zoals de Malle eigenlijk heette, was een forse jongen die een flink eind uitstak boven de andere kinderen in zijn groep. Zijn gezicht was bezaaid met zomersproeten, die er op zijn bleke huid uitzagen als kwaadaardige uitslag en zijn dikke, koperrode haar leek met geen kam in de wereld in bedwang te houden. Het meest verbazingwekkend waren echter Alfreds ogen. Die waren van een zodanig bleek blauw dat je zou denken dat er twee waterdruppels in de dicht bij elkaar staande oogkassen waren verdwaald. Het waren griezelige ogen en Jan had wel eens de indruk dat Alfred met zijn ogen gaatjes in papier kon branden.

Als die verzengende blik over zijn gezicht trok, leek de jongen volledig te veranderen; hij leek iemand anders te worden. Dan kwamen er gemene scheldwoorden over zijn lippen en zei hij warrige dingen die niemand begreep. Daarom noemden ze hem allemaal de Malle.

Een andere reden voor die naam was het feit dat Alfreds vader ze 'niet helemaal op een rijtje' had. Althans, zo drukten de volwassenen in Fahlenberg het uit. Het was een publiek geheim dat Hartmut Wagner, die qua leeftijd Alfreds grootvader had kunnen zijn, meer dan eens naar de Boskliniek was gebracht. Onder de kinderen van Fahlenberg ging een versje rond waarmee ze Alfred plaagden:

Hartmut gaat naar 't gekkenhuis
daar is hij het beste thuis
En zijn zoon er achteraan
deurtje wordt weer dichtgedaan.

Jan zong het rijmpje mee – want dat deden ze allemaal. Jans vader probeerde zijn zoon daarentegen uit te leggen dat Wagner aan schizofrenie leed en dat die ziekte bij heel veel mensen voorkwam. De ziekte was niet zo ernstig, als je je medicijnen maar slikte en je regelmatig door een psychiater liet onderzoeken.

Hartmut Wagner leek echter niet veel met de psychiatrie en met medicijnen op te hebben en daarom moest hij nogal vaak naar het 'gekkenhuis', zoals de kinderen het noemden.

Hij werd zelfs een keer door de politie afgevoerd toen hij in de supermarkt een woedeaanval had gekregen, omdat een verkoopster hem had verteld dat de blikjes hamworst waren uitverkocht en dat de eerstvolgende levering pas over drie dagen zou aankomen.

Een andere keer klaagden voorbijgangers over Wagner, omdat hij jammerend over het marktplein liep en iedereen die hij tegenkwam waarschuwde dat de Russen kwamen.

Jan had op een zeker moment medelijden met Alfred gekregen, ook al was de jongen met zijn vreemde ogen net als vroeger een beetje griezelig. Natuurlijk zou Jan nooit gedurfd hebben om dat tegenover zijn vriendjes toe te geven, omdat hij dan algauw tot het 'maatje van de Malle' was uitgeroepen, en dat wilde Jan in geen geval laten gebeuren.

Alfred had geen vrienden. Zijn moeder had het gezin verlaten toen de jongen net drie jaar was en dus had hij alleen zijn geesteszieke vader. Toch gedroeg Jan zich net als alle andere kinderen en meed hij de vreemde jongen. Want ondanks alle medelijden vertoonde Alfred dat, wat de kleuterleidsters 'afwijkend gedrag' noemden.

Toen Jans vriendje Marko op een dag met een vrachtwagentje speelde, was Alfred zomaar naar hem toe gegaan, had zijn gulp opengedaan en Marko, die op zijn knieën zat, op zijn hoofd geplast. Dat had Marko niet over zijn kant laten gaan en het was een hevig gevecht geworden. Toen het de kleuterleidsters ten slotte was gelukt de twee vechtersbaasjes uit elkaar te halen, had Alfred Marko's neus gebroken en hem twee tanden uit zijn mond geslagen.

Daarna wilde niemand meer naast de Malle zitten, laat staan met hem spelen.

Niet lang daarna gaf Alfreds vader aanleiding tot nieuw geklets in de stad. Als een lopend vuurtje ging het bericht dat Hartmut Wagner in een vlaag van verstandsverbijstering een enorme hoeveelheid conservenblikjes had gekocht en zich tot aan zijn nek in de schulden had gestoken. Daarop was hij weer naar het 'gekkenhuis' gebracht, waar hij met een losgetrokken elektriciteitskabel in de kleerkast van zijn kamer een eind aan zijn leven had gemaakt. Alfred was van de kleuterschool weggehaald en naar een tehuis gebracht. Jan had nooit meer iets van hem gehoord.

Tot vandaag.

Jan herkende Alfred meteen. Zelfs al hadden ze elkaar voor het laatst gezien toen ze nog kinderen waren, het gezicht vol zomersproeten, de ruige haardos en de dicht bij elkaar staande ogen waren onmiskenbaar. En nog steeds had hij die verzengende blik.

Op dit ogenblik stond hij in de afdelingskamer van de gesloten afdeling van gebouw 9, waar hij Jans collega Andrea Kunert met zijn linkerhand tegen zich aangedrukt hield. Met zijn rechterhand hield hij een injectiespuit tegen haar keel.

'Hij wilde u per se spreken,' hijgde Konni, die met zijn twee collega's het verplegend personeel van de gesloten afdeling te hulp was geschoten.

Op de gang verdrongen de patiënten elkaar voor de glazen uitbouw van de vergaderruimte en sloegen het gebeuren gade van achter het pantserglas. De verplegers probeerden de patiënten wel terug te brengen naar hun kamers, maar de nieuwsgierigheid dreef hen al snel de gang weer op zodra de verplegers hun hielen hadden gelicht.

'Help de anderen en stuur die mensen naar hun kamer,' beval Jan de verpleger. 'Bel de bewakingsdienst en laat hen buiten wachten voor het geval we hen nodig hebben. Alleen in geval van nood, ja?'

Konni knikte en haalde zijn dienstmobiel uit de zak van zijn witte jas. Jan liep naar de dichte glazen deur, hield zijn sleutel omhoog zodat Alfred die kon zien, en deed de deur open.

Tot op dat moment had Jan nog maar nauwelijks met Andrea Kunert gesproken. Ze waren elkaar wel een paar keer tegengekomen, maar meer dan een korte groet hadden ze niet uitgewisseld. Waarschijnlijk 'lagen ze elkaar niet', zoals Jans moeder het altijd had uitgedrukt. Jan hield niet van de aanmatigende blik in de ogen van Andrea Kunert en wat haar betrof – de afwijzing stond duidelijk op haar gezicht te lezen. Maar op dit ogenblik sprak uit haar ogen maar één ding: doodsangst.

Met van schrik opengesperde ogen staarde ze Jan aan. Achter haar torende Alfred als een reus boven haar uit. De punt van de injectienaald had de huid boven haar halsslagader al opengescheurd. Een dun straaltje bloed liep langs haar hals en werd opgezogen door de kraag van haar witte jas.

In de spuit zat een helderblauwe vloeistof. Jan kende geen medicijnen met die kleur. Maar hij hoefde niet lang na te denken voor hij wist wat het was. In de kleine ruimte hing de bijtende geur van schoonmaakmiddel. Als Alfred zijn gijzelaar het hypochloorzuur in haar halsslagader spoot, zou het in een fractie van een seconde haar hersenen bereiken.

'Hallo, Alfred.' Jan deed zijn best om rustig te klinken. Door zijn jarenlange omgang met geestelijk gestoorde delinquenten wist hij dat het er nu op aan kwam geen emoties te tonen. Hij mocht Alfred niet het gevoel geven dat hij de situatie meester was. 'Ze zeggen dat je me wilde spreken.'

'Ja nou.' Alfred zweette minstens even erg als zijn gijzelaar en keek Jan met zijn doordringende ogen aan. 'Ik weet alles van je. Zoals ik alles over iedereen weet. Je bent nu al net zo'n zielenknijper als je vader was.'

'Ja, dat is zo.'

Jan wees naar zijn collega, die hem met een smekende blik aanstaarde. Haar lippen trilden maar ze zei niets, want ze wist dat Alfred Wagner in zijn huidige gemoedstoestand veel weg had van een tikkende tijdbom.

'Wat was je daarmee van plan, Alfred? Als je me wilde spreken, kon je me dat toch gewoon zeggen?'

'O ja?' In een spottende grijns lachte Alfred zijn tanden bloot. 'Vraag die stomme koe hier. Vooruit, mevrouw de dokter, zeg hem maar eens precies wat je tegen mij zei.'

Andrea Kunert drukte haar lippen op elkaar en kneep haar ogen dicht. Tranen rolden over haar rode gezicht.

'Zeg het, godverdomme!' brulde Alfred in haar oor.

'Ik zei... dat dokter Forstner niet bevoegd is op deze afdeling.' Haar stem was niet meer dan een hees gefluister.

Woedend vertrok Alfred zijn gezicht en keek hij Jan weer aan.

'Mooi niet dat ik het gewoon kon zeggen! M'n reet.'

'Maar nu ben ik hier dan toch. Dus waarom laat je haar niet gaan, dan kunnen we praten.'

'Omdat ik dan de verplegers over me heen krijg. Ik vertrouw hier niemand meer, en jou ook niet. Voorlopig blijft alles zoals het is en jij doet wat ik zeg, ja?'

'Ook goed. Zeg maar wat je van me wilt.' Jan speelde de onverschillige en haalde zijn schouders op.

'Wat ik wil,' herhaalde Alfred, en hij boog zijn hoofd. Toen hij Jan meteen daarna weer aankeek, was er een verandering in zijn gezicht te zien. Het was net als vroeger op de kleuterschool, als de Malle weer in Alfred was veranderd.

'Ik wil weg uit de kliniek, Jan. Ik heb er genoeg van wat ze hier met me doen. Ik moet voortdurend die klotepillen slikken en ik voel me net een zombie. En als ik weiger, krijg ik een naald in mijn reet. Ik herken mijn eigen spiegelbeeld niet eens.'

'Niemand wil hier een zombie van je maken,' verzekerde Jan hem. 'Toch, mevrouw Kunert?'

Hij moest haar betrekken bij het gesprek. Zolang Alfred zich ervan bewust was dat ze een denkend individu was en niet zomaar een bang slachtoffer, was er een drempel die verhinderde dat hij zijn dreigement met de spuit waarmaakte.

'Nee,' gooide ze eruit, met haar ogen strak vooruit gericht. 'Natuurlijk willen we dat niet.'

'O nee?' Alfreds ogen werden spleetjes. 'Denk je soms dat ik op mijn achterhoofd gevallen ben? Heb je überhaupt een idee wat dat spul met je doet, Jan?'

Jan hield zijn blik vast. 'Ik weet dat de bijwerkingen onaangenaam kunnen zijn, maar de medicijnen moeten je helpen stabiliseren, Alfred. Het is voor je eigen bestwil. En als je echt onder ernstige bijwerkingen lijdt, moeten we de dosering heroverwegen.'

Alfred leek even over Jans voorstel na te denken en schudde toen zijn hoofd.

'Weet je wat het ergste van dat spul is, Jan?'

'Vertel.'

'Je krijgt hem niet meer omhoog.' Verbitterd keek Alfred naar de vloer. 'Ze hebben me iets in de maag gesplitst en ze geven het niet toe.'

Hij liet zijn hand tot op een borst van de dokter zakken en kneep erin. Andrea Kunert liet een zacht gejammer horen.

'Pak mijn lul vast,' siste hij.

'Alfred, hou op. Wat heeft dat ermee te maken?'

Maar Alfred ging er niet op in. In plaats daarvan brulde hij tegen de dokter: 'Ik zei, pak mijn lul vast!'

Andrea Kunert slikte. Met haar gezicht vertrokken tot een bange grimas, tastte de dokter achter zich tussen Alfreds benen. Jan zag dat ze van top tot teen beefde.

'En?' vroeg Alfred. 'Is-ie stijf?'

Jan deed een stap naar voren. 'Oké, Alfred, zo is het wel genoeg!'

Alfred reageerde meteen. Hij drukte zijn gijzelaar dichter tegen zich aan, deed een stap achteruit en tilde zijn arm op, alsof hij wilde steken.

'Blijf staan waar je staat,' snauwde hij. 'Als je dichterbij komt dan maak ik haar af.'

Bezwerend hield Jan zijn handen omhoog. 'Oké, oké. Het is al goed.'

'En jij gaat nu eindelijk zeggen of mijn pik stijf is!' schreeuwde Alfred tegen de dokter.

Timide schudde ze met haar hoofd.

'Zeg het!'

'Nee,' slikte ze.

'Nee, wat?'

'Nee, hij is niet stijf!'

'Maar jij houdt meer van stijve pikken, hè?'

Andrea Kunert beet op haar onderlip. De tranen liepen haar over de wangen en snot kwam uit haar neus.

'Vooruit, zeg het dan!' snauwde Alfred.

'Ik hou van... stijve pikken,' hijgde ze en begon onbeheerst te huilen.

'Kijk, daar heb je het.' Met een tevreden knikje wendde Alfred zich weer tot Jan en kneedde intussen de borst van de dokter. 'Allemaal jullie schuld! Vroeger had ik van zulke tieten een paal gekregen waar je honkbal mee kon spelen. Maar nu krijg ik niks meer voor elkaar, met die kutmedicijnen!'

'Oké,' zei Jan. Hij hield nog steeds zijn handen omhoog. 'Dat heb je ons nu overtuigend gedemonstreerd. Maar als je...'

'Ik kan niet eens meer helder denken!'

'Luister naar me, Alfred!' schreeuwde Jan terug. 'Luister goed naar me! Wil je nu even naar me luisteren?'

Alfred knikte.

'Goed,' zei Jan, weer op normaal gespreksniveau. 'Je hebt gezegd dat je weg wilt uit de kliniek. Dat kan ik heel goed begrijpen. Niemand zit hier graag. Maar we kunnen je alleen laten gaan als je ons ervan hebt overtuigd dat je een verstandig mens bent. Begrijp je dat?'

'Natuurlijk,' bromde Alfred en een ogenblik lang dacht Jan dat hij in het gezicht van de man de kleine jongen van vroeger herkende.

'Wat je medicijnen betreft,' ging Jan verder, 'we zullen de dosering meteen heroverwegen. Soms is een kleine verandering genoeg om de bijwerkingen op te heffen. Dat geldt ook voor de impotentie. Dat hebben ze je toch wel gezegd toen ze je over de medicijnen informeerden?'

Achter Alfred Wagners voorhoofd werd hard gewerkt, dat kon

je aan hem zien. Hij had zijn blik laten zakken en rolde daarbij met zijn ogen heen en weer, alsof zijn gedachten op de schouders van zijn gijzelaar te lezen stonden. Nog steeds had hij zijn hand om de borst van de dokter, die op haar beurt nog steeds haar hand in Alfreds broek had en in die houding leek te zijn bevroren.

'Kom op, Alfred,' zei Jan met een kalmerende stem. 'Laat haar gaan, dan kunnen we onder vier ogen praten.'

Hij zette nog een stap naar voren. Nu stonden ze nog maar zo'n drie meter van elkaar.

'Praten,' mompelde Alfred alsof hij tegen zichzelf praatte. Toen hief hij zijn hoofd op en Jan zag dat de blik van de Malle was teruggekeerd.

Voor Jan iets kon doen, stootte Alfred zijn gijzelaar van zich af. Het volgende ogenblik hield hij de injectiespuit tegen zijn eigen hals.

Het ging zo snel dat Andrea Kunert geen tijd had, los te komen uit haar angstige verkramping. Ze struikelde, verloor haar evenwicht en viel op handen en knieën neer.

'Wegwezen jij!' krijste Alfred. 'Jij zult me toch niet begrijpen! Niemand heeft me ooit begrepen!'

De dokter sprong overeind. Zonder naar links of rechts te kijken rende ze langs Jan naar de deur, botste tegen het pantserglas als een verdwaalde vogel tegen een raam, rukte de deur open en holde de afdelingskamer uit.

'Kutwijf!' schreeuwde Alfred haar achterna. 'Ik heb toch niemand iets gedaan! Ik heb dat slipje alleen maar gepikt om eraan te ruiken!'

Nu begreep Jan wie de dief was geweest waar de verpleegster op afdeling 12 het over had gehad. 'O, dus jij was het.'

Alfred knikte en hield de spuit nog steeds als een vuistbijl tegen zijn hals.

'Ik wilde haar niets doen. Echt niet. Ik wilde me alleen voorstellen hoe dat is, met een echte vrouw. Niemand wil toch neuken met een idioot zoals ik. Jij hebt het vast al met een heleboel gedaan, niet, Jan?'

Jan bewoog zijn hoofd heen en weer.

'Kom op Jan, zeg eens.'

'Nou ja, niet zóveel.'

'Maar je hebt het ten minste al eens gedaan.'

'Ja, dat wel.'

Weer liet Alfred zijn blik zakken. 'Je gaat me niet vrijlaten, wel?'

'Dat kan ik niet,' antwoordde Jan. 'Ten minste, nog niet. Maar ik zal mijn best doen om je te helpen.'

'Helpen? Je wilt me hélpen? Dat zeggen jullie toch allemaal. Alsof ik hulp nodig heb!'

'Ja, ik denk dat dat zo is, Alfred.'

'Onzin! Jullie denken allemaal dat ik gek ben, maar dat is niet zo. Jullie zijn gewoon te simpel om te begrijpen dat ik uitverkoren ben. Je hebt er geen idee van wat ik voor gave heb.'

'Vertel me daar dan over.'

Over Alfred Wagners gezicht trok een bijna eerbiedige uitdrukking. De punt van de naald zweefde maar een paar millimeter van zijn hals. Jan moest hem afleiden en kon alleen maar hopen dat Alfred op een gegeven moment zijn arm zou laten zakken.

'Weet je,' zei Alfred en hij keek vreemd afwezig in de verte, 'niemand hier heeft ooit echt naar me geluisterd als ik erover vertelde. Over hen. En ze zijn overal. Ze praten met me en willen dat ik jullie hun boodschappen overbreng.'

'Wie praten er met je?'

'De doden, Jan, de doden. Ze zijn onder ons. Er is namelijk geen hemel, weet je. Vandaar dat ze met mij praten. Omdat ze eenzaam zijn.'

'Ik begrijp het,' zei Jan, en hij knikte met een ernstig gezicht. 'En waarvandaan praten ze met je?'

Alfred grijnsde. 'Ja ja, ik weet het al wel. Je wilt me nu horen zeggen dat ze in mijn hoofd zitten. En dan ga jij me vertellen dat ik tóch getikt ben, omdat ik stemmen hoor. Dat zei die stomme lellebel ook al. Maar het klopt niet, Jan. De doden zijn niet in mijn hoofd.'

'Waar zijn ze dan?'

Alfred liet zijn blik door de kamer gaan. 'Nou ja, overal. Ze praten tegen me vanuit de kleerkast, de wasmachine of de waterkraan. Ze zitten zelfs in de radio, je hoeft alleen maar goed te luisteren.' Hij grinnikte abrupt. 'Als je eens wist wie er al tegen me hebben gepraat. Hitler bijvoorbeeld. Die zieke ouwe lul praat altijd vanuit de spoelbak op de plee. Of die heilige, padre Pio. Ken je die?'

'Nee, ik geloof van niet.'

'Die is wel oké,' zei Alfred en knikte goedkeurend. 'Af en toe kom ik hem tegen in de biechtstoel in de Christoferus-kerk. Dan ruikt het er naar rozen. En weet je die ouwe knutselaar Hans nog? Je weet wel, die die Edeka-winkel had.'

'Jazeker, die herinner ik me wel. Hoor je die ook?'

Alfred knikte en gnuifde. 'Zijn ziel zit nu vast in de sigarettenautomaat naast de winkeldeur.'

'Verbaast me niets,' zei Jan. 'Die rookte als een ketter.'

Een zweem van vertrouwdheid vlijde zich over hen heen. Jan kon zien dat Alfreds gezicht zich ontspande. Nog even en hij kon hem misschien overreden de spuit weg te leggen.

'Ik dacht wel dat je het zou begrijpen,' zei Alfred. 'Jij was toen ook al een goeie. Niet zo'n klootzak als de rest.'

'Fijn dat je er zo over denkt.'

Alfred glimlachte, maar in zijn ogen glom nog steeds de uitdrukking van de malle jongen. Hij maakte geen aanstalten, de spuit te laten zakken. 'Ja, ik kan ze allemaal horen. Ik heb zelfs een keer je dooie broer gehoord.'

Het raakte Jan zo onverwacht dat hij zijn schrik niet kon verbergen. Hij kromp in elkaar alsof Alfred plotseling op een ander idee was gekomen en hém de spuit in zijn nek had gestoken.

'Mijn broer?'

'Ja, je kleine broertje. Sven. Da's al lang geleden. Hij hoort nu bij de onderaardsen.'

Weer had Jan de indruk dat Alfred hem met zijn blik kon verzengen.

Vergeet het maar! zei een stem binnenin hem. *Alfred heeft wanen en als je niet meteen ophoudt erop in te gaan, loopt de boel uit de hand!*

'Jammer alleen dat je me niet gelooft,' zei Alfred. 'Ik zie het aan je ogen.'

'O zeker wel,' zei Jan snel. 'Ik geloof je. Wat weet je over Sven? Hoezo hoort hij bij de onderaardsen?'

Alfred grijnsde spottend. 'Dacht je dat ik niet kon zien of je liegt? Daarnet was je oké, maar nu sta je te liegen. Nu ben je weer net als de rest hier.'

'Nee, Alfred, echt niet. Ik geloof wat je zegt. Wat heb je gehoord, toentertijd?'

'Je wilt me hier alleen maar vasthouden tot er versterking komt. Waarschijnlijk is die er ook allang en komen ze hier dadelijk binnen,' zei Alfred en nu grijnsde hij alsof het laatste beetje verstand uit hem was vervlogen. 'Maar weet je wat? Je kan mijn reet likken!'

En toen stak hij toe. Voor Jan het hem kon beletten, dreef hij de naald in zijn hals en drukte tegelijkertijd de zuiger in.

Jan schreeuwde en sprong op hem af. Hij greep Alfred bij zijn arm en rukte die weg van zijn hals, ze vielen samen op de grond. De spuit viel naast hen neer, zo goed als leeg.

Alfred begon te stuiptrekken. Zijn ogen draaiden weg, tot je alleen nog het wit van zijn oogbollen zag. Jan pakte de spuit en schoof hem dwars tussen Alfreds tanden. Alfred verkrampte en schokte over zijn hele lichaam. Jan lag boven op hem en probeerde hem te beletten dat hij met zijn achterhoofd op de vloer sloeg, terwijl Alfreds verkrampende lichaam hem steeds weer omhoog wierp als een ruiter bij een rodeo.

Jan kon nauwelijks boven op hem blijven zitten. Bloederig schuim droop langs de plastic spuit uit Alfreds mond en over Jans vingers, vergezeld door een keelachtige schreeuw van onuitsprekelijke pijn.

Verplegers stormden de kamer in. Ze pakten Alfreds armen en benen. Konni riep dat het medisch noodteam onderweg was. Jan bleef op Alfreds borst liggen en probeerde nog steeds diens schokkende hoofd vast te houden. Een witte schim glipte langs hem heen. Iemand legde een wollen deken onder Alfreds hoofd. Jan herkende Andrea Kunert.

Meteen daarna schoot Alfreds lichaam weer omhoog – heviger dan eerst – en verstijfde even in die houding. Jan begreep wat er dadelijk ging gebeuren en liet hem los. Alfred stootte een gorgelend geluid uit en zakte weer op de grond. Hij verslapte.

'Hartstilstand!'

Achteraf zou Jan niet hebben kunnen zeggen wie het woord uitsprak. Hij dacht dat het Andrea Kunert was, maar hij had er niet op durven zweren.

Hij herinnerde zich nog de reanimeringspogingen en dat Andrea Kunert hem daarbij hielp. Hij herinnerde zich de zurige adem uit haar mond en hij realiseerde zich dat ze waarschijnlijk had overgegeven nadat ze uit de afdelingskamer was weggerend.

Toen de noodarts twee eindeloze minuten later binnen was gekomen, was het Jan met zijn collega gelukt Alfred Wagner terug te halen naar het land der levenden. Dat gold tenminste voor zijn lichaam. Zijn hart was weer op gang gekomen en hij haalde weer adem.

Nadat Alfred was afgevoerd, liet Jan zich neervallen in een draaistoel van de afdelingskamer. Zijn hart bonkte en zijn pullover plakte aan zijn lichaam, doornat van het zweet. Konni en Ralf kwamen informeren of ze iets voor hem konden doen. Toen Jan zonder een woord te zeggen bedankte, gingen ze weg en lieten hem met Andrea Kunert alleen.

Zwijgend zaten ze tegenover elkaar. Toen stond de vrouw op en trok met een onzeker gebaar haar witte jas recht.

'Dank je,' zei ze. 'Dat was erg moedig van je.'

Jan knikte uitgeput en Andrea Kunert ging de kamer uit zonder verder nog iets te zeggen.

26

Jan was nog niet thuis of hij werd overvallen door zo'n onbe-
dwingbare honger, dat hij het liefst met zijn schoenen en jas nog
aan was doorgelopen naar de koelkast. Marenburg was er niet en
had ook geen briefje achtergelaten, zoals hij anders wel deed.

Zonder daar verder bij stil te staan, stalde Jan de inhoud van de
koelkast op tafel uit, sneed een paar boterhammen en begon te
eten.

Terwijl hij worst, kaas en augurken wegwerkte, voelde zijn
hoofd alsof het was schoongeveegd. Dat was goed. Het leek wel
alsof Jans hersenen hem voor het eerst sinds tijden wat beter begrepen. Ze stonden even op pauze en lieten het aan de rest van
zijn lichaam over in zijn behoeften te voorzien.

Toen de vreetaanval voorbij was en Jan de gedecimeerde voorraad aan eetbare waren in de koelkast had teruggelegd, ging hij
naar de badkamer op de eerste verdieping. Hij liet het bad vollo-
pen, ging erin liggen en staarde met een lege blik naar de crème-
kleurige tegelmuur.

*Deze tegels moeten in de late jaren zestig superhip zijn ge-
weest*, was het enige waar hij het volgende halfuur aan dacht.

Na het bad voelde hij zich beter. Hij ging met een biertje in de
keuken zitten en legde de dictafoon uit zijn jaszak voor zich op
tafel. In het licht van de keuken zag de versleten metalen behui-
zing er dof uit. In het reliëf van de toetsen, waar vroeger de witte
symbolen voor afspelen, opnemen, vooruit spoelen en achteruit
spoelen hadden gezeten, hadden zich grijze vuilsporen verzameld.
De afspeeltoets en de terugspoeltoets waren helemaal afgesleten.

Jan drukte op de afspeeltoets en schakelde meteen weer uit.

Ik heb zelfs een keer je dooie broer gehoord.

Dat was de stem van Alfred Wagner. Jan hoorde hem zo helder en duidelijk als een echo in zijn hoofd.

Hij hoort nu bij de onderaardsen.

'Een waandenkbeeld, verder niets.' mompelde Jan tegen het apparaat.

Alfred moest dat zelf bij elkaar hebben gefantaseerd. Natuurlijk wist hij van Svens verdwijning. Iederéén die destijds in Fahlenberg woonde wist ervan. Waarschijnlijk had hij het zich weer herinnerd toen ze elkaar ontmoetten. Misschien was hij het ook gewoon nooit vergeten.

Anderzijds...

Onderaardsen?

Wat kon hij daar in godsnaam mee bedoeld hebben? Was Sven door zijn moordenaar onder de grond gestopt? Had die idiote kerel misschien iets gezien? Of was hij het soms zelf geweest?

Alfred was even oud als Jan, dus was hij toentertijd ook twaalf jaar oud geweest. En hij had in sterke mate 'afwijkend gedrag' vertoond. Een jongen die andere kinderen op hun hoofd plaste, hun neus brak en hun tanden uit hun mond sloeg, en dat alleen vanwege een stuk speelgoed, was er ook toe in staat een zesjarig jongetje te ontvoeren. Wat hem er ook toe had kunnen aanzetten – het was volkomen voorstelbaar.

Misschien was Alfred door angst overvallen of hadden ze gevochten – Sven had zich vast niet zomaar laten ontvoeren – en toen...

Alfred was als kind al sterk geweest. Stel dat hij Sven daarna zo diep had begraven dat de honden van de opsporingsdienst hem niet meer konden vinden? De omgeving van Fahlenberg was zo landelijk en uitgestrekt dat zelfs het meest waakzame oog een verse hoop aarde aan de rand van een akker, of in een van de vele bossen in de buurt, over het hoofd kon zien. Weliswaar hadden ze ten slotte zelfs met methaandetectoren gezocht – nadat men ervan overtuigd was dat Sven dood moest zijn – maar afgezien van een paar huisdieren die stiekem in volkstuintjes waren begraven, hadden ze geen stoffelijke resten gevonden.

Maar wat zei dat?

Van Alfred zou Jan geen antwoord meer krijgen. Vlak voordat zijn dienst afliep had Jan naar de intensive care gebeld en naar Alfreds toestand geïnformeerd.

Of hij de collega was die de heer Wagner had gereanimeerd, wilde de behandelend arts weten. En toen Jan daar ja op zei, voegde de arts eraan toe: 'Daar heeft u hem dan geen plezier mee gedaan.'

Alfred lag met ernstige hersenbeschadigingen in coma. En omdat hij verder over een robuuste lichamelijke constitutie beschikte, zou die toestand voorlopig niet veranderen.

'Bid maar voor hem dat hij niet meer bij kennis komt,' had de arts aan de telefoon gezegd. 'Met dat beetje dat we van zijn hersenen konden redden, zou dat niet wenselijk zijn.'

En toen had hij opgehangen.

Weer drukte Jan op de afspeeltoets van de dictafoon. Hij speelde nu de B-kant van de cassette af, het stuk met de opname van Svens verdwijning.

Het was stil in de keuken. Alleen het hortende tikken van de keukenklok was te horen. Het mengde zich met de ruis van het bandje. Meer hoorde Jan niet. Zoals altijd.

Destijds was de band door experts onderzocht. In een geluidsstudio hadden ze elk geluid uitgefilterd, al was het nog zo zacht, van de rest gescheiden en versterkt. Maar er was niets bruikbaars uitgekomen.

Wat je wel kon horen was het knerpen van voetstappen in de sneeuw – voetstappen die naar alle waarschijnlijkheid van Jan of Sven zelf waren –, het huilen van de wind in de nacht en een korte, heel hoge pieptoon vlak voor het einde van de opname.

Vooral dat geluid, dat klonk als *fiiiep!*, had de geluidstechnici geïnteresseerd. Steeds weer hadden ze dat deel van de opname versterkt, vertraagd en met alle technische middelen onderzocht.

Het resultaat bleek desondanks uiterst gebrekkig. Het was mogelijk dat het inderdaad Svens stem was, zeiden de experts – de hoge stem van een zesjarig jongetje dat door zijn ontvoerder wordt verrast. Misschien door iemand die van achteren op hem af was geslopen en zijn hand voor Svens mond had geslagen. Het was ook mogelijk dat het korte, hoge geluid van een diertje kwam dat in de buurt was geweest – misschien een eekhoorntje dat in zijn winterslaap was gestoord of een marter. Meer konden ze er niet over zeggen.

Jan hield het telwerk in de gaten. Juist voor het stuk waar de hoge toon te horen was, schakelde hij uit. 925. Tot daar en niet verder!

Weer haalde Jan zich de woorden van zijn vader voor de geest: *Soms stelt het leven ons vragen waarop geen antwoord bestaat.* Jan bedacht hoe volstrekt onvoorbereid je kon zijn als het leven je met het verleden confronteert. Toen hij zich aankleedde en schoon ondergoed uit de kast pakte, had hij de herinnering nog kunnen verdrijven, maar nu was die er weer.

Hij had aan Alfred gedacht, die de slipjes van patiëntes had gepikt. Vandaar was het maar een kleine stap naar Peter Laszinski, de kinderverkrachter die Jans zenuwinzinking had veroorzaakt.

Jan zag zichzelf weer met Laszinski in de bezoekruimte zitten. Alleen zij tweeën. De bewakers wachtten buiten voor de deur.

'Een gedragen slipje van uw vrouw voor mijn eenzame nachten,' hoorde hij Laszinski weer zeggen, 'en ik zal navraag naar uw broer doen bij mijn contacten. Dan zou u zekerheid kunnen krijgen over de vraag of hij echt in handen is gevallen van iemand zoals ik. Wat denkt u daarvan?'

Jan had geaarzeld met zijn antwoord. Slechts een kort moment, maar lang genoeg om Laszinski een diabolische grijns te ontlokken. In dat korte moment had Laszinski macht over hem gehad. Hij had de open wond in Jans ziel gevonden en met plezier had hij er zout in gestrooid.

Daarom had Jan erop los geslagen. Niet uit woede op een perverseling die zich moest verantwoorden voor de dood van een klein meisje en de ernstige psychische schade van haar zusje –

nee, hij was woedend geweest op zichzelf. Op zijn zoektocht naar de waarheid, die in een obsessie was ontaard en op zijn onvermogen ervan los te komen.

In de grijns van Laszinski had Jan zijn eigen bezetenheid weerspiegeld gezien. De twijfelachtige hoop dat iemand hem zou kunnen vertellen wat er van Sven geworden was – hoop, die iets weghad van een ernstige verslaving.

Een fractie van een seconde lang had Jan Laszinski willen geloven. Ja, hij zou bereid zijn geweest een slipje van Martina mee te smokkelen naar zijn cel. Zoals hij ook Alfred had willen geloven toen die hem over de onderaardsen vertelde.

Je bent een naïeve idioot die naar elk lokaas hapt dat hij ziet.

Het gerinkel van de deurbel rukte hem los uit zijn overpeinzingen. Jan nam nog een slok bier en liep naar de gang. Hij stak de dictafoon terug in zijn jaszak en deed de deur open.

Buiten stonden Ralf Steffens, bleek zoals altijd, en een vrouw wier gezicht in de schaduw van haar capuchon niet te zien was.

'Goedenavond, dokter Forstner. Ik weet dat u vandaag een zware dag heeft gehad, maar kunnen we toch even praten?'

Nu pas herinnerde Jan zich de afspraak weer. Zijn hoofd stond totaal niet naar een gesprek met de verpleger, maar beloofd was beloofd.

'Kom binnen,' zei hij, en hij deed een stap achteruit.

De vrouw deed de capuchon van haar regenjas naar achteren en keek Jan in het voorbijgaan merkwaardig vertrouwd aan.

'Dag, Jan.'

Jan deed de deur dicht en keek de vrouw onderzoekend aan. Ze kwam hem bekend voor, en toch ook weer niet.

'Kennen we elkaar?'

Ze streek haar haar glad, dat door de capuchon in de war was geraakt. 'Ik ben Carla Weller.'

Jan fronste zijn voorhoofd. 'Carla Weller. Hmm. Eerlijk gezegd kan ik me u niet herinneren.'

Glimlachend keek ze naar de houten nachtwacht op Marenburgs telefoonplankje en ging met haar vingertoppen over het ietwat stoffige hoofd van het beeldje.

'Dat had me ook wel verbaasd. Maar misschien zegt het woord 'Stijgbeugel' je nog iets?'

'Stijgbeugel?'

'Ja, het is al een tijdje geleden. Nog twee hints dan: gymnasium, schoolplein.'

Meteen werd Jan helemaal rood. Goeie god, ja, dat zei hem wel iets. Hij herinnerde zich het meisje weer dat bij de omheining van de speelplaats stond en Jan en zijn vrienden gadesloeg. Ze kon nauwelijks meer dan tien zijn geweest en Jan was toen twaalf.

Het was in de zomer voor de verdwijning van Sven. In bijna elke middagpauze stond het meisje bij de heg en verloor Jan niet uit het oog. Ze was allesbehalve mooi. Ze droeg haar donkere, krullende haar in een vormloos kapsel. Het deed Jan denken aan de staalwol waarmee zijn moeder aangebrande pannen schoon schuurde.

Bovendien was ze broodmager. En ze droeg een buitenboordbeugel. Op die buitenboordbeugel had Jan gezinspeeld, toen hij op een dag naar haar toe was gegaan – zenuwachtig door de voortdurende aandacht, waarover zijn vriendjes al grapjes maakten – en haar had aangesproken.

'Wat wil je eigenlijk van me, stijgbeugel?'

Waarna het meisje 'klootzak!' had gesist en weg was gelopen.

'En, is het kwartje gevallen?'

Carla keek hem doordringend aan.

'Eh, ja,' zei Jan en hij schraapte zijn keel. 'Ik denk van wel. Het moet je toen behoorlijk bezig hebben gehouden, als je het je nu nog herinnert.'

'Ja, dat heeft het. Maar het is prettig om te horen dat jij het ook niet vergeten bent.'

'Telt het nog als ik me er nu nog voor verontschuldig?'

'Nauurlijk.' Carla knikte tevreden. 'Zand erover. Waar kunnen we praten?'

Nog helemaal perplex wees Jan naar de keuken.

De twee gasten gingen aan de keukentafel zitten en Jan bood iets te drinken aan. Carla vroeg een glas mineraalwater en Ralf nam hetzelfde. Met een korte blik van opzij naar Jans bier vond hij: 'niet nu alweer.'

'Zo,' zei Jan, terwijl hij er ook bij ging zitten, 'waar gaat het om?'

'Het gaat om Nathalie Köppler,' zei Carla.

'Ja, dat zei Ralf.'

Carla pakte een opgevouwen vel papier uit haar achterzak, vouwde het open en streek het op tafel glad.

'We proberen erachter te komen waarom ze zelfmoord heeft gepleegd. Ik heb er geen verklaring voor en Ralf ook niet. Nathalie was niet iemand die plotseling op het idee komt om van een brug te springen. En dít hier is ook erg vreemd.'

Ze schoof het papier naar Jan toe. Het was een uitdraai van een e-mail. Jan las de datum. Het bericht was kort voor de dood van Nathalie naar Carla verstuurd. Een paar uur voor Jan zich over haar heen had gebogen en haar hand had vastgehouden.

Jan leunde achterover in zijn stoel en las. Dit was een bericht van een volkomen panisch, verward mens. Iemand die door angst volledig ongeremd was en niet meer nadacht over de formulering van haar woorden.

Op dat moment had Nathalie eenvoudigweg opgeschreven wat ze dacht. Daarom was elk woord van belang en Jan las iedere zin een paar keer. Bij *De demon in mijn hoofd is echt!!!* bleef hij steken.

Weer zag hij het gewonde gezicht van de jonge vrouw voor zich. Sneeuwvlokken op haar bebloede huid. Een enkel oog, dat schokkerig probeerde zijn omgeving te begrijpen. Een rochelende stem.

Geoh!

Jan proefde een zurige smaak in zijn mond. Dat geluid, dat *geoh...*

De demon in mijn hoofd is echt!!!

Hoe zou het klinken als iemand met een gebroken kaak probeerde het woord 'demon' uit te spreken?

Carla leek zijn reactie te hebben opgemerkt. 'Is er iets?'

'O nee,' loog Jan en keek even naar Ralf die zich als een hoopje ellende aan zijn glas vastklampte. 'Ik dacht alleen dat je deze e-mail kunt lezen als een bericht van iemand die aan een sterke paranoia lijdt. Die demon waar ze het over heeft... Dat klinkt als een hallucinatie.'

'Nathalie wás niet gek!' viel Ralf tegen hem uit. Toen keek hij voor zich. 'Sorry... Het gaat er alleen om dat we er zelf geen verklaring voor kunnen vinden. Voor ze naar de kliniek ging, was Nathalie er niet best aan toe, dat is waar. Ze had... nou ja, ze was ook bang. Maar ze had geen hallucinaties. En toen ze weer thuis was, ging het veel beter met haar. Als u haar gezien had, zou u wel begrijpen wat ik bedoel.'

'Dat zit wel goed,' zei Jan. 'Ik geloof je op je woord. Ik begrijp alleen niet wat jullie van me willen.'

'Jij bent psychiater,' zei Carla, 'en je bent...'

'We willen weten wat je ervan denkt,' onderbrak Ralf haar. Hij wierp Carla een snelle blik toe en nam toen snel een slokje water.

Jan keek ze allebei eens aan. Hij vermoedde dat ze meer wisten dan ze hem tot nu toe hadden verteld. Misschien omdat ze nog niet helemaal zeker wisten of hij te vertrouwen was.

'Waarom komen jullie naar mij toe? Waarom praten jullie niet met de arts die Nathalie behandelde?'

'Omdat we eerst een objectieve mening willen horen,' zei Carla.

'En omdat we denken dat u ons niet zult afschepen met een smoesje,' voegde Ralf eraan toe. 'U weet zelf ook wel hoe het is als je iemand kwijtraakt en niet weet waarom.'

Jan keek hem verbaasd aan. Ralf was nog te jong om te kunnen weten wat er met Sven was gebeurd. 'Hoe weet je dat van mijn broer?'

Ralf maakte een verlegen gebaar. 'Nou ja, dat was zo ongeveer het eerste wat ik over u hoorde.'

'Van wie?'

'Kom op, Jan.' Carla keek hem aan alsof hij net iets ontzettend doms had gevraagd. 'Plaatsen als Fahlenberg hebben een goed geheugen.'

'Soms beter dan je lief is,' antwoordde Jan. 'Laten we onze kaarten op tafel leggen. Jullie zijn hier omdat jullie ergens anders om inlichtingen hebben gevraagd en jullie geen bevredigend antwoord kregen. Heb ik dat goed?'

'Volgens de politie was het zelfmoord,' zei Carla. 'Er is geen misdaad gepleegd, dus het dossier is gesloten.'

'En wat zei de behandelend arts?'

'Dokter Rauh?' Carla trok een afkeurend gezicht. 'Niets.'

'Niets?'

'Hij beriep zich op zijn geheimhoudingsplicht en hing op.'

'En ik heb hem nooit iets gevraagd,' vulde Ralf aan. 'Niemand in de kliniek weet dat ik met Nathalie ben... ik bedoel, was.' Hij plukte aan zijn baardje. 'Shit, ik kan het nog steeds niet geloven.'

'Waarom heb jij niet met dokter Rauh gepraat?' wilde Jan weten.

Ralf schudde zijn hoofd. 'Als ik Rauh of iemand anders had verteld over Nathalie en mij, dan was erover gekletst. Tenslotte hadden mensen kunnen denken dat ik rotzooi met patiëntes of zo. Dat ze al veel eerder mijn vriendin was, had niemand geïnteresseerd. Begrijpt u?'

Jan knikte. 'Jazeker. Geklets in een ziekenhuis kan ontzettend vervelend zijn.'

'Maar ik heb mijn oor te luisteren gelegd,' ging Ralf verder. 'Volgens Rauh was het "suïcide als gevolg van een onvoorziene paniekaanval." Nou, en dat was alles.'

'Maar jullie geloven dat niet?'

'In zekere zin wel,' zei Ralf, 'maar we begrijpen de reden niet. Waarom krijgt Nathalie zomaar ineens een paniekaanval? Zoiets heb ik nog nooit gehoord en ik loop toch ook al een tijdje mee in de psychiatrie.'

'Mooi is dat.' Jan wreef zich over zijn slapen. 'Jullie willen dus weten wat ik ervan denk. Dan zou ik eerst wat meer van Nathalie moeten weten. Wat waren de angsten waarvoor ze naar de kliniek ging?'

Weer wisselden Ralf en Carla een blik met elkaar. Ralf knikte en Carla leek dat als een uitnodiging op te vatten.

'Nathalie was een lieve meid en ze zag er hartstikke leuk uit,' zei ze. 'Als we uitgingen, duurde het nooit lang voor ze een man aan d'r kont had hangen. Ze had iets waar mannen op afkwamen.'

'Flirtte ze met die mannen?'

'Nee, volstrekt niet,' zei Carla. 'Ik weet niet hoe ik het uit moet leggen – misschien maakte ze een beschermend instinct bij hen los. Maar ze is nooit op iemand ingegaan. Zo lang als ik haar heb gekend, was ze altijd alleen. Tot ze Ralf leerde kennen.'

'Waarom pas toen?'

Ralf schraapte zijn keel. 'Ze... Nathalie... ze was bang voor lichamelijke nabijheid. Lichamelijke nabijheid van mannen.'

'Bedoel je dat ze bang was voor seks?'

Ralf knikte. 'Ja, maar niet alleen dat. Het duurde heel lang voor ik haar kon omhelzen zonder dat ze meteen zo stijf werd als een plank.'

'Maar dat heeft je er niet van weerhouden, daarna met haar...'

'Dokter Forstner, ik hield van haar!' schoot Ralf uit. Hij zette zijn glas zo plotseling neer dat het water over de rand klotste. 'Ik weet dat het misschien ontzettend naïef klinkt, maar zo was het. Nathalie was voor mij een heel bijzonder mens. Ik was niet alleen op seks uit. Ze wilde dat ik haar de tijd gaf en dat heb ik geaccepteerd.'

'Het spijt me,' zei Jan. 'Zo bedoelde ik het niet. Ik probeer alleen alles te begrijpen. En wat dat "dokter Forstner" betreft, ik zou je willen voorstellen dat we je en jij zeggen. Zeg maar Jan.'

Ralf knikte. 'Goed. Jan.'

'Heeft Nathalie daar ooit met een van jullie over gepraat? Ik bedoel, waarom ze zo bang was voor intimiteit?'

'Ja, met mij,' zei Carla. 'Later ook met Ralf, maar ze vertelde mij er het eerst over. Het had iets met haar jeugd te maken.'

'Is ze misbruikt?'

'Nee.' Carla streek een haarlok uit haar gezicht. 'Maar het was evengoed heel naar.'

Carla begon te vertellen en wat Jan hoorde was inderdaad erg genoeg om een klein meisje ernstig te traumatiseren.

Nathalie was zonder vader opgegroeid. Ze had hem ook nooit gekend. Haar moeder had de ene relatie na de andere en zou met de beste wil van de wereld niet hebben kunnen zeggen, wie van haar talloze minnaars überhaupt als vader in aanmerking kwam. Dat had ze tenminste tegen Nathalie gezegd en Nathalie had begrepen dat het nutteloos was om nog iets over hem te vragen. Ze had geen vader en ze moest er maar mee leven. Punt uit.

Toen Nathalie acht jaar was, kwam ze op een dag wat vroeger thuis van school dan anders. Er heerste een griepgolf die ook onder de leerkrachten huishield en omdat er geen vervanging kon worden geregeld waren de kinderen naar huis gestuurd.

In tegenstelling tot veel van haar medeleerlingen had Nathalie zich daar niet erg op verheugd. Haar moeder was in die periode vaak slechtgehumeurd, vooral als Nathalie vakantie had of om een andere reden vrij was van school, en waarschijnlijk zou ze Nathalie ook nu weer wegsturen om te gaan spelen. Bij een vriendinnetje of gewoon op straat – als ze maar rust had.

Natuurlijk hield haar moeder van haar. Nathalie was haar oogappel – in ieder geval, als ze haar 'mijn prinsesje' noemde. Maar er waren ook wel dagen, dat het prinsesje alleen maar een 'lastpak' was en de laatste tijd kwamen die dagen steeds vaker voor.

Als Nathalie haar moeder vroeg wat er aan de hand was, zei deze: 'daar ben je nog te jong voor,' en ze had begrepen dat het beter was er niet meer naar te vragen. Er waren eenvoudigweg dingen die haar niets aangingen en Nathalie had geen zin om weer een avond met gloeiende wangen in bed door te brengen.

Toen ze die dag thuiskwam, trok ze zachtjes de voordeur achter zich dicht en probeerde haar jas op te hangen zonder geluid te maken. Soms ging haar moeder in de loop van de ochtend nog een uurtje slapen – vooral als ze het de avond ervoor laat had gemaakt.

Net toen Nathalie naar haar kamer wilde gaan, hoorde ze een

gil en toen nog een. Het gegil kwam uit haar moeders slaapkamer. Geschrokken holde Nathalie naar het einde van de gang en rukte de deur open.

Carla wreef over haar voorhoofd en zuchtte. 'Tja, en wat zich in die kamer afspeelde, ging het verstand van een meisje van acht te boven. Toen ze het mij vertelde, kon ik het als volwassene niet eens begrijpen.'

'Wat zag ze?' vroeg Jan.

Carla nam nog een slokje water en vertelde verder.

Nathalie zag haar moeder. Ze knielde voor de radiator onder het raam en Nathalie zag dat ze daar met handboeien aan vast was geketend. Op haar gescheurde panty na was haar moeder naakt en er zaten een heleboel striemen en blauwe plekken op haar rug.

Dat zag er allemaal al afgrijselijk uit, maar het meeste schrok Nathalie van de twee mannen die bij haar moeder stonden. Zij waren ook naakt. Over hun gezicht hadden ze allebei een leren masker.

Eerst was Nathalie volkomen verstijfd van schrik. Ze zag nog dat een van de mannen haar moeder in haar gezicht sloeg, terwijl de andere achter haar op de vloer knielde en door zijn masker hijgde. Toen zag de eerste man het meisje staan.

Een fractie van een seconde was het doodstil, totdat Nathalie een zacht 'mama?' liet horen.

De man die had geslagen schreeuwde tegen haar dat ze moest maken dat ze wegkwam en de tweede man staarde haar maar aan zonder iets te zeggen.

Nog steeds als verlamd van de schrik keek Nathalie haar moeder aan. Ze had zich naar haar dochter omgekeerd en het viel Nathalie op, dat er een dun rood straaltje uit haar mondhoek liep.

Nathalie wilde iets doen. Schreeuwen. Naar haar moeder toe lopen. Haar beschermen tegen die monsters. Of de kamer uit rennen. Maar ze kon het niet. Het enige wat ze kon was blijven staan kijken naar dat onbegrijpelijke tafereel.

En toen glimlachte haar moeder tegen haar. Ze moest pijn hebben, maar toch glimlachte ze. Het was dat heel bijzondere glimlachen dat heel diep vanbinnen kwam en dat zei: *alles is in orde.*

'Wees lief, prinsesje, ga maar buiten spelen,' zei ze ten slotte, en haar stem was zo warm en zacht als ze in tijden niet had geklonken.

'Wat een verhaal!'

Jan leunde achterover in zijn stoel en keek naar het plafond.

'Haar moeder heeft het er later met haar over gehad,' zei Carla. 'Ze zal wel hebben geprobeerd Nathalie uit te leggen dat ze het prettig vond om geslagen en verkracht te worden. Maar leg dat maar eens uit aan een meisje van acht, terwijl een normaal denkend mens er al niet bij kan.'

'Vandaar dus haar angst voor mannen,' zei Jan. 'Ze moet als kind hebben gedacht dat dat normaal geslachtsverkeer was en heeft zich daar niet meer van kunnen bevrijden.'

'Natuurlijk heeft ze later wel begrepen dat niet alle mannen zich zo gedragen,' zei Carla, 'maar ze durfde geen seksuele relaties aan te knopen. De angst hield haar in zijn greep en ik heb werkelijk alles geprobeerd om haar te helpen, Jan. Ze ging het onderwerp uit de weg zodra het ter sprake kwam. Soms was een schuine mop al genoeg.'

'Ze noemde die angst haar "demon",' voegde Ralf eraan toe. In zijn ogen glommen tranen. 'Dat heeft ze me ooit verteld. Ze wilde me niet kwijt, maar ze kon gewoon niet met me naar bed.'

'En hoe ging jij daarmee om?'

'Ik... ik heb gezegd dat ik er altijd voor haar wilde zijn en dat ik kon wachten tot zij het zelf ook wilde. Als het moest, had ik er mijn hele leven op gewacht. Ik hield toch van haar...' Hij begon te huilen.

'Is ze dan om jou in therapie gegaan?' vroeg Jan.

Ralf snotterde, haalde een verfrommeld papieren zakdoekje uit zijn zak en snoot luidruchtig zijn neus.

'Ik heb haar overgehaald,' zei hij, nog steeds snikkend.

'En daarna ging het beter?'

Schouderophalend stopte Ralf het zakdoekje terug in zijn broekzak. 'We hadden geen seks, als je dat bedoelt. Maar ik kon haar eindelijk gewoon omhelzen zonder dat ze helemaal verkrampte. Integendeel, ze kwam zelfs uit zichzelf naar me toe.'

'Vertel Jan over die ene avond,' spoorde Carla hem aan.

Jan keek haar vragend aan. 'Welke avond?'

'De avond voor ze het deed,' zei Ralf, die zichzelf weer in de hand had. 'Er is toen iets vreemds gebeurd en ik was zo stom om het niet te merken.'

'Wat was het?'

'Ik had met Nathalie afgesproken dat we naar de film zouden gaan, maar toen ik haar kwam afhalen, deed ze niet open. Dus probeerde ik haar mobiel te bereiken. Ik stond nog in het trappenhuis en hoorde haar mobieltje overgaan in haar appartement, maar ze leek niet thuis te zijn. Toen heb ik een tijdje gewacht, omdat ik dacht dat ze gewoon even weg was.' Ralf keek naar het tafelkleed en glimlachte dromerig. 'Soms kreeg ze ineens vreselijke trek in falafel van Ahmet. Die heeft een stalletje om de hoek bij haar huis.'

'Maar daar was ze ook niet?' vroeg Jan.

Het dromerige lachje verdween plotseling, alsof het werd uitgeschakeld. 'Nee. Ahmet zei dat hij haar al dagen niet had gezien. Haar Polo stond op de parkeerplaats achter het huis, dus moet ze toch thuis zijn geweest.' Ralf doopte een wijsvinger in het plasje water op het tafelkleed en bekeek de druppel aan zijn vingertopje alsof hij nog nooit zoiets had gezien.

'Ik dacht niet dat er iets ernstigs was gebeurd,' zei hij zachtjes. 'Ik dacht dat ze weer een aanval van slaperigheid had.'

'Slaperigheid?'

'Ja.' Ralf knipte de druppel op de vloer. 'Vanaf haar ontslag uit de kliniek had ze dat wel vaker. Waarschijnlijk van haar medicijnen.'

'Wat kreeg ze voorgeschreven?'

'Trimipramine.'

'Ja, daar kun je slaperig van worden,' bevestigde Jan. 'En wat gebeurde er toen?'

'Niets.' Ralf stak radeloos zijn handen in de lucht. 'Ik ben weer naar huis gereden. Later heb ik nog twee keer geprobeerd haar te bellen, maar ze nam niet op. Omdat ik dacht dat ze sliep, heb ik haar verder met rust gelaten. Pas toen ik haar de volgende dag vanaf mijn werk belde en ze nog steeds niet opnam, maakte ik me zorgen. En toen... toen belde Carla en vertelde zij me wat er was gebeurd.'

Nu begreep Jan, waarom Ralf bij hun eerste ontmoeting zo zwaarmoedig was geweest. Hij vond het heel erg voor hem.

'Verdomme!' Ralf sloeg met zijn hand plat op tafel en de waterplassen spatten alle kanten op. 'Ik ben ook zo'n idioot geweest! Ik had moeten weten dat er iets niet in orde was!'

'Hou op, Ralf,' zei Carla, en ze legde een hand op de zijne, 'Jezelf allerlei verwijten maken heeft helemaal geen zin.'

'Dat is wel makkelijk gezegd.' Hij keek haar aan en zijn lippen trilden. Toen barstte hij opnieuw in tranen uit. 'Hoe heeft ze kunnen denken dat ik haar weer terug zou sturen naar de kliniek? Waarom heeft ze niet ten minste geprobeerd om met me te praten? Ik stond toch altijd voor haar klaar. Misschien was ze die avond wel thuis en reageerde ze niet omdat ze bang was. Voor mij!'

Voor Carla of Jan iets konden zeggen, stond Ralf ineens op en holde de keuken uit. Ze hoorden hem op de gang hevig snikken.

'We moeten hem maar even alleen laten,' stelde Jan voor, toen Carla achter hem aan wilde gaan.

'Ja, dat is misschien wel beter.'

Ze ging weer zitten en begon nadenkend op een haarlok te sabbelen. 'Waarom denk jij dat ze het heeft gedaan?'

'Ik kan er alleen maar naar raden.' Jan maakte een gebaar van berusting. 'Afgaande op die e-mail moet het iets met haar trauma te maken hebben gehad. Een gebeurtenis die zich zo plotseling voordeed dat ze zich in een opwelling van de brug heeft gegooid. Maar dat is natuurlijk maar een vaag vermoeden. Wat kan ze ermee hebben bedoeld, dat de demon in haar hoofd echt was?'

'Geen idee,' zuchtte Carla, en toen keek ze Jan aan. 'Van de politie hoorde ik dat jij haar het laatst levend hebt gezien.'

'Ja, dat is waar.'

'Heeft ze toen nog iets gezegd?'

'Nee, het was heel snel voorbij.'

Jan kon het niet over zijn hart verkrijgen om Carla uitvoerig over de doodsstrijd van Nathalie te vertellen. En op dit ogenblik wist hij zelf ook niet meer zeker of de ongearticuleerde kreet, die de stervende jonge vrouw had geslaakt, werkelijk iets te betekenen had.

'Het spijt me, Carla, maar ik vrees dat ik jullie weinig te bieden heb.'

'Dat geeft niet. Maar ik wil je nog een ding vragen.'

'En dat is?'

'In het appartement van Nathalie heb ik het telefoonnummer van een arts gevonden. Ik heb hem opgebeld, maar hij mocht mij natuurlijk geen inlichtingen verstrekken.'

'Juist,' zei Jan. 'En nu wil je dat ik als arts met hem praat?'

'Je bent me nog wel iets schuldig vanwege die stijgbeugel, vind je niet?'

27

Deze keer had hij een jurk voor haar meegenomen. Dunja haalde hem uit de doos en bekeek het keurend. Het was een nachtblauwe avondjurk van zomerse, licht glimmende stof, een beetje als fluweel.

Gewoon uit het rek, dacht ze, *goedkoop, maar wel elegant.* Een jurk als deze zou je net zo goed bij een romantisch etentje als bij een familiefeest kunnen dragen. Het decolleté was niet te opzichtig en de rug was niet te diep uitgesneden. Maar dan nog zou Dunja er verleidelijk uitzien in zo'n jurk, die in al zijn eenvoud niet afleidde van de schoonheid van de vrouw die hem droeg.

De jurk beviel Dunja wel. Vooral de kleur vond ze mooi. Een prachtig, diep blauw. Het kon haar weinig schelen dat de jurk al wat ouder leek te zijn en misschien wel tweedehands was.

Het was voor het eerst dat hij zo'n soort cadeautje meebracht. Anders nam hij gewoon een envelopje coke mee dat hij zonder iets te zeggen naast het geld op het nachtkastje legde. Een jurk die hij speciaal voor haar had uitgezocht was veel persoonlijker.

'Wat ontzettend mooi. Voor mij?'

'Nee,' zei hij, terwijl hij uit het raam keek. 'Ik wil dat je hem voor me aantrekt.'

'O goed.' Dunja probeerde haar teleurstelling niet te laten blijken. 'Wil je ondertussen naar me kijken?'

'Trek maar gewoon aan.'

Hij keek haar niet aan. In plaats daarvan hield hij nog steeds het roodfluwelen gordijn opzij en staarde uit het raam, alsof daar beneden iets belangrijkers te zien was. Daar was echter alleen de begraafplaats.

Dunja hield niet van het uitzicht, het boezemde haar op de een of andere manier angst in, maar helaas had ze niets te zeggen gehad over de toewijzing van de kamers.

'Moet ik er weer iets bij zeggen?'

Zonder om te kijken schudde hij zijn hoofd. 'Trek hem maar gewoon aan. Alsjeblieft.'

Weer voelde Dunja de treurige kou die van hem uitging. Ze wist zeker dat hem ooit iets was afgenomen dat een grote, donkere leegte had achtergelaten. Sindsdien moesten alle gevoelens die hem werden betoond, verdwalen in dat zwarte niets – ze werden erdoor opgezogen en verdwenen, zonder dat hij zich ervan bewust was. Ook nu leek hij haar helemaal niet waar te nemen, maar ergens in een andere wereld te verkeren.

De grote onbekende was heel anders dan de andere mannen die bij haar kwamen. Het ging hem niet om een snel nummertje, of dat ze iets met hem deed wat zijn vrouw niet wilde doen. Dunja vermoedde dat hij überhaupt geen vrouw of vriendin had.

Dat wat hij zocht moest ergens diep in zijn herinnering sluimeren en het was aan haar om het weer tot leven te wekken. Al was het maar voor een uur.

Toen hij de jurk later teruglegde in de doos, zo voorzichtig alsof hij van flinterdun glas was gemaakt, was hij aan de voorkant volkomen doorweekt. Bijna een halfuur had hij voor haar op zijn knieën gelegen en op de blauwe stof gehuild, met zijn armen stevig om haar heen geslagen.

Terwijl Dunja hem over zijn hoofd had gestreeld en hem met lieve woordjes probeerde te troosten, had ze het zelf te kwaad gekregen van zijn snikkende smeekbeden om vergeving.

Toen hij zonder gedag te zeggen was vertrokken, ging ze op bed liggen en bekeek ze zichzelf in de grote spiegel tegen het plafond. Ze streek door haar haar en drapeerde het over de satijnen lakens, zoals hij het anders altijd deed.

'Wie ben je, Carmen?' fluisterde ze tegen haar naakte spiegelbeeld. 'En wat moet je hem vergeven?'

28

Jan zat in Marenburgs televisiestoel en staarde naar het scherm. Het was al één uur 's nachts, maar zelfs van een paneldiscussie over het verval van normen en waarden in de maatschappij werd hij niet moe. In gedachten was hij nog steeds bezig met wat Carla en Ralf hem over Nathalie Köppler hadden verteld.

Hij kon zich goed voorstellen dat die twee wilden begrijpen waarom Nathalie op zo'n tragische manier zelfmoord had gepleegd. Maar dat zou hun veel moeite kosten, als het al mogelijk was zoiets te bevatten.

Ralf en Carla zochten naar antwoorden, net als hijzelf. Ze hoopten daardoor makkelijker met hun verdriet om te kunnen gaan. Maar waarschijnlijk zou het leven ook hun het antwoord schuldig blijven.

Er viel een lichtbundel door het raam en meteen daarna stopte er een auto voor het huis.

Rudi, altijd laat op de avond, dacht Jan. Waar was die zo lang geweest? Een ogenblik later werd er gebeld. Waarschijnlijk was Marenburg de sleutel vergeten. Jan kwam overeind uit de stoel en sloot de discussie over normen en waarden met de afstandsbediening.

Toen hij de gang in liep, werd er weer gebeld. Het leek wel een concert van een deurbel.

'Kalm aan Rudi! Ik ben nog wakker!'

Jan deed de deur open. Verbaasd keek hij in het gezicht van een magere, bekende gestalte.

'Meneer Liebwerk?'

Met een woedend gezicht wees de archivaris naar zijn auto. 'Help even je vriend uit mijn auto te tillen.'

Geschrokken keek Jan naar de gammele Mercedes waar Liebwerk op doelde. Marenburg zat voorovergebogen op de passagiers-stoel met zijn hoofd tegen het dashboard.

'Is er iets gebeurd?'

'Gebeurd?' Liebwerk snoof geërgerd. 'Hij is straalbezopen. Midden in de nacht komt-ie naar Het Spinnewiel en wil hij me met alle geweld trakteren. Als ik had geweten dat hij zichzelf zo vol zou gieten dat hij zijn eigen moeder niet meer zou herkennen, had ik hem er al veel eerder uit laten zetten.'

De archivaris liep terug naar de auto en deed het rechterportier open. 'Nou, kom je me nog helpen of moet ik hier vastvriezen?' Jan trok snel zijn schoenen aan en liep naar Liebwerk toe. Samen hesen ze de beschonkene uit de auto. Marenburg kon nauwelijks nog op zijn benen staan. Hij leunde met zijn hele gewicht op Jan, die maar net overeind bleef.

Liebwerk sloeg het portier dicht, liep om de auto heen en ging achter het stuur zitten.

'Als je vriend weer aanspreekbaar is, zeg hem dan dat ik me niet onder druk laat zetten. Ik zal niets over het dossier naar buiten brengen, punt uit. Duidelijk?'

Voor Jan iets terug kon zeggen sloeg Liebwerk het portier dicht en startte de motor.

'Godsamme, Rudi,' zuchtte Jan, 'je hebt hem flink tegen je in het harnas gejaagd.'

Hij sleepte zijn vriend het huis in en wilde de deur al dichtdoen toen hem de koplampen van een auto opvielen die dezelfde kant op reed als Liebwerk. Vreemd dat er op dit uur nog iemand op pad was in deze afgelegen buurt.

Maar voor hij er verder over na kon denken lalde Marenburg in zijn oor: 'Jan, beste vriend, ik geloof dat ik moet overgeven.'

29

Afgaande op de stem aan de telefoon moest dokter Wolfgang Hesse al aardig op leeftijd zijn. Nadat zijn assistente Jan had teruggebeld en daardoor zeker wist dat Jan als arts bij de Boskliniek werkte, verbond ze hem door met dokter Hesse en de huisarts meldde zich met een rauwe bariton aan de telefoon.

'Het spijt me, ik heb weinig tijd,' zei hij, toen Jan had gezegd waar hij voor belde. 'Mijn wachtkamer puilt uit. 'Het is elk jaar weer hetzelfde, er heerst griep en natuurlijk heeft niemand zich laten inenten. Maar goed, wat wilt u over mevrouw Köppler weten?'

'Ik heb begrepen dat mevrouw Köppler kort voor haar dood bij u in behandeling was,' zei Jan. Ik zou graag willen weten wat haar klachten waren.'

'Waarom hecht u daar nu nog belang aan? Ik bedoel, ze is toch dood. Triest verhaal trouwens, ik ben er behoorlijk van geschrokken.'

'Ik heb hier het formulier "addendum eindrapport" voor me liggen, dat moet ik invullen,' zei Jan, en hij hoopte dat die leugen overtuigend genoeg klonk.

'Een "addendum eindrapport"? Bij een dodelijk ongeval? Weer wat nieuws.'

'Tja, regelzucht van boven.' Jan zuchtte theatraal.

'Schei uit,' zei dokter Hesse en hij zuchtte ook. 'Het wordt elk jaar erger. Je zou de ontbossing van de regenwouden met de helft kunnen terugdringen als je een kwart van de formulieren schrapte. Maar wat uw vraag betreft: ja, mevrouw Köppler was kort geleden op mijn spreekuur. Twee keer. Met maagklachten.'

'Maagklachten?'

'Ja. Ze had last van misselijkheid en druk op de maag. Toen heb ik haar homeopathische druppels aanbevolen en kamillethee. Je hoeft tenslotte niet altijd meteen naar de pillen te grijpen,' zei de arts, en voor Jans geestesoog verscheen nu een man in een wollen trui met grijs haar in een staart. 'Ze zou zich weer melden als de klachten aanhielden. Dat deed ze ook. Ik heb haar toen grondig onderzocht. Omdat ze nu ook last had van urinedrang, problemen met de bloedsomloop en spanning in haar borsten, kreeg ik een vermoeden.'

'En dat was?'

'Ogenblikje,' zei dokter Hesse, en op de achtergrond klonk een vrouwenstem, waarschijnlijk een assistente. Hesse praatte even met haar en kwam weer terug aan de telefoon. 'Luister, collega, ik moet er een eind aan maken. Om een lang verhaal kort te maken: Nathalie Köppler was in de vijfde week.'

'Ze was zwánger?' Jan dacht dat hij het verkeerd had verstaan. 'Maar dat kan toch helemaal niet?'

'Ja, dat beweerde zij ook,' antwoordde Hesse, 'maar de uitslag van de test was ondubbelzinnig positief. En nu, neem me niet kwalijk...'

'Nog één vraag, alstublieft!'

'Vooruit, snel dan.'

'Hoe reageerde mevrouw Köppler?'

'Dat kan ik niet precies zeggen.'

'Waarom niet?'

Hesse schraapte zijn keel. 'Kijk, toen mevrouw Köppler de tweede keer langskwam, heb ik een hele serie tests afgenomen. Stoelgang, bloed, urine. Het gebruikelijke rijtje. Ik wilde zeker weten dat haar klachten niet werden veroorzaakt door een virus of zoiets. De uitkomst heb ik haar telefonisch medegedeeld. Zij belde mij. En toen ik haar vertelde dat ze zwanger was en dat daar geen twijfel over mogelijk was, hing ze gewoon op. Is uw vraag zo beantwoord? Mijn patiënten wachten.'

Jan bedankte hem voor de inlichtingen, maar dokter Hesse had al opgehangen.

Met een frons op zijn voorhoofd leunde Jan achterover in zijn bureaustoel en keek naar de telefoon. Misschien had hij nu de reden voor Nathalie Köpplers paniek gevonden. Ze had zelfmoord gepleegd omdat ze zwanger was.

Daarmee drong zich een andere vraag op. Als Ralf de waarheid had gesproken en hij inderdaad geen seks met Nathalie had gehad, wie was dan de vader?

30

Vele jaren lang had de Boskliniek door het kweken van sla en andere groenten deels in het eigen onderhoud voorzien, maar in lijn met alomtegenwoordige bezuinigingen had men een groot deel van de kwekerij moeten afstoten. Nu stonden zes van de negen kassen leeg, ten prooi aan verval. De andere drie deden in het voorjaar en de zomer dienst bij de arbeidstherapie. Nu, in november, was dit de beste plek voor een discrete ontmoeting in de pauze tussen twee sessies.

Toen Jan op de afgesproken plaats aankwam, zat Carla daar op een klapstoeltje lusteloos op een mueslireep te knabbelen en afwezig naar de lege groentebedden te staren. Naast haar zat Ralf in kleermakerszit op de tafel waaraan patiënten binnenkort weer kerststukjes zouden maken. Zodra ze Jan zagen, kwamen ze overeind.

'En? Heb je die Hesse gesproken?' vroeg Carla, en ze gooide het restje van haar mueslireep in een roestige vuilnisemmer.

'Ja, dat heb ik.'

Jan keek even met een onderzoekende blik naar Ralf. Hij zag er beter uit, al stond het verdriet nog op zijn gezicht te lezen.

'Vertel dan,' drong Carla aan. 'Wat zei hij?'

'Ze was ziek, hè,' zei Ralf met een strak gezicht. 'Kanker of zoiets. Voor minder spring je toch niet van de brug.'

Jan schudde zijn hoofd. 'Nee, Ralf. Nathalie was niet ziek.' Hij wierp een snelle blik op Carla, die hem vragend aankeek. 'Het spijt me erg, Ralf, maar de waarheid is nogal pijnlijk.'

'Nou, vertel dan, erger kan het niet meer worden.'

'Dat vraag ik me af.' Jan zuchtte diep. 'Ze was zwanger.'

Ralf keek hem volkomen van zijn stuk gebracht aan. 'Zwanger?'

'Ja.'

'Dat meen je niet, hè?'

'Helaas wel.'

Ralf werd even wit als de plastic zak aarde die naast hem op de grond lag.

'Maar...' Carla keek radeloos van de een naar de ander. 'Je hebt toch gezegd dat jullie niet...'

'Nee, dat hébben we ook niet!' schreeuwde Ralf. Met gebalde vuisten keek hij Jan aan. 'Ze kán niet zwanger zijn geweest. Dat is volkomen flauwekul.'

'Helemaal niet,' zei Jan kalm. 'Alle tests waren positief.'

Met een schreeuw trapte Ralf tegen de plastic zak. Die scheurde open, donkere aarde liep over de stenen vloer.

'Kalm, jongen, kalm.' Jan pakte Ralf bij zijn arm en draaide hem zo dat ze elkaar konden aankijken. 'Je moet je beheersen, hoor je me?'

'Ik kan het gewoon niet geloven,' snikte Ralf en hij maakte zich los uit Jans greep. 'Het kán niet, begrijp je? Nathalie en ik zijn nooit met elkaar naar bed geweest. Ze wás nog niet zo ver...'

Carla keek Jan aan alsof ze hoopte dat hij een oplossing wist.

Een tijdje heerste er een beklemmend zwijgen in de kas. Je hoorde alleen de ijzige wind, die door de kapotte ruiten van het dak floot. Toen Jan de stilte niet langer kon verdragen, sprak hij uit wat ze allemaal leken te denken.

'Ralf, als het kind niet van jou was, van wie kan het dan zijn geweest?'

Ralf draaide zich om, liep naar de tafel en sloeg erop met zijn vuist. In de hoge glazen ruimte klonk het als een pistoolschot.

'Hoe moet ik dat weten? Ik kan het nog niet eens geloven.'

'Zwánger,' zei Carla, en ze deed haar ogen dicht. 'Waarom heeft ze daar tegen mij niets over gezegd?'

'Omdat ze heel lang heeft gedacht dat het aan haar maag lag,' zei Jan. 'En toen ze hoorde wat er écht aan de hand was, moet ze ontzettend geschrokken zijn.'

Jan ging naast Ralf staan, die boos naar de kapotte ruit voor hem keek, alsof die er iets aan doen kon.

'Ik kan me voorstellen dat je gekwetst bent, Ralf.'

'Natuurlijk. Dat zal wel.'

Jan liet de opmerking van zich af glijden. 'Was er behalve jij nog iemand anders die Nathalie vertrouwde? Iemand die daar misschien misbruik van heeft gemaakt?'

Ralf schudde zijn hoofd en slaakte een diepe zucht. 'Niet dat ik weet.'

'Nee,' zei ook Carla. 'Hé joh, ik was haar beste vriendin. Als Nathalie iets met een andere man had gehad, zou ze me er beslist iets over hebben verteld. We hebben het hier in elk geval niet over iemand die ze zou hebben gekend. Stel je voor, wat dat voor haar had betekend.'

Jan, die zich geen raad wist, haalde zijn schouders op. 'Ik geloof nou eenmaal niet in een onbevlekte ontvangenis...'

'Misschien heeft Hesse zich vergist met zijn testen,' zei Ralf. Hij draaide zich om en keek Jan weer aan. In zijn blik glom de vertwijfelde hoop dat dat zou kunnen.

'Nee, Ralf,' zei Jan. 'Geen dokter zou tegen een patiënte zeggen dat ze zwanger was als hij het niet absoluut zeker wist. Nathalie was in de vijfde week en op dat tijdstip zijn zulke tests negenennegentig procent betrouwbaar. Bovendien hebben ze niet alleen een urinetest afgenomen. Als er bij de uitkomsten verschillen waren voorgekomen, dan had mijn collega vast een tweede test aanbevolen.'

Carla keek hem nadenkend aan. 'Ze was in de vijfde week, zei je?'

'Ja, hoezo?'

'Vijf weken voor haar dood was Nathalie nog hier, in de kliniek.'

Ralf keek haar verwijtend aan. 'Bedoel je dat ze hier iets met een patiënt heeft gehad?'

'Nou ja, dat zou toch kunnen?'

'Ze zat op een vrouwenafdeling.' Er klonk woede door in Ralfs stem.

Carla haalde haar schouders op. 'Misschien was het iemand van het personeel. Een verpleger. Of een dokter.'

'Shit!' siste Ralf. 'Als ik me alleen maar voorstel dat ze met zo'n witte-jassenman...' Hij spoog woedend op de grond.

'Nee,' zei Jan hoofdschuddend. 'Dat kan ik me niet voorstellen. Stel je voor! Misbruik binnen een hulpverleningsrelatie. Als je daarop wordt betrapt, Ralf, kom je als dokter nergens meer aan de slag, om maar te zwijgen van de juridische moeilijkheden die je je op de hals haalt.'

'Kom zeg.' Ralf maakte een minachtend gebaar. 'Ik ken genoeg collega's die alleen maar achter hun pik aan lopen.'

'O ja? En hebben ze daarom ook met jouw patientes gerotzooid?' Ralf keek naar de grond. 'Nee, dat niet.'

'Nou dan.'

Ralf stak zijn handen in zijn broekzakken en schopte naar de over de grond verstrooide aarde. 'Toch moet het hier in de kliniek gebeurd zijn.'

'En als ze is verkracht?' vroeg Carla. 'Misschien wel door een van die weirdo's hier.'

'Dat lijkt me hoogst onwaarschijnlijk,' zei Jan. 'Nadat ze hier was geweest ging het duidelijk beter met haar. Stel je voor wat een verkrachting had aangericht bij iemand met haar trauma. Dat zou ze nooit voor zich hebben kunnen houden en al helemaal niet verdringen.'

'Maar ze wás zwanger,' fluisterde Ralf, en zijn gezicht blonk van de tranen.

'Goed, als je mijn mening als arts wilt horen,' zei Jan, 'dan leed Nathalie onder de traumatische voorstelling dat seks en geweld onlosmakelijk met elkaar verbonden zijn. Door in therapie te gaan kon ze dat trauma te boven komen. Het ging beter met haar. Waarschijnlijk had ze in de nasleep van haar trauma met wederzijds goedvinden geslachtsgemeenschap met een nog onbekende man, zoals je het juridisch zou zeggen.'

'Maar je springt toch niet meteen van een brug omdat je zwanger bent,' snauwde Ralf. 'En hoe verklaar je dan die kwestie met die demon? *De demon is echt* – dat zei ze zelf!'

'De demon,' zei Jan, en hij maakte een sussend gebaar, 'de

demon was een symbool. Een symbool voor haar angsten, maar ook voor haar schuldgevoelens. Hij kwam alleen als ze ergens naar smachtte waar ze tegelijkertijd ook bang voor was. Ik weet zeker dat ze met die demon haar schuldgevoelens bedoelde. Tegenover jou, maar vooral tegenover zichzelf. Het bericht van haar zwangerschap moet een schok zijn geweest. Ze had iets gedaan wat nog maar heel kort geleden het ergste was wat er voor haar bestond, en dat zou ook nog eens grote gevolgen hebben. Daar was ze niet meer tegen opgewassen. En de omstandigheid dat ze er niet met jou, maar alleen met Carla over wilde praten, lijkt me gelijk te geven, Ralf.'

Carla dacht diep na. Het kostte haar zichtbaar moeite te erkennen dat het alleen maar zo en niet anders kon zijn gebeurd. Maar het leek de enige logische verklaring te zijn.

Ralf had een hand voor zijn gezicht geslagen en deed zijn uiterste best om zijn kalmte te bewaren. Jan liep naar hem toe.

'Ik denk niet dat Nathalie je wilde bedriegen,' zei hij zacht. 'Waarschijnlijk was het iets eenmaligs.'

'Nathalie zou nooit zomaar met iemand in bed zijn gedoken!' schreeuwde Ralf.

'Natuurlijk niet,' antwoordde Jan rustig. 'Toch komt het daarop neer. Nathalie had seks met een andere man. Ze is er zwanger van geworden. Dat zijn de feiten.'

'Verdomme, Jan, ze heeft zelfmoord gepleegd!' Weer schopte Ralf met volle kracht tegen de hoop aarde.

'Maar dat kun je toch niet meer terugdraaien, Ralf. Nathalie heeft de gevolgen van haar daden niet aangekund.'

Carla wreef over haar voorhoofd. 'Het zou ook anders kunnen zijn gegaan.'

Jan en Ralf keken haar vragend aan.

'Laten we aannemen dat Nathalie seks had gehad met een van de patiënten,' zei Carla. 'Voor haar was het iets eenmaligs. Maar voor die ander was het meer. Hij loopt haar achterna en valt haar lastig. Misschien wel juist op het moment dat ze van Hesse hoort dat ze zwanger is. Dan zou de demon inderdaad een bestaande persoon zijn.' Ze keken haar allebei met grote ogen aan. 'Misschien heeft hij haar thuis of aan de telefoon lastiggevallen en deed ze daarom niet open.'

'Iemand die haar bang maakte en de dood in heeft gedreven,' maakte Ralf de gedachtegang van Carla af.

Jan schudde zijn hoofd. 'Ik ben bang dat je je daar een beetje vergaloppeert.'

Ralf haalde verachtelijk zijn neus op. 'Je wilt ons dus niet helpen om die kerel op te sporen?'

'Om eerlijk te zijn ben ik er niet van overtuigd dat Nathalie door die kerel werd lastiggevallen, alleen maar omdat ze met hem naar bed was geweest.'

'Maar de mogelijkheid bestaat,' zei Carla halsstarrig. 'En als het zo was, dan is Nathalie niet in haar eentje verantwoordelijk voor haar dood.'

'En als je je vergist?' zei Jan. 'Jullie zoeken iemand die je de schuld kunt geven van haar dood. Dat is begrijpelijk, maar daar wordt Nathalie niet levend van. Ik denk dat het beter is dat je het erbij laat. Met alle respect voor jullie verdriet – probeer vrede te hebben met wat er is gebeurd.'

Carla keek hem spottend aan. 'O ja? En uitgerekend jij gaat ons dat vertellen?'

Jans gezicht kreeg een duistere uitdrukking. 'Ik geloof dat ik beter kan gaan,' zei hij zacht. 'Ik moet naar mijn sessies.'

Zonder om te kijken liep hij de kas uit.

31

Het menselijk lichaam is als een uurwerk. Die vaststelling had Hieronymus Liebwerk al vele jaren geleden gedaan en hij had dit steeds weer bevestigd gezien. Elke ochtend werd de archivaris stipt om vijf uur wakker – zonder dat hij daar een wekker voor nodig had – stipt om twaalf uur kreeg hij trek en meteen na het journaal werd hij moe.

Hetzelfde gold voor zijn blaas, die elke dag drie keer zijn aandacht vroeg: kort na aanvang van zijn werkzaamheden, tijdens de middagpauze en ten slotte een paar minuten voor het einde van zijn werkdag. Vandaar dat de archivaris niet eens op de klok hoefde te kijken om te weten dat het even voor halfvijf was, terwijl hij de laatste map in de doos met gesorteerde dossiers legde.

Hij bracht de doos naar de grote archiefruimte, waar de dossiers al decennia wachtten op hun einde in de versnipperaar, en zette hem op de juiste plaats weg. Daarna liep hij door het trappenhuis naar de wc in het administratiegebouw.

Toen hij een paar minuten later terugkwam bij het archief, schrok hij. De buitenste stalen deur stond op een kier.

Liebwerk krabde zich verbaasd achter de oren. Toegegeven, je moest het ouwe ding stevig dichttrekken om de schoot in de sluitplaat te laten vallen, maar die inspanning was toch al lang een tweede natuur geworden.

Hij ging het archief binnen en keek om zich heen. Niemand te zien.

'Hallo! Is daar iemand?'

Geen antwoord.

Liebwerk schudde zijn hoofd. Hij moest de deur daarstraks inderdaad niet goed dicht hebben getrokken. Stukje bij beetje werd hij toch een dagje ouder...

En toch was het vreemd. Na de doos die op mysterieuze wijze was verdwenen en de stapel dossiermappen waarmee was geknoeid voelde hij zich tussen de keldermuren niet meer op zijn gemak. En ook nu bekroop hem het gevoel dat hij misschien toch niet alleen was.

Iemand verstopte zich hier, zei iets binnen in hem. Ergens tussen de donkere stellingen of misschien in de grote archiefruimte. *Wie weet, misschien begin ik toch malende te worden,* dacht Liebwerk, en hij likte over zijn gekloofde lippen. *Ik heb vast te veel dossiers gelezen en nu word ik zelf ook paranoïde.*

Hij had grote behoefte aan een sigaret. Dringend. Goeie genade, als hij niet nu meteen een peuk kreeg, ging hij dood.

Wantrouwig om zich heen kijkend liep Liebwerk naar zijn bureau, vond het pakje en haalde er met trillende vingers een sigaret uit. Automatisch greep hij naar zijn aansteker, maar die lag niet op zijn plaats.

Radeloos wreef hij zich in zijn nek. Hij zou gezworen hebben dat hij de aansteker pal naast zijn pakje sigaretten had laten liggen. Zoals altijd. Maar hij lag er niet, hoe hij ook zocht.

Weer liet Liebwerk zijn blik door het archief gaan.

'Is er iemand?' vroeg hij nog eens, en hij probeerde zo daadkrachtig mogelijk over te komen.

Stilte.

Waarschijnlijk had hij zijn aansteker in zijn zak gestoken, zei een stemmetje in zijn hoofd. Hij tastte in zijn zakken en vond inderdaad een aansteker, maar niet die ene die hij de hele dag had gebruikt.

Hij stak zijn sigaret aan. Het geluid van de aansteker klonk schrikwekkend luid. Liebwerk nam een stevige trek van zijn sigaret, als altijd begon het te prikken in zijn keel en hij voelde zich meteen beter. Hij blies rook uit door zijn neus en luisterde.

Niets. Je hoorde alleen het zoemen van de computer.

Er is niemand.

Of toch wel?

Hoor ik daar niet iemand ademen?

Nee, toch niet.
Ik beeld het me maar in.

Hopend dat hij op zijn oude dag niet bij zijn werkgever zou hoeven intrekken, nam hij nog een diepe trek van zijn sigaret, legde hem in de asbak en slofte naar de deur van de grote archiefruimte. Liebwerk wilde er juist het licht uitdoen, toen hem een klein, rood voorwerp opviel. Het lag een meter of vijf bij hem vandaan op de grond bij de dozen met dossiers.

Liebwerk haalde adem. Nou, seniel was hij nog niet. De aansteker moest eerder die dag uit zijn zak zijn gevallen, terwijl hij een doos bij de andere dozen neerzette.

'Ouwe lul,' zei hij tegen zichzelf, en hij grinnikte zenuwachtig. 'Stomme ouwe lul.'

Hij liep de grote archiefruimte in, pakte de plastic aansteker van de vloer en hield hem tegen het licht. Halfvol. Dat was toch zonde geweest...

Op dat ogenblik ging het licht uit en voor Liebwerk precies begreep wat er gebeurde, ging de deur dicht.

Whamm!

Ogenblikkelijk was het aardedonker.

'Hé!'

Geschrokken liep Liebwerk naar de deur en voelde naar de klink. Er was maar één lichtknopje voor deze ruimte en dat was buiten op de gang – wie het daar had geïnstalleerd moest een slechte dag hebben gehad of niet helemaal bij zijn verstand zijn geweest.

Ten slotte vond hij de deurklink, maar toen hij die naar beneden drukte, had hij hem opeens los in zijn hand. Een seconde lang was hij volkomen verbouwereerd, toen werd hij door woede overmand.

'Stom kloteding!' vloekte hij en hij sloeg tegen de deur.

'Hee, hallo! Ik ben nog binnen!'

In de andere ruimte kon hij stappen horen die zich van de deur verwijderden en plotseling ophielden.

'Hallo, Paul, ben jij dat?'

Liebwerk luisterde ingespannen. De conciërge was er vast van uitgegaan dat hij al weg was. Maar waarom zei Paul niets terug? Wou hij een geintje met hem uithalen? Dat zou ook niet voor het eerst wezen, dacht Liebwerk, en hij dacht aan de chocoladesigaretten die Paul een tijdje geleden in zijn pakje had verstopt.

'Grappig, ja, echt vreselijk grappig. Haha.'

Boos pookte hij met de klink tegen de deur en probeerde hem terug te steken in het slot. Maar in het donker was dat bepaald niet eenvoudig en toen viel het andere stuk van de klink aan de buitenkant rinkelend op de grond.

'Paul, hou nou eens op met die onzin en help me eruit! De klink is kapot!

Weer hoorde hij voetstappen. Nee, dit was niet Paul Wisniewski. Die had nu wel antwoord gegeven – al was het maar door hardop te lachen.

'Wie is daar?'

De stappen verwijderden zich nog een stukje en hielden weer stil. Er ritselde papier.

'Doe open!'

Aan de andere kant bleef het stil.

'Laat me er nou uit,' jammerde Liebwerk. 'Ik kan niet tegen het donker. Alsjeblieft!'

Toen hij hoorde dat de stalen deur naar de gang openging, raakte de archivaris in paniek en sloeg hij met al zijn kracht tegen de deur.

'Hee! Zo is het wel genoeg! Dit is niet leuk meer!'

Dreunend viel de stalen deur dicht. Met een luide klik viel de schoot in het slot. Wie er ook was geweest, hij had de deur naar behoren dichtgetrokken.

Wanhopig hamerde Liebwerk weer tegen de deur met behulp van de verder nutteloze klink. Hij schreeuwde tot zijn stem het opgaf, maar er kwam niemand. Hijgend tastte hij naar een doos en ging er uitgeput op zitten.

Hier beneden zou niemand hem horen. Na werktijd al helemaal niet. Het administratiegebouw was leeg. Hij zat hier moederziel alleen. In het donker. En hij had niet eens wat te roken.

32

Het was even na vijf uur. Jan stond in de kamer van de verpleegsters, dronk een kopje koffie dat een stagiaire hem had aangeboden en wachtte op dokter Norbert Rauh.

Op de gang van afdeling 12 waren de verpleegsters bezig met het uitdelen van de maaltijden. Ze haalden twee zware metalen wagens uit de rij, waarin het eten via de bevoorradingstunnels van de kliniek was aangeleverd. Algauw kon Jan het gekletter van bestek horen dat op plastic bladen werd uitgelegd. Verder weg hoorde hij de stem van een patiënte die zich kwaad maakte omdat er weer worst en kaas op het menu stond. 'Daar zijn verdomme dieren voor doodgemaakt,' hoorde hij haar schelden. 'Dat zeg ik je al maanden. Maar ziet, spreekt de Heer, de slaven zullen zich van hen bevrijden en over ons komen. En dan zullen zij ons vreten zoals wij hen vreten! Ze zullen zich te goed doen aan onze lichamen...'

'Natuurlijk, Sibylle,' werd ze onderbroken door een verpleegster, 'een groentesoepje dan maar?'

'Ja. Ja. Liever groentesoep.'

Jan liep heen en weer door de verpleegsterspost en dronk koffie. Hij vroeg zich af of hij weer weg zou gaan. Hij kon aanvoeren dat Rauh te laat was en daarom een andere afspraak maken voor de tweede sessie. Maar toch besloot hij te blijven.

Hij was geraakt door Carla's spottende opmerking in de kas. Maar als hij eerlijk was, had ze gelijk. Hij verweet haar dat ze de feiten niet onder ogen wilde zien. Maar deed hij dat zelf? Hij wist het niet. Hij wilde alleen maar zekerheid hebben en rust vinden. Meer niet.

Of wel?

Ik weet het niet.

Als er echt een manier was om in het reine te komen met zijn gevoelens, was het door Rauhs therapie. Zelfs al vond hij het steeds weer moeilijk om aan die gedachte te wennen.

Jan bekeek het grote prikbord dat boven het bureau hing. Het was zo dicht bezaaid met briefjes, het dienstrooster, ansichtkaarten en foto's dat je de kurken ondergrond niet meer kon zien. De meeste foto's waren kiekjes van feestjes en dergelijke. Er was er een van de verpleegsters en patiënten op een barbecue in de hal van de afdeling. Een andere was genomen op een carnavalsfeest in de recreatiezaal. Op een derde foto hield een vrouw – waarschijnlijk een patiënte – een jong poesje op voor de camera.

Iets verder naar beneden ontdekte Jan een groepsfoto. Norbert Rauh stond erop, lachend en met een bos bloemen in zijn armen, voor de glaswand in de personeelskantine. Om hem heen stond een aantal vrouwen die schertsend de vinger hieven naar de zichtbaar trotse arts. Jan herkende twee verpleegsters die hij hier op afdeling 12 had leren kennen.

Een vrouw sprong er in het bijzonder uit, en niet alleen omdat ze uitgesproken knap was. Ze was de enige die geen witte jas droeg. Verder stond ze vlak bij Rauh en hoewel ze half schuilging achter een forse, wat oudere verpleegster meende Jan te zien dat de vrouw haar arm om Rauhs heupen hield.

Ze was zonder twijfel jonger dan Rauh en Jan vermoedde dat de slanke vrouw met het lange, donkere haar zijn dochter was. In elk geval was ze geen jongere collega; daarvoor was de manier waarop ze Rauh aankeek iets te amicaal.

'Dat was bij zijn indiensttreding,' zei iemand naast hem.

Jan draaide zich geschrokken om. Het was de gezette verpleegster van de foto die zo plotseling naast hem stond dat ze ter plekke uit de grond leek te zijn opgerezen.

'O, sorry, ik hoorde u niet aankomen,' stamelde Jan.

'Wilt u nog koffie?'

'Nee, dank u.'

Ze schikte haar grijze haar, dat ze in een ouderwetse knot droeg. 'Het spijt me dat u moet wachten, dokter Forstner. Ik weet niet waar dokter Rauh zich nu weer heeft verstopt. Hij zei dat hij zo terug zou zijn. Maar dat is al ruim een halfuur geleden.'

'Het geeft niet, ik heb de tijd,' zei Jan en hij wees naar de foto. 'Is dat zijn dochter?'

'Wie? O die. Nee.' de verpleegster grijnsde schalks. 'Dat is zijn vrouw. Of liever, zijn ex-vrouw. Kort nadat dokter Rauh hier kwam werken, is ze van hem gescheiden. U kunt er beter niet over beginnen.'

'Ik zal het onthouden.'

De verpleegster stak haar handen in de zakken van haar witte jas en zuchtte dromerig. 'Dat was een knap jong ding. Hij was helemaal weg van haar.'

'Weet u ook waarom ze uit elkaar zijn gegaan?'

'Nee, geen idee. Dat gaat me ook niet aan. Ik vermoed dat het leeftijdsverschil haar op een gegeven moment toch te groot werd. Ik heb haar weliswaar slechts één keer gezien – op het feestje van de foto – maar ze leek me behoorlijk levenslustig, als u begrijpt wat ik bedoel.'

De verpleegster knipoogde samenzweerderig en Jan knipoogde terug.

'Dokter Rauh is nog steeds een erg aantrekkelijke man,' zei ze, en Jan dacht dat hij een soort bewondering hoorde in haar stem. 'Onder ons, hij heeft een zwak voor jonge meiden.'

'O ja?'

'Ja nou. En voor zover ik heb gehoord, niet helemaal zonder succes. Maar tegen haar kon hij op den duur toch niet op.'

'Zijn ze lang getrouwd geweest?'

Ze haalde haar schouders op. 'Nu vraagt u me te veel. Zoals ik al zei, de dokter praat er niet over en dat is natuurlijk zijn goed recht.'

'Ja, natuurlijk,' beaamde Jan.

'Ik heb gehoord over Alfred Wagner,' zei de verpleegster en veranderde zo van onderwerp. 'Wat een nare toestand.'

'Ja, dat was erg treurig.'

'Weet u, dokter Forstner, sinds ik daarvan hoorde heb ik last van een slecht geweten.'

Jan zette zijn lege kopje naast de koffiemachine en keek haar vragend aan. 'Waarom?'

'Nou kijk, ik weet dat het dom klinkt, maar uiteindelijk kun je je karakter niet veranderen.' Ze keek verlegen naar de grond. 'Ik heb nogal tegen die arme jongen lopen schreeuwen. Onlangs, toen we hem betrapten bij die inbraak. En ik heb toen ook zijn afdelingsarts op de hoogte gesteld, die hem overplaatste naar afdeling 9.'

'Maar wat er toen gebeurde is uw schuld toch niet?'

Ze knikte. 'Dat weet ik wel. Zulke gevallen komen wel vaker voor. Ik wil niet weten hoeveel patiënten hier zelfmoord hebben gepleegd sinds ik hier werk. Maar toch maak ik mezelf nu verwijten. Begrijpt u dat?'

Voor Jan iets terug kon zeggen, viel Norbert Rauh de kamer binnen. Hij was helemaal rood in zijn gezicht en had duidelijk moeten rennen.

'Verwijten?' vroeg hij hijgend. 'Wie maakt er zichzelf hier verwijten? De enige die zich hier iets mag verwijten, ben ik, omdat ik je zo lang heb laten wachten.'

Hij gaf Jan een stevige hand, die zweterig was, hoewel hij net uit de kou moest komen.

'Kom Jan, dan gaan we naar mijn kantoor. Ik zal een lekker potje thee zetten.'

'Klinkt goed.'

Jan liep achter hem aan de gang op naar het trappenhuis. Toen ze langs de recreatiezaal kwamen, waar de patiënten nog zaten te eten, zag hij Sibylle zitten. De patiënte keek naar hem. Ze had een lelijke grijns op haar misvormde gezicht. Ze knikte Jan toe en ging met haar wijsvinger langs haar keel.

Nu ben je erbij.

33

Drieëntwintig jaar later was Jan al lang vergeten hoe warm het op vrijdag 19 juli 1985 was geweest. Hij was vergeten dat hij een spijkerbroek, gymschoenen en een mosterdkleurig T-shirt had gedragen en hij herinnerde zich ook de zware weekendtas met vuile was niet meer, die hij elke twee weken mee naar huis bracht. Maar de hypnose van Rauh bracht alle details weer in Jans bewustzijn naar boven.

Opnieuw zag Jan zichzelf staan op het station van Fahlenberg. De zinderende hitte van de late namiddag hing in de lucht en Jan had ontzettende dorst. Omdat de lessen vandaag wat langer hadden geduurd dan normaal, had hij geen tijd meer gehad om wat te eten en te drinken in de kantine van het internaat, zoals hij anders altijd deed.

En omdat je op de trein van Karlsruhe naar Fahlenberg nooit zo lang hoefde te wachten dat je nog tijd had om even iets te halen, was Jans tong in de loop van de treinreis, die drie uur duurde, in een droog stukje schuurpapier veranderd.

Toen Jan in Fahlenberg aankwam, was de kleine kiosk naast het station al dicht. Jan had geen andere keus dan het nog een wandeling van bijna anderhalve kilometer uit te houden en zich te verheugen op het glas limonade dat hij thuis zou drinken. *Liever een fles*, dacht hij, terwijl hij op weg ging. *Of doe er maar twee.*

Er was bijna niemand op straat. Met alle neergelaten rolluiken en jaloezieën en alle etalages die schuilgingen achter markiezen leek heel Fahlenberg te dommelen onder een stolp van drukkende hitte. Zwetend nam Jan de helling van de stationsstraat, ging een zijstraat in, liep langs de bioscoop waar hij een blik wierp op het enorme affiche met Roger Moore en Grace Jones die reclame maakten voor de nieuwste James Bond-film en kwam hij door een klein straatje in het park.

Zoals altijd bleef hij op het pad aan de rand van het park, zodat hij niet langs het bankje bij de vijver hoefde. Zelfs al deed niets daar nu nog denken aan die ijskoude nacht van zes maanden eerder, zelfs al hoorde je het gelach en gejoel van zwemmende kinderen, toch vond Jan het ondraaglijk om langs de plek te lopen waar Sven was verdwenen.

Ten slotte kwam hij langs het huis van Marenburg, die net met twee gieters op weg was naar zijn moestuin, Jan zwaaide naar hem. Toen liep hij naar de heg van zijn ouderlijk huis en bleef hijgend staan.

Het afgelopen jaar had die tuin er prachtig uitgezien. De bloemperkjes hadden er op het kort gemaaide gras uitgezien als kleurige eilandjes in een groene zee. Aan de oostkant van het huis was een vijvertje met goudvissen geweest waar ruisend riet omheen stond en iets verder naar achteren had Jans moeder sla, groenten en bessenstruiken geplant.

Zijn moeder hield van tuinieren en er was geen hoekje in de tuin dat ze niet met liefde vorm had gegeven. Ze had zelfs een keer de eerste prijs gewonnen bij de jaarlijkse prijsvraag van Mooiste Tuin van Fahlenberg.

Inmiddels was er niets meer wat herinnerde aan de schoonheid van voorheen. Treurig keek Jan naar het doorgezakte latwerk met de verlepte klimrozen bij het tuinhek en naar het grasveld, waar het gras nu zo hoog stond dat de braakliggende eilandjes nauwelijks meer waren te onderscheiden.

Sinds alleen Jan en zijn moeder nog over waren, was er veel veranderd. Nee, dacht Jan, niet zomaar véél. Alles was anders. Van hun wanhopige verdriet waren ze andere mensen geworden. Zijn moeder was niet meer dezelfde. Ze lachte niet meer, verwaarloosde haar uiterlijk, het huis en de tuin.

Ze leed aan een ernstige depressie, had Raimund Fleischer uitgelegd. Jans vader en hij waren niet alleen collega's, maar ook goeie vrienden geweest. Fleischer had zich na de tragische gebeurtenissen om Jans moeder bekommerd, met haar gepraat, haar medicijnen voorgeschreven.

In het begin had Jan nog kunnen omgaan met de depressie van zijn moeder. Hij had haar geholpen bij het huishouden en soms zelfs voor haar gekookt als hij thuis kwam van school. 's Avonds bleef hij met haar in de woonkamer zitten, wat hij vroeger bijna nooit deed omdat hij liever op zijn kamer lag te lezen. In plaats daarvan had hij samen met haar naar haar lievelingsserie gekeken: *Die Schwarzwaldklinik*. Maar ook de volmaakte wereld van dokter Brinkmann had haar niet met haar sombere gepieker kunnen laten ophouden.

Hoe Jan ook zijn best deed, hij drong niet meer tot zijn moeder door. Niets kon haar nog opvrolijken en er was maar weinig voor nodig om haar in woede te laten uitbarsten.

Het dieptepunt werd bereikt toen Jan op een dag Svens kamer binnen was geglipt om een cassette met een hoorspel te pakken, die hij Sven een paar dagen voor diens verdwijning had geleend. Zijn moeder had hem betrapt en was uit haar vel gesprongen. Ze had Jan geslagen, tegen hem gegild en geschreeuwd, en hij mocht zich 'nooit nooit nooit meer' in die kamer vertonen.

Jan was zo bang voor haar geworden dat hij het huis uit was gehold en pas laat in de avond weer naar binnen had durven gaan.

In maart waren Jans schoolprestaties zo achteruitgegaan dat zijn klassenleraar, meneer Kaiser, zijn moeder kwam opzoeken. Hij praatte lang met haar en aan het eind van het gesprek waren ze het erover eens geworden dat Jan naar een kostschool zou gaan. De leraar had het persoonlijk geregeld, maar omdat het midden in het schooljaar was, had hij alleen in het afgelegen Karlsruhe een plaats voor Jan kunnen vinden.

Eerst was Jan allesbehalve enthousiast geweest bij het idee, maar meneer Kaiser had hem ervan kunnen overtuigen dat het maar tijdelijk zou zijn – tot het weer beter ging met zijn moeder. Jan zou er nieuwe vriendjes krijgen, beloofde hij, en het zou hem goed doen om zo ver van Fahlenberg te zijn.

'Weet je, Jan,' zei meneer Kaiser, en hij keek Jan bezorgd aan, 'ik denk dat je die afstand heel erg nodig hebt. Je bent heel opof-feringsgezind en je ontfermt je over je moeder en dat vind ik be-wonderenswaardig. Maar aan de andere kant denk ik dat je op die manier ook probeert weg te lopen voor je eigen gevoelens. Dat is niet goed, want op een gegeven moment zullen die je gaan op-breken, jongen, hoezeer je ze nu ook onderdrukt.'

En dus ging Jan nu naar het internaat en kwam hij iedere twee weken in het weekend naar Fahlenberg. In Karlsruhe had hij in-derdaad vrienden gemaakt en het deed hem goed dat hij niet meer zeven dagen in de week werd geconfronteerd met de gevol-gen van wat er was gebeurd. Ook zijn schoolprestaties waren erop vooruitgegaan. Jan hoorde nu weer bij de besten van de klas. Alles wat meneer Kaiser had voorspeld, was uitgekomen.

Alleen bij Jans moeder was geen verbetering merkbaar. Dus verbaasde Jan zich niet over de propvolle brievenbus toen hij het tuinhekje binnenging. Hij haalde de post uit de bus, liep door de verwilderde tuin naar het huis en deed de deur open.

Er steeg een prettige koelte op van de plavuizen op de vloer in de gang. Het rook naar iets zoetigs en Jan dacht eerst dat zijn moe-der misschien rabarbertaart voor hem had gebakken – dat zou een goed teken zijn. Maar toen Jan de keuken binnenging om iets te drinken te pakken, spatte die hoop als een zeepbel uit elkaar.

De zoete geur die hem eerst aan rabarbertaart had doen den-ken, kwam van een stapel vieze borden naast de gootsteen. Jan zag een bord met opgedroogde spaghetti waar groengrijze schim-mel op was gegroeid, en schrok. Bij zijn vorige bezoek hadden ze spaghetti gegeten, met bolognesesaus. Hij had voor hen tweeën gekookt. Zoals altijd had zijn moeder nauwelijks trek gehad. Haar bord was nog halfvol geweest toen hij het weer terug had gezet in de keuken. En daar stond het nog steeds, naast de twee pannen waarin eveneens schimmel groeide.

Jan zuchtte. De afgelopen twee weken had ze zich dus weer nergens toe kunnen zetten. Zelfs niet tot zoiets eenvoudigs als de afwas, ook al had ze het hem beloofd. En waarschijnlijk had ze in de tussentijd op eten uit blik geleefd of helemaal niet gegeten. In de loop van de afgelopen zes maanden was ze broodmager geworden en dat, terwijl dokter Fleischer haar behalve antidepressiva ook capsules had voorgeschreven die haar eetlust moesten opwekken.

Jan dronk twee glazen water uit de kraan – er was geen limonade in huis –, droeg de weekendtas met vuile was naar de kelder en stopte de was in de wasmachine.

Het was doodstil in huis. Waarschijnlijk lag zijn moeder in bed, zoals meestal met de deken over haar hoofd. Het bed was haar toevluchtsoord en wee degene die haar daar durfde te storen. Jan ging naar zijn kamer. Hij pakte zijn schoolboeken uit zijn tas, wierp er een mismoedige blik op en dacht aan het proefwerk voor Engels dat hem maandagochtend te wachten stond. Toen pakte hij een schoon T-shirt en een korte broek uit de kast en liep daarmee zo zacht als hij kon langs de slaapkamer van zijn ouders naar de badkamer. Hij moest absoluut even douchen na de treinreis die hij achter de rug had.

Zachtjes duwde hij de klink van de badkamer naar beneden en...

'Nee, nee, nee, ik wil niet!'

'Jawel, Jan, je wilt het wel! Je wil het vertellen. Laat het uit je komen. Laat het eindelijk naar buiten. Alleen zo kun je je ervan losmaken.'

'Nee. Ik kan het niet.'

'Jawel, Jan, je kunt het. Vergeet niet dat alles al gebeurd is. Het is voorbij, Jan. Ze kan je niets meer doen.'

'Maar... het doet... het doet zo'n pijn.'

'Wat heb je gezien in de badkamer, Jan? Vertel het me. Ik ben hier bij je. Er gebeurt helemaal niets. Ik ben bij je.'

'Echt?'

'Ja. Ik hou je hand vast. Je hoeft niet alleen naar binnen gaan. Vertel me wat je ziet.'

'Ik zie, ik zie...'

De badkamer stond vol kaarsen. De meeste waren helemaal opgebrand. Het zag eruit als een druipsteengrot. Lange pegels kaarsvet hingen aan de wastafel, het deksel van de wc, het tafeltje naast het bad en de rand van het bad.

Sommige kaarsen hadden donkere sporen van roet op de blauwe tegels op de muur achtergelaten, andere leken vroegtijdig te zijn gedoofd. Dat had waarschijnlijk aan het open raam gelegen, waardoor de wind vrij spel had gehad.

Angelika Forstner lag in bad en keek haar zoon met lege ogen aan. Ze zag eruit als een van de monsters uit Jans stripboeken. Haar hoofd, hals en schouders, die uit het water staken, hadden een vreemde, gelige kleur gekregen. Haar huid leek op een verschrompeld ballonnetje waar de lucht uit was weggelopen. Over haar pupillen lag een melkachtige sluier, alsof ze witte contactlenzen droeg.

Vliegen zwermden rond haar hoofd. Ze kropen uit haar wijd openstaande mond, in haar neusgaten en haar oren, en glipten door haar haar. Dat zag eruit als grijs stro en leek in de verste verte niet meer op het opgestoken haar dat ze vroeger had.

Het water in bad leek paars glas, waardoorheen je Angelika Forstners opgezwollen lichaam met de doorgesneden polsen kon zien liggen. Voortdurend stegen er stinkende belletjes naar de oppervlakte en Jan dacht dat hij een nauwelijks waarneembaar borrelen kon horen.

Zo stond hij daar naar zijn dode moeder te kijken. Hij kon niet geloven wat hij zag. Zijn hoofd was leeg, niet in staat ergens over na te denken.

Geen gevoelens. Alleen leegte. En stilte. Onverdraaglijke stilte.

Hij zag het tafeltje naast het bad. Anders lagen daar alleen twee handdoeken, een boek en een kopje thee. Maar nu stonden er kaarsen en daarnaast lag het keukenmes waarmee ze een eind aan haar leven had gemaakt. Op het lemmet zat haar opgedroogde bloed.

Het mes riep een reactie op bij Jan. Het was het mes waarmee hij de vorige keer nog uien voor de bolognesesaus en augurkjes voor de sla had gesneden.

Je hebt het vast niet eens afgeveegd, zei een stem binnen in hem, die bepaald niet leek op de zijne. Hij klonk... woedend.

'Waarom ben je boos, Jan? Is het het mes? Gaat het erom dat ze juist dat mes heeft gebruikt?'

'Nee, het is niet het mes.'

'Wat is het dan?'

Stilte.

'Ben je boos op haar omdat ze zelfmoord heeft gepleegd? Omdat ze je alleen heeft gelaten?'

'Ja, dat ook. Maar eigenlijk is dat niet waarom ik boos ben.'

'Waarom dan?'

'Om de foto's.'

'Welke foto's?'

Op het tafeltje naast het bad stonden twee ingelijste foto's. Zijn moeder had ze zó neergezet, dat ze ze in bad liggend goed kon zien. Jan liep erop af, hoewel hij de lijstjes meteen had herkend. Hij wist wie er op de foto's stonden. Bij zijn vorige bezoek hadden ze nog beneden in de woonkamer op de plank gestaan. Deze twee – en nog een andere, die nu ontbrak.

De tranen stroomden Jan over zijn gezicht, toen hij de twee foto's bekeek. De grootste was de trouwfoto van Bernhard en Angelika Forstner. Het bruidspaar stond innig verliefd in een herfstig park en de jurk van Jans moeder was oogverblindend wit.

Op de tweede foto lachte Sven hem tegemoet. De foto was genomen op zijn vijfde verjaardag, juist nadat hij de kaarsjes op zijn taart had uitgeblazen. Er school een levendigheid in Svens foto die Jan griezelig vond. Griezeliger nog dan het lijk van zijn moeder in de bloedbevlekte badkuip. Sven leek hem uit te lachen.

Het leek Jan alsof zijn vermiste broertje hem iets wilde zeggen – iets wat hem onuitsprekelijk pijn deed.

Er mist er een! leek hij te roepen. *Jawel, grote broer, er mist er een. Die van jóú!*

'Ze heeft mij de schuld gegeven,' zei Jan, toen hij was bijgekomen van de effecten van de hypnose.

Rauh en hij zaten tegenover elkaar en dronken vruchtenthee. Rauh had gezwegen en hem de tijd gegeven om de weg naar het heden terug te vinden. Nu schudde de therapeut zijn hoofd en keek Jan aan met een blik waarin medelijden lag, maar ook ergernis en begrip. 'Niemand van jullie heeft schuld, Jan. Jij niet en je moeder niet. Het was een samenloop van omstandigheden waar geen van jullie invloed op had. Je moeder heeft je alleen de schuld gegeven omdat ze iemand nodig had die verantwoordelijk was. Ze heeft geprobeerd om met haar pijn om te gaan en is erop stukgelopen.' Hij nipte aan zijn thee en zette zijn kopje neer voor hij verder ging. 'Jij hebt je de schuld láten geven, Jan. Ben je je daarvan bewust?'

'Waarom denk je dat?'

'Nou ja, je hebt je er ook niet tegen verdedigd.'

'Nee,' zei Jan en hij knikte. 'Nee, dat heb ik inderdaad niet.'

'Mag ik je iets vragen?'

'Natuurlijk.'

'Gisteren,' zei Rauh, en hij schraapte zijn keel, 'Gisteren heb je al het mogelijke gedaan om Alfred Wagner ervan af te houden om zelfmoord te plegen. Wat gebeurde er toen met jou?'

'Ik deed gewoon mijn plicht als arts,' zei Jan na een korte denkpauze.

Rauh keek hem met een dun glimlachje aan. 'Was dat echt alles?'

'Waar wilt u heen?'

'Heb je geen parallel gezien met de zelfmoord van je moeder? Ik bedoel, er wilde opnieuw iemand zelfmoord plegen, maar deze keer was je in de gelegenheid het te verhinderen. Bij je moeder was je te laat, maar bij Alfred Wagner lagen alle mogelijkheden open.'

Weer dacht Jan even na. Toen knikte hij. 'Ja, je hebt gelijk. Zo kun je het ook zien.'

'En wat was je gevoel tegenover meneer Wagner? Hoe zou je dat gevoel willen noemen?'

Jan zette zijn kopje weg. 'Verantwoordelijkheid.'

Met een tevreden knikje leunde Rauh achterover in zijn stoel. 'En dan komt nu de allesbepalende vraag, Jan: kan het zo zijn dat je die beschuldiging door je moeder met verantwoordelijkheid verwisselt?'

'Bedoel je dat ik mezelf verantwoordelijk vind voor alles wat er vroeger is gebeurd?'

Rauh knikte.

'Ja, dat kan zijn.'

'Ik denk niet alleen dat het kán zijn, het ís zo. Je denkt dat je verantwoordelijk bent voor de verdwijning van je broer en voor alle ellende die daaruit voortkwam, omdat je hem destijds hebt meegenomen naar het park. Je moeder heeft je daarin nog bevestigd toen ze er een eind aan maakte en ervoor zorgde dat jij degene was die haar zou vinden. En dat je meteen zou opmerken welke foto er ontbrak – de foto, vanuit je moeder gezien, van de schuldige.'

Rauh liet zijn woorden op Jan inwerken. Jan keek naar zijn theekopje. Opeens zag hij de gelijkenis tussen de rode vloeistof in het witte kopje en het bloederige water in een badkuip. Walgend wendde hij zijn blik af.

'Ja, ik voel me verantwoordelijk. Als ik Sven niet had meegenomen was hem niets overkomen.'

'Echt?' Rauh keek hem aan met één wenkbrauw opgetrokken. 'Misschien was je broertje diezelfde nacht niets overkomen, maar de volgende dag wel. Of de dag daarna. Hoe wilde je daar achter komen? En dat is niet het enige: Sven kwam uit eigen vrije wil achter je aan. Niet omdat je hem daartoe uitnodigde.' Hij boog zich naar Jan over. 'Niemand kan een jongen van twaalf de schuld geven van zoiets, Jan. Je moeder niet en jijzelf al helemaal niet. Je moeder was ziek, Jan, en dat weet je. Ben je zelf niet om die reden psychiater geworden? Je wilde mensen genezen, omdat je dat bij je eigen moeder niet lukte, en je wilde mensen begrijpen omdat je de dader niet begreep die al dat ongeluk over jou en je familie heeft gebracht.'

Rauh hield een korte pauze en legde toen een hand op Jans

schouder. 'Leer eindelijk toe te geven aan je woede, Jan. Je bent woedend op je moeder, dat heb je me eerder zelf gezegd. Maar omdat ze de laatste was van de drie mensen die je het meest na stonden en je haar nu ook had verloren, kon je je woede tegenover haar niet kwijt. In plaats daarvan richtte je je woede op jezelf. Dat je moeder blind van verdriet en in uiterste wanhoop deed wat ze deed, kon je niet meer erkennen. Haar verliezen was de zwaarste straf die ze je konden opleggen en je werd er te hard door geraakt – en op te jonge leeftijd – om je ertegen te kunnen verweren. Dus heb je de beschuldiging geloofd en verinnerlijkt.'

Jan voelde hoe hij over zijn hele lijf begon te trillen. Rauh had achter het gordijn van zijn obsessie gekeken en liet hem nu zien wat hij zelf nooit had durven zien. Rauh had gelijk, maar nog steeds stelde alles in Jan zich te weer tegen dat inzicht.

'Maar ik...'

'Nee, Jan, nee! Geen "maar"! Zie eindelijk onder ogen tegen wie je werkelijk de woede koestert, die je al meer dan twintig jaar met je meedraagt. Tegen je moeder!'

34

Keer op keer had Hieronymus Liebwerk om hulp geroepen en op de deur gebonsd. Vergeefs. Ten slotte had hij zich erbij neergelegd dat hij de nacht in de donkere archiefruimte zou moeten doorbrengen. Hij zou op zijn laatst de volgende ochtend, als de medewerker van de postkamer langskwam, uit zijn onaangename positie worden bevrijd. Gelukkig kwam die op zaterdag altijd vroeger, zodat hij zo snel mogelijk aan het weekend kon beginnen. Liebwerk balde zijn vuisten. God hielpe dan degene die hem hier had opgesloten!

Met die gedachte had de archivaris het zich min of meer gemakkelijk gemaakt op twee archiefdozen, zich nog even overgegeven aan zijn wraakgevoelens en was hij ingedut.

Hij droomde van een supermarkt, die maar een paar minuten lopen van zijn huis was, en van een grootverpakking sigaretten die hem werd aangegeven door de struise blondine bij de kassa. Meteen zag hij zichzelf voor de winkel staan en begerig een vuurstokje aansteken.

Een verrukkelijke droom. Alles was zo realistisch dat Liebwerk dacht dat hij echt inhaleerde. Maar toen...

Liebwerk bromde. Deze sigaret was helemaal niet lekker. Integendeel, hij stonk ontzettend. Als een brandende vuilnisemmer.

Hoestend werd hij wakker, met de walmende stank nog in zijn neus. Hij vloekte hardop in het duister toen hem plotseling duidelijk werd dat hij de walm niet had gedroomd. De bijtende stank was echt. Hijgend stond hij op en keek geschrokken naar het flikkerende licht dat onder de deur door kierde.

'Brand!'

35

Het duurde tot vroeg in de ochtend voor de brandweer de brand helemaal had geblust. Hooguit een paar minuten nadat het alarm was gegaan, was de beveiliging van de Boskliniek ter plaatse en kort daarna kreeg ze ondersteuning van de vrijwillige brandweer van Fahlenberg.

De mannen kregen de brand maar met moeite onder controle. Het oude administratiegebouw was weliswaar uit dikke stenen opgetrokken, maar de vele houten lambriseringen, kasten, dossiers en de bergen papier in de kelder hadden de vlammen rijkelijk van voeding voorzien.

Toen op zaterdagochtend de schade werd opgenomen, werd er vastgesteld dat inderdaad alleen het archief was verwoest. De vleugel waar de administratie huisde was niet aangetast en het bedrijf kon gewoon worden voortgezet.

Diezelfde dag deed de conciërge om vijf uur 's ochtends een ontdekking bij het sneeuwruimen. Paul Wisniewski zag de oude Mercedes op de personeelsparkeerplaats. Hij zag as en verkoolde stukjes papier op de auto liggen, die door de brand over grote delen van het terrein van de kliniek waren verspreid. Daar leidde hij uit af, dat de auto 's nachts niet van zijn plaats was geweest.

Ongeveer tegelijkertijd vond men het verkoolde lijk van een man in de grote archiefruimte. Naar alle waarschijnlijkheid betrof het Hieronymus Liebwerk, die geprobeerd moest hebben, zich achter een grote stapel karton in veiligheid te brengen. Toen het vuur ten slotte onder de deur door was gekomen, moest Liebwerk al dood zijn geweest. Lang voor zijn lichaam aan de vlammen ten prooi was gevallen, was hij al gestikt. In de archiefruimte waren geen ramen.

De oorzaak van de brand vond men bij Liebwerks bureau. Men

vermoedde dat een smeulende sigarettenpeuk een stapel dossiers had aangestoken en zo de brand had veroorzaakt. Aangezien de weg naar buiten versperd was geweest, moest de archivaris daarom naar de grote archiefruimte zijn gevlucht. Daar had hij de deur in zijn paniek zo hard achter zich dichtgeslagen, dat de oude deurklink was losgeschoten.

Dat had zijn dood betekend.

36

Deze ochtend had een groot aantal medewerkers zich verzameld bij de ingang van het archief. De gevel was tot de bovenste verdiepingen zwart van de roet.

'Ernstige zaak,' zei dokter Raimund Fleischer, die zich tussen een paar medewerkers door had gewrongen tot bij Jan.

Jan knikte en ze keken samen naar de boog boven de ingang, waaraan dikke ijspegels hingen – overblijfsels van het bluswater, die eruitzagen als de messcherpe tanden in de geopende muil van een prehistorisch monster.

Bij hun laatste ontmoeting in het archief had Liebwerk erop gestaan dat Jan niet door deze uitgang naar buiten zou gaan. Hij was bang geweest dat de mysterieuze dossierdief zou merken dat ze zijn streken op het spoor waren gekomen.

Nu was Liebwerk dood. De politie en de brandweer gingen uit van een ongeluk, veroorzaakt door Liebwerks nalatigheid. Weer zo'n toeval waar Jan niet echt in wilde geloven. Maar behalve de herinnering aan de angst van de archivaris had hij niets wat hij tegen de ongevalstheorie kon inbrengen.

'Ik heb die ouwe gek wel honderd keer gezegd dat hij beter buiten kon roken,' zei Fleischer, meer tegen zichzelf dan tegen Jan. 'Waarschijnlijk had ik net zo goed een dove koe kunnen vragen om een salto te maken.'

Hij slaakte een diepe zucht en zijn adem steeg in een dikke wolk op van zijn gezicht. Toen draaide hij zich om naar Jan, die hem radeloos aankeek. De professor leek zijn zwijgen op te vatten als instemming.

'Dat zal nog veel gedoe met zich meebrengen,' zei hij hoofdschuddend. 'Nu ik je toch zie, Jan, heb je plannen voor morgenavond? Als het schikt, zou ik je graag bij ons thuis te eten uitnodigen.

'Te eten?' Jan had nauwelijks geluisterd. 'Ja, leuk.' Het kostte hem moeite om enig enthousiasme in zijn stem te leggen. Daarvoor greep Liebwerks dood hem te zeer aan.

'Fijn. Tegen zevenen dan?'

'Zeven uur is goed.'

Met een brede glimlach klopte Fleischer hem op de schouder. 'Waarschijnlijk heb ik goed nieuws voor je. Over je arbeidsovereenkomst. Ik denk dat ik je vaste aanstelling er bij de personeelsraad wel door kan krijgen.'

Jans mond viel open. 'Vaste aanstelling... Maar ik dacht... ik zit toch in mijn proeftijd?'

'Ja, ja, ja,' zei Fleischer, en hij maakte een afwerend gebaar. 'Het is nog niet honderd procent in kannen en kruiken. Ik moet nog schriftelijke toestemming van het hoofd van de administratie krijgen. Maar het ziet er goed uit. Het is eigenlijk maar een formaliteit. Eerzuchtige jonge artsen als jij kunnen we goed gebruiken. Niet makkelijk te vinden. En onder ons gezegd, de chef personeelszaken en ik zijn goeie vrienden.'

'Ik... nou, ja, ik weet niet wat ik moet zeggen,' stamelde Jan.

'Zeg voorlopig dan maar niets,' antwoordde de professor joviaal. 'Kom gewoon morgenavond bij ons, dan bespreken we de rest later.'

Jan verzekerde Fleischer dat hij graag zou komen. Fleischer klopte hem nog eens tevreden op de schouder en liep weg in de richting van de administratie.

37

'Misschien was het toch niet zo'n goed idee om hierheen te komen,' zei Ralf en hij sloot het doosje met foto's dat hij op het bureau van Nathalie had gevonden. 'Ik vind mezelf net een kruimeldief, nu ik hier zo loop te snuffelen. En nog wel op de dag dat ze begraven wordt.'

Carla, die naast hem op de vloer knielde en de laden van de kast in de woonkamer doorzocht, keek naar hem op. 'Dat wilde je zelf, weet je nog?'

'Jij toch ook,' zei Ralf, en hij trommelde zenuwachtig met zijn vingers op de plastic leuning van de bureaustoel.

'Ja nou, anders was ik hier niet.' Carla schoof de lade dicht en stond op. Er klonk een zachte knak in haar knieën. 'Hou gewoon voor ogen dat we het voor haar doen.'

Ralf zuchtte diep en schudde zijn hoofd. 'Ik weet niet zo zeker meer of ik de waarheid nog wel achterhalen wil.'

'Dat ze een ander had?'

Ralf liet het hoofd zakken. 'Dat zou ze me toch nooit hebben aangedaan.' Zijn blauwe ogen glansden.

'Wen er maar aan. Zoiets gebeurt nu eenmaal en als je echt van haar hield, moet je dat accepteren.'

Hij knikte zonder iets te zeggen.

'Vooruit,' zei Carla. 'Laten we verdergaan.'

Ze ging de slaapkamer binnen en keek om zich heen. Waar zou ze hier nog iets kunnen vinden? Ze had alles al nagekeken, maar nergens een aanwijzing gevonden dat er een aanbidder was geweest. Als Nathalie echt iets voor Ralf had verborgen, had ze dat goed gedaan.

Ralf kwam achter haar aan de slaapkamer in. Hij haalde diep adem. 'En als ze toch verkracht is?'

'Nee Ralf.' Carla zei het zacht, maar beslist. 'Dat heeft Jan uitgesloten en ik geloof het ook niet. Anders had ze zich totaal anders gedragen. Herinner je je de dag dat Nathalie ontslagen werd uit de kliniek, toen we naar de pizzeria gingen? Hoe uitgelaten ze toen was?' Ralf knikte en liet zijn hoofd hangen. 'Zie je wel. Zo gelukkig had ik haar nog nooit meegemaakt, er was een last van haar af gevallen. Ze zei dat het was alsof alles maar een boze droom was geweest. Weet je nog?'

'Ja, ik weet het nog,' fluisterde Ralf.

Een paar seconden lang stond de herinnering als een vriendelijke geest tussen hen beiden in de kamer. Ze dachten allebei aan Nathalie, die in de pizzeria aan de hoektafel naast het aquarium had gezeten en met een fluitje prosecco op de goede afloop had geklonken.

Op de mooie dromen, had ze gezegd, en ze had gegiecheld zoals ze altijd deed wanneer ze aangeschoten was.

En op de boze dromen, dacht Carla, die je nu niet meer hoeft te dromen.

'Zou het niet kunnen...' begon Ralf weer. Hij aarzelde. 'Zou het niet kunnen zijn dat ze er niets van heeft gemerkt?'

'Gemerkt?' Carla keek hem verbaasd aan.

'Ja. Dat het gebeurde zonder dat ze zich er bewust van was.'

'Hoe bedoel je dat?'

'Ik weet het niet. Door de medicijnen misschien?'

'Ik wist niet dat ze haar hadden platgespoten. Heeft ze daar tegen jou iets over gezegd?'

Weer zakte Ralfs hoofd naar beneden. 'Nee. Dat kan eigenlijk ook niet. Ik heb haar medicatielijst ingezien. Officieel heeft ze niets gekregen waar ze zo van buiten westen had kunnen zijn. En als ze er werkelijk te veel van had genomen, was dat wel opgevallen. De bijwerkingen zijn alsof je een zware kater hebt...'

Hij ging naast Carla op bed zitten en wreef zijn slapen.

'Accepteer het toch gewoon,' zei Carla, en ze legde troostend een arm om zijn schouders. 'Ik weet dat de waarheid pijn doet, maar het is nu eenmaal zo.'

'Ja, het doet pijn.' Ralf zuchtte meelijwekkend diep. Toen gaf hij het kleedje bij haar bed een zet met zijn hak, zodat het als een pluizige platvis over de laminaatvloer zoefde. 'Het doet verdomd veel pijn zelfs!'

Verrast keek Carla naar de zwarte kartonnen doos die tegelijk met het kleedje onder het bed vandaan was geschoten.

'Hee, wat is dat?'

'Wat?'

'Dat daar!' Carla stond op en knielde bij de doos, waar het goudkleurige logo op stond van een Italiaanse firma.

'Een schoenendoos. En wat dan nog?'

'Zoiets kan ook alleen een man vragen.' Carla sloeg haar ogen ten hemel. 'Wat zie je het eerst als je dit huis binnenkomt?'

'Hè? Ja, nou, de spiegel.'

Zuchtend schudde Carla haar hoofd. 'En wat staat daaronder, groot en onomstotelijk?'

'Het schoenenrek.'

'Precies, dat bedoel ik. Vrouwen bewaren hun schoenen niet in dozen. Ze willen ze op de plank zien staan. En dure merken al helemaal. Daarom noemde je vriendin ze ook altijd "schatjes" in plaats van "schoenen".'

Nieuwsgierig haalde Carla het deksel van de doos. Hij zat vol brieven en ansichtkaarten.

De meeste ansichtkaarten kende Carla wel. Ze had ze zelf aan Nathalie gestuurd als ze op reis was voor een artikel of een congres. Een paar oudere kaarten waren uit de tijd dat Carla nog met Jörg samen was, met wie ze veel reizen had gemaakt. Als Jörg niet zo had gehecht aan knus-met-z'n-tweetjes-weg, zou ze Nathalie graag mee op vakantie hebben genomen. Die zou meer hebben gehad aan een paar dagen in de zon, een goed hotel bij het strand, lekkere cocktails en een exotisch nachtleven dan aan stomme ansichten van stranden met palmbomen en surfende beachboys, dacht Carla. Ze had Jörg al veel eerder voor Nathalie moeten inruilen. Misschien zou Nathalie iemand hebben leren kennen en misschien had dat haar grootste angst doen verdwijnen.

Misschien, misschien, misschien. Ze kon de tijd niet terugdraaien, dus had het ook geen zin dat ze zichzelf verwijten maakte.

Herinner je de oudste regel voor de journalist: houd je aan de feiten, zei ze tegen zichzelf. Ze was hier om erachter te komen wie Nathalie zwanger had gemaakt. Wie haar dood op zijn geweten had – opzettelijk of niet.

Ze pakte een stapeltje brieven van de stapel en keek ze door.

'Hé, ze zijn bijna allemaal van jou.'

Ralf schraapte zijn keel. 'Ja, ze hield veel van gedichten.'

'Wat romantisch.'

'Hou op.' Met een haastige beweging griste hij haar de brieven uit handen. 'Dat gaat je niets aan.'

'Ik lees die brieven toch niet. Ik kijk alleen van wie ze zijn.'

Carla haalde nog een envelop uit de doos. Er zaten een paar ansichtkaarten in. Ze hadden allemaal hetzelfde motief. Een gele roos die op een gerimpelde, fluwelen ondergrond van groene bladeren lag. Een vreselijk stuk kitsch, vond Carla. Sommige kaarten zagen er wat ouder en bleker uit dan andere.

Ralf keek twijfelend naar de kaarten. 'Eigenlijk niets voor haar.'

'Nee, het ziet eruit als een miskoop.'

'Maar waarom bewaart ze ze dan? Zoiets kun je toch bij elke supermarkt krijgen.'

Geschrokken kromp Carla in elkaar. 'Shit!'

'Wat is er?'

'De Rosenkavalier!'

'Wie?'

'De Rosenkavalier,' herhaalde ze en sloeg zich tegen haar voorhoofd. 'Zo noemde Nathalie hem. Volkomen vergeten.'

'Wie is dat dan?'

'Geen idee. Nathalie wist het ook niet. Een of andere gek. Ieder jaar stopte hij zo'n kaart in haar brievenbus. Begin januari, als ik het me goed herinner. Zonder verder commentaar.'

Ralf keek haar aan alsof ze hem een draai om zijn oren had gegeven. 'En dat vertel je me nu pas?'

'Ik was het helemaal vergeten. Nathalie en ik hebben hem geen moment serieus genomen.'

Ze herinnerde het zich weer. Nathalie en zij in het trappenhuis. Nathalie, die de brievenbus opendeed en zich ergerde aan de reclamefolders die er ondanks de sticker op de bus toch in waren gegooid. De ansichtkaart die er tussenuit viel en op de grond viel. Nathalie die zich bukte en hem oppakte, en haar hoofd schudde. Alweer, hoorde ze Nathalie zeggen.

Een stille aanbidder? Echt waar?

Nathalie, die ondeugend glimlachte. *Geen idee. Hij schrijft er nooit iets op. Het gebeurt al sinds ik hier woon. Steeds dezelfde gele roos. Ik heb er al vijf.*

En je weet niet van wie ze komen?

Ik weet alleen dat de Rosenkavalier dol is op het gekkengetal.

Gekkengetal?

Ja. Elk jaar krijg ik een nieuwe kaart op elf januari.

Nu waren er zes, zag Carla.

'Ergens kan ik me niet voorstellen dat Nathalies Rosenkavalier de man is die we zoeken,' zei ze. 'Zulke kerels zijn meestal heel verlegen en geremd. Er was een keer iemand die elke dag een tulp onder mijn ruitenwisser stak en toen ik hem toevallig een keer verraste liep hij hard weg. Ik heb nooit meer wat van hem gehoord.' Nadenkend plukte ze aan haar oorlelletje. 'Aan de andere kant...'

Ralf pakte de kaarten uit haar hand en bekeek ze van alle kanten. Toen keek hij Carla aan.

'Wat?'

'Nou, ik vraag me af waarom hij geen échte rozen stuurde. Waarom alleen een plaatje? En waarom juist gele rozen?'

38

De middagzon vocht krachteloos en bleek tegen de grauwsluier van wolken die de hemel boven de begraafplaats van Fahlenberg bedekten. Hoewel Jan onder zijn zwarte jas een dikke trui droeg, had hij het vreselijk koud. De kerk leek wel een vrieskist. Een grijsharige pastoor met een donkere huid, die waarschijnlijk uit India kwam en met een nagenoeg onverstaanbaar accent praatte, had de tijd genomen voor zijn preek.

Toen het treurende groepje dan eindelijk op weg was gegaan naar het graf van Nathalie, was Jan niet de enige geweest die stevig met zijn armen zwaaide om de ijzige kou te verdrijven. Naast hem liep Rudolf Marenburg. Diens gezicht was rood van de kou en er hing een trillende druppel aan zijn neus die Marenburg blijkbaar niet had opgemerkt. Jan vroeg zich af, waarom Rudi naar deze begrafenis was gekomen – in elk geval had hij Nathalie Köppler helemaal niet gekend – maar toen herinnerde hij zich Rudi's reactie op het artikel in de krant. Misschien, zo vermoedde Jan, probeerde Rudi op die manier de ontstellende gelijkenis tussen Nathalie en Alexandra te verwerken.

Of het lag er heel eenvoudig aan, dat ze op hetzelfde kantoor had gewerkt als Marenburg.

De hele weg over de begraafplaats zei Rudi geen woord. Hij keek alleen strak naar de kist, die op een rijdend onderstel over het kiezelpad van het lijkenhuis naar Nathalies laatste rustplaats werd geduwd.

Jan daarentegen keek steeds weer op naar het huizenblok dat achter het kerkhof oprees. Hij zag de gedoofde neonlichten van het *Love Palace*. Dat het bordeel uitgerekend hier was gebouwd leek wel een bizarre grap. Maar het was ook een welkome afleiding om over de zin en onzin van een bordeel in de directe na-

bijheid van een kerkhof na te denken. Jan had een hekel aan be-
grafenissen. Aan het ritueel, waar iets onwerkelijks aan kleefde.

Van dat onwerkelijke was hij zich voor het eerst bewust geworden bij de begrafenis van zijn ouders en bij elke latere begrafenis was de gedachte sterker geworden. En ook nu, terwijl hij
met Marenburg een beetje afzijdig stond en naast een grafsteen
stond te kijken hoe Ralf en Carla afscheid namen van Nathalie,
kwam het gevoel weer bij hem boven.

Het was vooral de kist die Jan afschrikte. Of die nu was versierd
met beslag, reliëf, bloemen of kransen, het was en bleef in princi-
pe een primitieve, houten kist. Het deed er niet toe hoe levendig
en druk de persoon die erin lag vroeger in het leven had gestaan;
het laatste beeld dat je van hem of haar bijbleef, was van die kist.
Je zag hoe die op een kleine stellage werd getild, je kon je voorstellen hoe het dode hoofd binnenin op het zijden kussen heen en
weer schudde en dan werd de kist schokkerig in een gat in de
aarde neergelaten. Dat was het laatste wat je je ervan herinnerde.

Bij Nathalie Köppler was dat misschien maar beter ook, dacht
Jan, want het enige beeld dat hem van de levende Nathalie voor de
geest stond, was afschuwelijker dan een houten kist ooit kon zijn.

Jan keek om zich heen. Het aantal rouwenden was te overzien.
Er waren ongeveer vijfentwintig mensen. Bekenden, buren, misschien collega's. Niemand van hen was van de leeftijd van Nathalie. Afgezien van Ralf en Carla leek ze geen vrienden van haar
eigen leeftijd te hebben gehad.

Jan betrapte zich erop dat hij de mannen in het gezelschap gadesloeg en zich afvroeg of één van hen misschien de vader van
het ongeboren kind was. Maar voor zover Jan kon zien kwam
geen enkele rouwende van het mannelijk geslacht in aanmerking;
dan zou Nathalie een zwak voor kale, buikige mannen op leeftijd
gehad moeten hebben.

Iets verder weg zag Jan iemand die hij op deze dag en deze
plaats volstrekt niet had verwacht. Hij dacht al dat hij zich vergiste, maar het was toch echt Hubert Amstner die daar tussen de
graven stond. In het matte licht van deze winterdag zag hij eruit

als een geest, gekleed in het grijs en zoals altijd met warrig, recht-opstaand spinnenwebhaar.

Amstner knikte naar hem en Jan beantwoordde zijn groet. Carla hield zich dapper, bedacht Jan, al stond ze met haar rug naar hem toe. Het schokken van haar schouders verried dat ze huilde, maar ze stond toch rechtop. Ralf zag er daarentegen uit alsof alle spieren in zijn lichaam in rook waren opgegaan. De verpleger kon nauwelijks meer op zijn benen staan en als Carla hem op het kiezelpad niet ondersteund had, was hij op weg naar het graf meer dan eens onderuitgegaan. Snikkend klampte hij zich aan haar vast – een beeld van bitter verdriet.

Toen iedereen zich om het graf had verzameld, begon de Indiase pastoor zijn grafrede. Toen zijn woorden overgingen in gezang, meende Jan het Onze Vader te herkennen. Helaas ging het volledig verloren in de herrie van het verkeer op de snelweg die vlak langs de begraafplaats liep. Buiten ging het leven door, zoals het altijd doorgaat, ook als we er zelf niet meer aan meedoen.

Onder het luiden van de klok van het kerkhof werd de kist in de groeve neergelaten. Nadat de pastoor zijn zege had uitgesproken, zette de misdienaar een ghettoblaster aan. Ozzy Osbourne's 'Dreamer' legde een jengelende deken over het troosteloze schouwspel.

Waarschijnlijk een favoriet van Nathalie, dacht Jan. *En vast een idee van Ralf.*

Ralf ging als eerste naar het graf om een schepje aarde op de kist te gooien. Toen hij zich omdraaide bleef hij even staan en leek voor het eerst de andere rouwenden op te merken. Niemand durfde naar het graf te gaan. Ralf keek de mensen woedend aan.

'Wat staan jullie te kijken?'

Carla zette zich over haar angst heen en liep naar hem toe. Ze probeerde hem te kalmeren en pakte zijn arm, maar hij schudde zich met een boze beweging los.

'Laat me los!' schreeuwde hij met overslaande stem. 'Jij bent al net zo erg als de rest. Stelletje huichelaars, allemaal!'

Ozzy Osbourne zong juist dat het hem niet kon schelen of God of Jezus een hogere macht was toen de misdienaar de muziek uitzette.

'En jij,' Ralf deed een stap naar voren en wees op Jan, 'jij bent nog de grootste huichelaar van allemaal! Voor jou was Nathalie maar een goedkope snol die zich door de eerste de beste liet bezwangeren. Jullie hebben haar niet eens gekend! Ze interesseerde jullie niet!'

Marenburg keek onthutst naar Jan, maar die zei niets. Ralf wist van verdriet en wanhoop niet wat hij zei, en als het hem opluchtte om zijn hulpeloze woede op Jan te koelen, vond Jan dat goed.

'Het kon jullie geen barst schelen hoe het met haar ging!' schreeuwde Ralf en hij balde zijn vuisten. Hij liep rood aan. 'Niemand stond ooit voor haar klaar. Alleen ik. En nu is ze dood. Mijn Nathalie is dood, ja? Begrijp je dat?'

Weer deed Carla een poging om Ralf te kalmeren. Maar toen ze hem aanraakte, duwde hij haar wild van zich af.

Carla verloor haar evenwicht en viel ruggelings op een met kunstgras bedekte hoop aarde. De groene repen plastic gleden weg. Carla was bijna het graf in gegleden, maar Jan en Marenburg pakten haar net op tijd bij haar jas. Ze hielpen haar weer overeind.

'Het gaat wel,' mompelde Carla en ze veegde de modder en sneeuw van haar jas. 'Kom nou mee Ralf, we... Ralf?'

Maar Ralf was weg. Terwijl iedereen afgeleid was door Carla, moest hij ervandoor zijn gegaan. Jan keek om zich heen. Ook Hubert Amstner leek in rook opgegaan.

Op dat ogenblik klonk het gepiep van remmen. Meteen draaiden alle rouwenden hun hoofd om en keken over de lage muur van het kerkhof naar de snelweg. Ze zagen de truck met oplegger die in volle vaart probeerde te remmen. De goed geveerde cabine dook naar beneden als de kop van een stier in de aanval. Een paar achterop- en tegemoetkomende auto's toeterden, terwijl de oplegger van de vrachtcombinatie met een kwispelende beweging naar opzij gleed.

Ralf stond midden op de weg. Hij hield zijn armen wijd uitgestrekt als een Christusbeeld. Ondanks de afstand kon Jan zien dat hij zijn ogen dicht had. Zijn lippen bewogen snel en witte wolkjes adem stegen op.

Jan stootte een onbeheerst gereutel uit. Achter hem gilde een vrouw en op hetzelfde ogenblik kwam de klap, kort en hard. Het klonk alsof je met je platte hand op een oliedrum sloeg. Alsof er een grote pop in de lucht werd gegooid, werd Ralfs lichaam in de tegemoetkomende verkeersstroom geslingerd. Twee auto's die de situatie niet snel genoeg inschatten reden over hem heen en tegen elkaar aan. Een derde reed langs de twee andere en botste tegen de dwars op de weg staande oplegger. Een busje kon ook niet op tijd remmen. Het brak door de vangrail en kwam met een ingedrukte motorkap op het geasfalteerde fietspad tot stilstand. In een paar seconden was de snelweg in een chaos herschapen.

Met haar ogen wijdopen van schrik liep Carla naar de muur van het kerkhof. Vlak daarvoor bleef ze staan en keek naar de plek waar Ralfs lichaam onder een auto uitstak. Ze gilde zijn naam. Een gil die in de ijskoude lucht leek te rinkelen.

39

Tijdens zijn studie had een van Jans docenten Jean-Jacques Rousseau aangehaald. Het leven was een slagveld, had de filosoof ooit beweerd. Een slagveld dat we betreden bij onze geboorte en dat we bij onze dood weer verlaten.

Terwijl Jan naast de bank stond en uitkeek over de met sneeuw bedekte ijsvlakte van de vijver van Fahlenberg kwam het citaat weer bij hem op.

Het college waarin het citaat voorbij was gekomen ging over suïcide – een onderwerp waarmee de aanstaande artsen tijdens hun loopbaan vaker te maken zouden krijgen dan hun lief was, zo had de docent eraan toegevoegd. Want niet alle patiënten zouden de moed hebben, of de kracht, of de wil, om de strijd tot het einde toe vol te houden.

Het is niet aan ons om degene te veroordelen die uit vrije wil het slagveld voortijdig verlaat, zelfs al leren de grote religies iets anders, had de docent gezegd. *Maar het hoort wel tot onze taken om de mensen ervan te overtuigen dat er iets is wat de moeite waard is om voor te vechten. Want we hebben maar één slagveld. Natuurwetenschappelijk gezien is er geen overtuigend bewijs voor het bestaan van een tweede kans.*

Ralf had geen uitweg meer gezien. Bij het graf van Nathalie moest hij definitief begrepen hebben dat er niets was wat haar weer terug zou brengen. Dus had hij de strijd opgegeven.

Drie mensen die zelfmoord hadden gepleegd sinds Jan naar Fahlenberg was teruggekeerd. Voor zijn ogen. Het leek wel alsof hij ongeluk aantrok.

En hij had gehoopt dat hij hier eindelijk een gewoon leven kon leiden! Eens temeer werd hem duidelijk dat dat een illusie was.

Het leven is een strijdtoneel dat we niet naar wens kunnen in-

richten. *Onze enige speelruimte bij de vormgeving ervan ligt in de houding die we bij onze strijd aannemen.* Rauh had Jans houding betiteld als een 'obsessie' en daar had hij zeker gelijk in. Jan was een gevangene, had de patiënte met de wijnvlek gezegd, en ook dat was waar. Maar wat moest hij daar in godsnaam tegen doen?

Jan liep naar de den, waarachter hij vele jaren geleden had staan plassen. Als hij dat niet had gedaan, was zijn broertje misschien niet voor altijd verdwenen. Hij schopte tegen de stam. Een keer. Nog eens. En nog eens. Sneeuw van de takken viel boven op hem, maar hij merkte het bijna niet. Met elke schop tegen de boom week een klein stukje van zijn woedende spanning, die ten slotte een weg naar buiten vond in een ongearticuleerde huilbui.

Jan schreeuwde, schopte en schreeuwde nog eens. En wat voelde dat goed!

Pas toen hij achter zich een zwaar geblaf hoorde, kwam hij weer tot zichzelf en keek om. Achter hem stond een ruwharige golden retriever. Hij droeg geen halsband en zijn vacht zag er onverzorgd uit. In zijn ogen fonkelde iets dreigends en toen Jan de ontblote tanden zag, verstijfde hij van angst.

De vacht, die ooit roodachtig moest zijn geweest, was korsterig van de modder en zag er bijna zwart uit. Een ogenblik lang dacht Jan dat hij de hond herkende.

'Rufus?'

De hond stopte met blaffen.

'Ben jij dat, mannetje?'

Het kon onmogelijk Rufus zijn. Geen hond werd zo oud. Bovendien had hij de hond aan een kennis van een vriend gegeven voor hij naar het internaat ging, en die kennis woonde zo'n dertig kilometer verderop. Maar het noemen van de naam had in elk geval bewerkstelligd dat het dier was gestopt met blaffen.

Een minuut of twee stonden Jan en de hond roerloos tegenover elkaar. Om hen heen was alleen de ijzige stilte van het park. Toen hield de hond zijn kop scheef, draaide zich om en trippelde bij Jan vandaan naar een groepje struiken waarachter hij even later verdween.

Ontnuchterd ging Jan terug naar huis. De schemering viel in. Jan had geen idee, hoe lang hij bij de bank was geweest.

Al van ver zag hij Marenburg die zijn auto voor het huis parkeerde en traag uitstapte.

'Hoe is het met Carla?' vroeg Jan, toen hij bij het huis kwam.

'Ze heeft zich in slaap gehuild.'

'Heeft ze nog iets gezegd?'

'Niet erg veel,' zei Marenburg kortaf en liep langs Jan heen naar de achterkant van de auto.

'Waarom wilde ze niet dat ik boven kwam?'

Marenburg keek Jan even aan, haalde zijn schouders op en deed de achterklep open.

'Ze geeft me de schuld, hè?' zei Jan. 'Ze denkt dat als ik had beloofd te helpen zoeken naar de vader van het kind, dat Ralf dan iets had gehad dat de moeite was om voor te blijven leven.'

Met een ruk haalde Marenburg een krat bier uit de auto en sloeg de klep dicht.

'Denk jij dat ook, Rudi? Denk jij dat het mijn schuld is dat die jongen voor een auto is gesprongen?'

'Ik denk helemaal niets meer, jongen,' zei Marenburg zacht. 'En om dat zo te houden, ga ik me nu bezatten.'

Jan voelde hoe al zijn spieren zich spanden.

'Het had niets uitgemaakt, Rudi. Niets, begrijp je?'

Maar Marenburg keek niet meer om. Hij liep naar de voordeur en verdween met zijn kratje bier in het huis.

40

Op een gegeven moment was Rudolf Marenburg weggegaan, dat had Carla nog gehoord. Ze had gehoord hoe hij zachtjes de kamer uit was geglipt en de voordeur achter zich in het slot had getrokken. En ze had gedacht dat hij erg aardig was en dat hij haar met zijn zorgzaamheid een beetje aan haar vader deed denken. Toen was ze weer in slaap gevallen.

Maar het was geen verkwikkende slaap geweest, eerder een soort coma. En toen ze ten slotte alleen op de bank in haar donkere woonkamer wakker was geworden, gewikkeld in de blauwe wollen deken, had ze nog lang het beeld voor ogen dat haar in haar slaap had gekweld.

Ralf, die met zijn bovenlichaam door het plafond stak alsof hij uit een watervlakte wilde opstijgen. Zijn gezicht was geschramd en vervormd door het ongeluk en op zijn gewonde borstkas had Carla de bandensporen gezien van de auto die hem had overreden.

Ralf had een arm naar haar uitgestrekt, keek vanaf het plafond op haar neer en wees naar haar met een gebroken wijsvinger. *Jullie hebben haar in de steek gelaten,* zei hij en hij klonk als een aanklager in de rechtszaal. *Jij ook, Carla. Jij vooral!*

Toen was ze wakker geschrokken, wist eerst niet waar ze was en tastte in paniek naar het lichtknopje. Toen ze naar het plafond keek, wist ze zeker dat ze daarboven nog steeds Ralf met zijn verwijtende, op haar gerichte vinger zag. Maar er was niets. Alleen Ralfs woorden galmden in de ruimte en achtervolgden haar bij elke stap die ze deed.

Het was diep in de nacht. Er moesten al uren voorbij zijn gegaan sinds de nachtmerrie.

Carla stond in de badkamer en leunde met haar handen op de wastafel. Ze keek naar haar afgeknipte haar. Het zag eruit als een harig wezen dat zich in de witte porseleinen bak had opgerold en een schaar op zijn rug droeg.

Carla richtte haar kale hoofd op en keek naar zichzelf in de spiegel.

'Dag, Sinéad,' zei ze met een onwillige tong, pakte toen de fles wijn van de wastafel en nam nog een flinke slok. Ze keek naar de foto uit het huis van Nathalie, die ze naast de spiegel had gehangen.

Nathalie en zijzelf.

Arm in arm.

Allebei lachend.

In dezelfde outfit.

Net zusjes.

De tranen schoten haar in de ogen. Toen ze ze met de rug van haar hand wilde afvegen, gleed de fles uit haar hand. Door de dikke badmat viel hij niet kapot.

Met een roerloos gezicht stond ze te kijken hoe de wijn uit de fles over de tegelvloer klokte en door de voegen kroop.

Merlot, dacht ze. *Net als in die goeie ouwe tijd.*

Ze draaide zich weer om naar de spiegel, keek nog eens naar haar vreemde evenbeeld en deed toen het kastje open dat ernaast hing.

Achter de lippenstiften, pakjes aspirine en een flesje mondwater vond ze wat ze zocht. Jörg had zich altijd nat geschoren – dat ging beter dan elektrisch, vond hij – en toen ze een punt achter hun relatie hadden gezet, was het scheermes één van de drie dingen die haar ex had achtergelaten.

Het tweede ding was een fotoalbum vol vakantiefoto's en het derde een diep litteken in haar hart, dat veroorzaakt was door een blond stuk dat Linda heette.

Of was het Lisa?

Of misschien Lydia?

'Maakt geen reet uit,' lalde ze tegen haar spiegelbeeld, dat haar knikkend bijviel.

Het belangrijkste was dat Jörg toch iets positiefs had achtergelaten. Namelijk het scheermes.

Ze klapte het open en keek er even naar alsof ze nog nooit zoiets had gezien. Het dunne staal glom blauwig in het licht van de badkamer. Carla las het opschrift van de fabrikant en de twee gekruiste sabels, en vroeg zich af of het goed of slecht was wat ze met het lemmet wilde doen.

'Ik ben bang, liefje,' fluisterde ze tegen de foto.

De woorden kwamen haar maar met moeite over de lippen. Deels omdat ze had gedronken, maar vooral omdat ze wist dat ze de kwestie met die uitspraak alleen maar groter maakte. Dan was het niet zomaar meer een vluchtige gedachte die je kon vergeten. Woorden hadden altijd iets definitiefs. Wat uitgesproken was, was uitgesproken. Ook al was je zelf de enige die het hoorde.

Nathalie lachte haar nog steeds toe vanaf de foto. Nathalie, als Morticia uit de Addams Family, die nu nooit meer een scheiding door haar prachtige haar zou trekken en die te strakke, zwarte jurk zou dragen. Nathalie, die uit wanhoop zelfmoord had gepleegd. Uit angst voor iets wat ze een 'demon' had genoemd. *Of uit angst voor iemand anders.*

Hij is echt!!

Carla liet het lemmet tussen haar vingers flikkeren in het licht. 'Maar waarschijnlijk ben ik nu nog niet half zo bang als jij moet zijn geweest.'

Ze keek naar de fles en de rode plas op de vloer en het speet haar nu toch dat ze de fles niet op tijd had weggezet. Een slokje extra had haar nu wel goedgedaan.

Aan de andere kant was het maar uitstel geweest. Ze wist wat haar te doen stond. Het zou al haar moed opeisen.

Maar wat je bent begonnen, moet je ook afmaken.

41

Vlak nadat Jan het huis uit was gegaan en naar zijn werk was gereden, stond Rudolf Marenburg op. Met moeite klom hij uit bed,
slofte naar het raam en deed de gordijnen open. Het kille, grijze
licht van de vroege ochtend deed pijn aan zijn ogen en in zijn
hoofd begon het nu nog heviger te kloppen. Hij had een vreselijke
kater.

Voor zover hij zich kon herinneren, had hij ten minste een
halve krat Fahlenberger Schlossquell-bier achterovergeslagen. In
zijn jonge jaren had hij dat met gemak verstouwd, maar hij was
nu eenmaal geen twintig meer.

Toch was er geen hoofdpijn ter wereld die hem van zijn zondagse ritueel zou weerhouden. Op wankele benen liep hij de trap af
naar de keuken. Op de keukentafel stond een thermoskan. Toen
hij het deksel eraf draaide, kwam er een sterke koffiegeur uit.

'Goed jong ben je toch,' mompelde hij glimlachend.

Hij schonk zichzelf een grote kop koffie in, nam met de eerste
slok twee aspirines in en las het briefje dat Jan naast de kan had
laten liggen.

Na mijn werk ga ik op woningjacht.
Wacht maar niet op mij met eten.

Ja, dacht hij, *misschien is dat inderdaad maar het beste. Voor ons
allebei.*

Zuchtend stak Marenburg het briefje in de zak van zijn och-
tendjas, ging naar de badkamer en nam een koude douche. Dat
deed hem goed – in elk geval goed genoeg om naar het kerkhof te
gaan. Het wandelingetje duurde een halfuurtje en zou hem weer
op gang brengen. Hij deed sowieso veel te weinig aan beweging.

Bovendien was het wandelingetje deel van het ritueel. Tijdens het lopen had hij genoeg tijd om zich mentaal voor te bereiden op zijn bezoek aan Alexandra's graf.

De wandeling en de kou hielpen inderdaad tegen Marenburgs hoofdpijn. Toen hij even later aankwam bij het tankstation en zijn gewoonlijke zondagse aankoop deed, voelde hij alleen een licht kloppen in zijn slapen. Daar viel mee te leven, dacht hij, terwijl hij de gele roos in cellofaanverpakking onder zijn arm stak en zijn weg vervolgde.

Bij het kerkhof aangekomen liep hij deze keer door de kleine zij-ingang, al was de weg over de oostelijke grafvelden iets langer. Hij wilde beslist niet langs het graf van Nathalie Köppler gaan. Daarvoor zat de schrik van de vorige middag er nog te veel in.

Hij liep langs de rij kindergraven, langs de monumenten voor de slachtoffers van de twee wereldoorlogen en sloeg toen het pad in waaraan het graf lag.

In oktober eenenveertig jaar geleden had Marenburg een ideale plek uitgekozen als laatste rustplaats voor zijn vrouw. Flora had van bomen gehouden en toen hij deze plaats zag, onder een treurwilg, had hij er geen ogenblik aan getwijfeld dat Flora daar begraven had willen worden.

De zonnige dag in de nazomer stond hem nog helder voor de geest. Hij had het zwarte pak gedragen waarin hij met Flora was getrouwd. Hetzelfde pak dat Flora hem voorzichtig had uitgetrokken, en dat ze even voorzichtig had opgevouwen en over de stoel bij het bed had gelegd, voor ze dat hadden gedaan wat nieuwbakken echtelieden doen als ze eindelijk met z'n tweeën zijn.

Hij had niet gehuild bij haar begrafenis. Hij had niet gewild dat zijn dochter, nog geen jaar oud, iets voelde van zijn diepe wanhoop. Ze moest een mooi leven hebben waarin geen verdriet bestond, een jeugd vol vreugde en zorgeloosheid, en hij had gezworen dat hij alles zou doen om Alexandra ook zonder haar moeder een gelukkige kindertijd te laten hebben.

'Ik zal er altijd voor je zijn,' had hij tegen zijn dochter gefluisterd en ze had hem met grote babyogen aangekeken en hem een tandeloze glimlach geschonken, terwijl de rouwenden om haar heen afscheid namen van Flora Marenburg.

Achttien jaar later was Alexandra haar moeder gevolgd. Nu lag ze naast haar in een somber graf dat bedekt was met bloemen en plantjes die Rudolf Marenburg zorgzaam onderhield.

Hij wikkelde de roos uit het cellofaan, stak de prop folie in zijn jaszak en zette de roos in een smal vaasje naast de grafsteen.

Zoals haar moeder van bomen hield, zo had Alexandra van rozen gehouden. Vooral van gele. *Ze zien eruit als opgevouwen zonnetjes,* zei ze toen ze vier jaar was. Sindsdien had hij haar iedere zondag een gele roos gegeven. Voor hen allebei was het de dag van de opgevouwen zonnetjes. Veertien jaar lang bij het ontbijt en drieëntwintig jaar op Alexandra's graf.

Voorzichtig veegde Marenburg de sneeuw van een flesje dat bij het graf stond, deed het open en sprenkelde een beetje wijwater op de twee namen in het grafschrift, waaraan op een dag ook zijn eigen naam zou worden toegevoegd. Toen bleef hij een tijdje bij de graven staan, keek naar de glad gepolijste grafsteen en vertelde in gedachten wat er de afgelopen week zoal gebeurd was. En zoals altijd had hij het gevoel dat Flora en Alexandra bij hem waren.

'Ik mis jullie,' zei hij zacht. Zo nam hij elke zondag afscheid. Toen knielde hij nog even, schikte de roos in het vaasje en mompelde: 'Ik heb het niet opgegeven, kindje. Ik zal erachter komen waarom je het park in bent gevlucht. Dat beloof ik je.'

Toen hij wegging van het kerkhof, nam hij niet de gewone weg naar huis, maar liep hij de kant op van de nieuwbouw. Tegenover het Love Palace was een bushalte. Hij ging met zijn vinger de dienstregeling na, vond na even zoeken de goede straatnaam en het nummer van de bijbehorende buslijn en ging in het bushokje staan.

Daar wachtte hij in de ijzige stilte van de ochtend. Maar af en toe kwam er een auto langs. Toen hoorde hij het getik van hakken op asfalt. Dunja kwam naast hem staan.

'Hoi,' zei ze en glimlachte tegen hem. Hij rook haar zware parfum. 'Ben je er vroeg uit, vandaag?' vroeg ze en haalde een maandabonnement uit haar handtas. 'Ik heb eindelijk vrij. Verlang wel naar bed. Om te slapen.' Ze giechelde.

Marenburg sloeg zijn ogen neer en keek naar de zoutranden op zijn schoenen.

'Erg spraakzaam ben je vandaag niet hè,' ging ze verder en haar Oekraïense accent klonk nu sterker door. 'Het is wel goed. Je moet het niet vervelend vinden dat we zo naast elkaar staan. Ik stap dadelijk achteraan in, oké?'

Hij knikte zonder haar aan te kijken. 'Laat me alsjeblieft met rust.'

'Ach joh. Je ziet er weer zo treurig uit. Kom weer eens langs als je wilt. Ik kan je opvrolijken. Dat weet je.'

Marenburg stond op het punt om haar toe te bijten dat ze hem met rust moest laten, maar op dat ogenblik reed de bus voor.

Zoals ze had beloofd ging Dunja achterin zitten, zonder nog naar hem te kijken. Marenburg ging helemaal voorin zitten. Hij had zijn vuisten nog steeds gebald.

42

Op de foto stond Ralf Steffens. Hij zat voor een ijssalon op het marktplein van Fahlenberg, met zijn ogen een beetje dichtgeknepen tegen de zon, en grijnsde vanachter een grote beker vruchtenijs naar de fotograaf. De foto was waarschijnlijk nog niet zo lang geleden genomen, waarschijnlijk deze zomer nog.

Konrad Fuhrmann en Lutz Bissinger hadden de foto van hun collega in een lijstje van lichtgekleurd hout gevat en op een bijzettafeltje in de afdelingskamer neergezet. Om de rechterhoek van het lijstje hadden ze een zwart rouwbandje gelegd. Daarnaast, waar normaal gesproken het koffiezetapparaat stond, brandde een kaars in een rode glazen bol.

Er heerste een beklemmende sfeer in de kamer bij de overdracht van die ochtend. Met een eentonige stem vertelde Konni over de gebeurtenissen van de afgelopen nacht.

Net als altijd. Twee patiënten hadden wegens slapeloosheid gebruik gemaakt van hun aanvullende medicatie en verder was alles rustig geweest.

Lutz zat er met een afwezige blik bij en kauwde op zijn kauwgum. Toen Konni zijn verhaal had gedaan en al opstond om van zijn vrije tijd te gaan genieten, vroeg Lutz het woord.

'Dit zouden we bijna vergeten,' zei hij, en hij reikte Jan een dossiermap aan. 'Een nieuwe opname. Vanmorgen rond een uur of vier. U moet er maar even naar kijken, dokter. Ze heeft tot nu toe weinig gezegd.'

Toen stond hij op en liep achter Konni aan de gang op om uit te klokken, terwijl de collega's van de volgende ploeg bezig waren met het ontbijt van de patiënten.

Ook Jan stond op, wierp in het voorbijgaan een snelle blik op de foto van Ralf en liep naar zijn kantoor.

Hij vocht tegen zijn moedeloosheid. Eigenlijk had hij liever in het park bij de dennenboom gestaan waar hij tegenaan had geschopt tot de hond was opgedoken. Hij had heel veel zin om de boom nog een paar trappen te verkopen – gewoon, zomaar, om zich af te reageren – en te krijsen als een varken. Maar waarschijnlijk was hij dan vroeg of laat in de Boskliniek terechtgekomen. Zonder witte jas.

Jan wierp de gedachte van zich af en concentreerde zich op het dossier. Een paar passen van zijn kantoor vandaan bleef hij opeens staan. Hij keek om naar Lutz, die juist met Konni van de afdeling weg wilde gaan.

'Wacht even!' riep hij.

De broodmagere verpleger keek om. 'Ja, wat?'

'Op welke kamer ligt ze?'

'Kamer acht,' antwoordde Lutz.

'Dank je.' Jan keek nog eens naar de naam die in Konni's kronkelige handschrift in het dossier stond en schudde zijn hoofd.

Kamer acht was een tweepersoonskamer, waar nu echter maar één patiënte lag. Op zijn laatst over vier weken zou dat echter anders zijn. Met Kerstmis was hier geen bed meer vrij.

Jan klopte op de deur en toen hij een zacht 'ja' hoorde, ging hij naar binnen.

'Dag, Carla,' begon hij, maar toen hij de jonge vrouw met lang, donker haar zag die met haar rug naar hem toe op bed naar buiten zat te kijken, stokte hij.

'O,' zei hij. 'Goedemorgen. Neem me niet kwalijk, ik verwachtte iemand...'

Weer stokte hij, want de vrouw op het bed draaide zich om en keek hem aan. Het was inderdaad Carla Weller, al had hij haar niet direct herkend. Haar pruik leek verbazingwekkend echt en haar gezicht zag er heel anders uit.

Haar ogen verrieden haar.

'Goeie genade,' riep Jan uit, en keek naar haar polsen, die in het verband zaten.

'Dag Jan,' zei Carla en ze knikte hem toe.

Jan liet de deur achter zich dichtvallen. 'Wat heeft dit te betekenen?'

'Wat heeft wat te betekenen?' antwoordde ze uitdagend.

'Nou, je haar en... wat heb je nou weer gedaan?'

'Ik heb vannacht mijn polsen doorgesneden,' zei ze op een toon alsof het haar allemaal niet aanging.

'Ja, dat weet ik.' Jan zwaaide met de dossiermap. 'Je hebt dwars gesneden.'

'Nou en?'

Jan tuitte zijn lippen. 'Je was niet echt van plan om zelfmoord te plegen. Anders had je in de lengte gesneden.

Ze zei niets en sloeg haar ogen neer.

Jan schudde zijn hoofd. 'Carla, Carla, waarom doe je dat nou? En wat moet je eigenlijk met die pruik?'

Ze streek met haar hand over het gladde laken en keek hem aan. 'Je begrijpt toch precies waarom.'

Jan zweeg verlegen. Carla hield haar hoofd schuin en haalde haar hand door haar valse haar. 'Doe ik je niet aan iemand denken?'

Ja, wilde hij zeggen, *je ziet eruit zoals Alexandra eruit had gezien als ze drieëntwintig jaar geleden niet door het ijs was gezakt en verdronken.*

Hij hield zijn commentaar voor zich, nam een stoel en ging zitten.

'Carla, waar wil je heen? Je wilde er toch niet serieus een eind aan maken? Anders had je ook de politie niet gebeld.'

Carla keek hem weer met haar uitdagende blik aan. 'Ik ben hier omdat ik erachter wil komen wat ze met Nathalie hebben gedaan.'

'Wat ze met haar gedáán hebben?'

'Ja.' Ze stond op, liep naar Jan toe en ging ook in een stoel zitten. 'Tot gisteren heb ik het niet echt willen geloven, maar toen...' Ze maakte een hulpeloos gebaar. 'Ik bedoel wat er met Ralf gebeurde... Hij wist het zo zeker, Jan. Hij geloofde niet dat Nathalie tot een slippertje in staat zou zijn. Ik heb tegen hem gezegd dat dat de enig mogelijke verklaring was. Maar inmiddels geloof ik dat niet meer.'

'Ralf heeft zich ergens op blindgestaard...'

'Nee. Hij had gelijk. Nathalie was er gewoon niet het type voor. En het spijt me echt ontzettend dat ik zijn verdenking niet serieus heb genomen.'

Jan zuchtte. 'Snij je daarom je polsen door?'

'Zo wist ik tenminste zeker dat ik hier zou worden opgenomen en ik niet met wat pillen werd afgescheept.'

Weer schudde Jan zijn hoofd.

'Jan, begrijp je het dan niet? Als hier echt iets met Nathalie is gebeurd, als ze haar tegen haar wil en misschien zelfs zonder dat ze het wist ergens toe hebben gedwongen, dan is dat de enige manier om erachter te komen. Met mij als lokaas.'

Ze sprak gehaast, alsof ze bang was dat Jan haar zou onderbreken en alles wat ze zei als onzin af zou doen.

Maar Jan liet haar verder praten, al kreeg hij er kippenvel van. *Obsessief gedrag naar aanleiding van een onverwerkt trauma,* dacht hij. *Zo'n diagnose moet je wel wat zeggen, toch?*

'Jan, alsjeblieft.' Carla greep met beide handen naar zijn hand, die op tafel lag. 'Ik móét de waarheid achterhalen. Misschien vergis ik me. Misschien heeft Ralf zich vergist. Maar ik kan het alleen te weten komen als ik dezelfde weg ga die Nathalie heeft genomen.'

'Hoe kun je daar zo zeker van zijn?' vroeg Jan en keek naar haar handen, die hem vasthielden alsof hij anders zou opstaan en weglopen.

'Laten we het op mijn journalistieke instinct houden. Een soort onderzoek ter plaatse. Undercover. Als er hier inderdaad iemand is die haar iets heeft aangedaan, dan zou het hem behoorlijk verrassen als hij opeens een dubbelgangster van Nathalie tegenkwam.'

Ze keek hem strak aan en Jan herkende de vastbeslotenheid in haar blik. Maar hij zag nog iets anders – dat ze niet de hele waarheid vertelde. En opeens begreep hij het.

'Wat heeft Rudi ermee te maken?'

Ze liet hem los en leunde achterover. 'Welke Rudi?'

'Doe niet zo, je weet precies wat ik bedoel.'

'Marenburg? Hoe kom je erbij dat...'

'Hij was gisteren bij jou. Wel een paar uur.' Hij tikte tegen zijn slaap. 'Langzamerhand begin ik de zaak te begrijpen. Daarom wilde hij je zo graag thuisbrengen. Jullie hebben het over die verdenking gehad, hè? Hij heeft je over Alexandra verteld. En over zijn vermoeden dat ze haar in de kliniek destijds ook iets hebben aangedaan. Iets wat haar tot waanzin heeft gedreven.'

'Hij heeft me over haar dood verteld, ja. En dat daar geen plausibele verklaring voor was. Net als bij Nathalie.'

'En ik durf te wedden dat hij het ook over die verbluffende gelijkenis heeft gehad. Vandaar de pruik.'

Carla leunde achterover in haar stoel. Ze kneep haar lippen op elkaar.

Jan keek haar beschuldigend aan. 'Jullie gebruiken me.'

Ze schudde energiek met haar hoofd. 'Nee, Jan. We gebrúíken je niet, we hebben je nódig.' Weer pakte ze zijn hand. 'Ik hoopte dat je me zou begrijpen. Je weet zelf toch ook hoe het je kan verteren als je de waarheid niet kent.'

Hij trok zijn hand terug. 'Dat is iets heel anders.'

'O ja? Nathalie was mijn enige echte vriendin. Ze was de belangrijkste persoon in mijn leven. Wat is het verschil met jou en je broer?'

Jan ontweek haar blik. Natuurlijk had ze gelijk. Het enige verschil was misschien dat Carla zeker wist dat Nathalie dood was, terwijl hijzelf steeds weerstand moest bieden aan het verleidelijke idee dat Sven het misschien had overleefd – dat hij nog ergens was. Misschien was het gescheurde ondergoed dat ze op de plek des onheils hadden gevonden een dwaalspoor geweest, met opzet uitgezet om iedereen te laten denken dat Sven het slachtoffer was van een zedendelinquent.

Jan keek voor zich op de tafel, waar Carla's dossier lag. Zoals hij het antwoord op zijn vragen zocht, zo zocht Carla naar de redenen voor de zelfmoord van Nathalie. En Marenburg naar de redenen voor wat er met Alexandra was gebeurd. Ze waren alle drie bezeten geweest.

Jan keek Carla aan. 'Hoe hebben Nathalie en jij elkaar leren kennen?'

Carla liet haar hoofd zakken en keek naar haar polsen. 'Dat was in een tijd dat ik verder niemand had.'

'Vertel eens.'

Ze beet op haar onderlip, alsof ze wilde huilen. Maar dat deed ze niet.

'Het is nu vijf jaar geleden,' zei ze met een zachte, doffe stem. 'Ik was net een halfjaar het huis uit. Ik heb altijd graag thuis gewoond, weet je. Het ging altijd goed tussen mijn ouders en mijn broer en mij. Maar ik wilde toch op eigen benen gaan staan. Nou, en toen...' Ze slikte, haalde diep adem en ging verder. 'Zo nu en dan sprak ik met hen af om samen te gaan winkelen. Dat was mijn vaders idee; hij vond het belangrijk dat we regelmatig samen iets gingen doen. Een uitstapje maken, of een hapje eten, of zelfs boodschappen doen. Dan gingen we de stad in om winkeltjes af te struinen. Meestal ging Philip met papa op stap en ik met mijn moeder. Het was altijd gezellig, vooral als die andere twee zelf kleren kochten, die steevast een maat te groot of te klein bleken te zijn.'

Ze lachte verdrietig. 'Nou, op een dinsdag begin juni belde mijn moeder op om te vragen of ik de zaterdag daarop tijd had. Maar ik kon niet mee omdat ik omkwam in het werk. Ik was toen net bij de *Fahlenberger Bote* begonnen en maakte overuren als een idioot, zodat ik na mijn proeftijd zou mogen blijven. Dus ik zegde af. *Niet erg*, zei mama. Ik hoor het haar nog zeggen. *Niet erg, dan kom je gewoon de volgende keer wel*, en ik zei: *Afgesproken, de volgende keer ben ik er weer bij*. Maar die volgende keer kwam niet meer.'

Ze kneep haar ogen dicht om de tranen terug te dringen. Maar het was te laat. Dikke druppels gleden over haar wangen en trokken zwarte sporen van kohl.

Jan gaf haar de tijd en zei niets.

'Er was die man. Peschke heette hij. Eduard Peschke. Tweeënzeventig jaar. Hij reed met zijn Mercedes door de dwarsstraat waar mijn vader altijd parkeerde als we de stad in gingen. Daar bij het belastingkantoor. Weet je dat nog?'

Jan knikte. 'Ja, dat weet ik nog. Mag je daar nog steeds gratis parkeren?'

'Als je maar vroeg bent. Papa zei altijd dat hij zijn geld liever uitgaf aan een kopje koffie voor hij naar huis reed. En dat eindje naar het winkelgebied kon je ook wel lopen. Echt iets voor hem. Als hij had geweten...' Ze slikte nog eens. 'Die Peschke kreeg een beroerte. Juist op het ogenblik dat Philip en mijn ouders waren uitgestapt. De ouwe man moet in een soort kramp zijn geschoten. Hij gaf ineens vol gas en reed recht op de parkerende auto in. Mijn ouders... mijn ouders waren meteen dood. Philip kwam op de intensive care. Hij lag in coma maar is niet meer bijgekomen. Hij stierf twee weken later.' Ze veegde met haar verband de tranen uit haar gezicht. 'Ik had niemand meer, Jan. Mijn hele familie was ineens weg. Alleen omdat een ouwe kerel op het verkeerde ogenblik een hersenbloeding kreeg. En toen was daar Nathalie, die het zich aantrok hoe het met me ging. Tot dan toe kenden we elkaar alleen van gezicht, maar dat veranderde. We waren bijna zusjes. Begrijp je nu waarom ik dit voor haar doe?'

Jan haalde diep adem en leunde achterover in zijn stoel. 'Ja, ik begrijp het.'

Ze keek hem vragend aan. 'En wil je me helpen?'

'Luister, Carla. Ik zal je doorverwijzen naar afdeling 12. De dienstdoende arts daar is Norbert Rauh. Hij heeft ook Nathalie behandeld.'

'Denk je dus ook dat daar iets niet in orde is?'

'Nee, dat doe ik niet. Ik denk dat je ernstig lijdt onder het verlies van Nathalie. Zo ernstig dat je er alles aan doet om te begrijpen waarom ze dood is. Rauh kan je helpen, dat weet ik zeker.'

'Je denkt dus niet dat de dood van Nathalie iets te maken heeft met de kliniek?' De teleurstelling in haar stem was onmiskenbaar.

'Ik weet niet meer wat ik moet geloven, Carla. Maar doe me één plezier. Als je dan echt voor detective wilt spelen, laat Rudi er dan buiten. Is dat duidelijk?'

'Waarom?'

'Rudi is er sowieso van overtuigd dat alles de schuld is van de kliniek. Je moet niets tegen hem zeggen wat hem onnodig prikkelt. Als je met iemand wilt praten, kom dan eerst naar mij.' Hij glimlachte. 'Mij kun je ten minste nog met tastbaar bewijs overtuigen. En nu we het er toch over hebben – wat doet Rudi eigenlijk? Wat is zijn rol in het spel?'

43

De meeste eengezinswoningen in de Schlesischen Strasse waren net na de oorlog gebouwd, toen ballingen uit Sudetenland zich in Fahlenberg vestigden. De gebouwen waren als altijd van goede kwaliteit, ondanks de haast waarmee de 'vluchtelingenhuizen', zoals ze in Fahlenberg nog lang bekendstonden, waren opgetrokken.

Het rijtje huizen waar Rudolf Marenburg nu langsliep, zag er ook aan de buitenkant goed onderhouden uit. Naargelang de financiële situatie van de eigenaar waren houten kozijnen vervangen door kozijnen van kunststof, voordeuren vernieuwd en buitenmuren opnieuw gepleisterd.

Een van de huisjes was rood geverfd, waardoor het behoorlijk opviel tussen de verder witte huizen. Het huis van Hieronymus Liebwerk stond er direct naast. De huizen waren dicht tegen elkaar aan gebouwd en werden maar door een smal strookje groen gescheiden. De ruimte was zo groot dat je er net twee vuilnisemmers naast elkaar kon zetten. Dat was wel praktisch in de winter, dacht Marenburg. In elk geval hoefde je niet zoveel sneeuw te ruimen.

Het huis van Liebwerk maakte niet zo'n goed onderhouden indruk als dat van zijn buren. Op het hout van de voordeur waren de sporen van ouderdom duidelijk te zien, de gevel had al lang een verfje moeten hebben en in de stenen trede bij de deur zat een grote scheur die met een betonachtige massa provisorisch was dichtgemaakt.

Marenburg bekeek het luikje in de voordeur, knikte tevreden en liep naar het huis van de buren.

Na de tweede keer aanbellen deed een oudere dame met krulspelden open.

'Watblief?' zei ze, terwijl ze Marenburg argwanend aankeek. Ze was duidelijk niet geïnteresseerd in een abonnement op een tijdschrift, een nieuwe stofzuiger of een gesprek over de nakende Dag des Oordeels.

'Goedemiddag,' zei Marenburg. 'Ik kom vanwege de kat. Mijn vrouw heeft u gebeld.'

'De kat?'

'Ja, de kat van meneer Liebwerk hiernaast.'

'O,' zei ze, 'daar wist ik helemaal niets van. Mijn man zal wel weer vergeten zijn om het me te zeggen. Maar ik ben blij dat er iemand voor komt. Ik had Luzi graag willen houden, maar het ging helaas niet. Mijn man is allergisch, weet u. Was u familie van meneer Liebwerk?'

'Een neef,' loog Marenburg, en hij ging op zijn andere been staan. 'Kunt u me alstublieft de sleutel geven? Het is nogal koud vandaag.'

'Ja, nou, dat weet ik niet,' zei de buurvrouw met een onzekere blik. 'Ik ken u helemaal niet. Hoe heette u ook alweer?'

'O, neem me niet kwalijk. Marenburg. Rudolf Marenburg.'

Ze hield haar hoofd schuin en nam Marenburg van top tot teen op. 'Meneer Liebwerk heeft het nooit over u gehad.'

'Nou ja, we hadden ook niet echt wat je noemt een hechte band,' zei Marenburg. 'Maar ik denk dat hij blij zou zijn als hij wist dat ik voor Luzi ging zorgen. Nu hij er zelf niet meer is.'

'O ja, wat een vreselijke toestand,' zei de buurvrouw. 'Ik ben er nog steeds helemaal van uit mijn doen.'

'Ja, wij ook allemaal,' antwoordde Marenburg met dezelfde ontsteltenis in zijn stem. 'Echt vreselijk. Maar goed, zou ik er misschien even binnen mogen?'

De vrouw dacht nog heel even na, verdween toen in huis en kwam terug met de reservesleutel. 'Als Luzi er niet is...'

'Dan kom ik later nog wel terug,' onderbrak Marenburg haar en nam de sleutel van haar aan.

'Ze verstopt zich wel eens,' riep de buurvrouw hem na.

Marenburg beloofde dat hij overal zou zoeken en betrad even later het huis van Hieronymus Liebwerk.

Al in de gang kwam de lucht van verschaalde sigarettenrook hem tegemoet. Ze zouden hier behoorlijk moeten luchten, wilden ze een koper kunnen interesseren.

Het huis zag er vanbuiten al klein uit, maar vanbinnen was het minuscuul. Op de begane grond waren een kleine woonkamer en de keuken, op de bovenverdieping waren de slaap- en badkamer. In de kamers heerste een pietluttige orde, maar als je goed keek, zag je op alle meubels een dun laagje stof liggen. Liebwerk leek het met schoonmaken niet zo nauw genomen te hebben. Tot Marenburgs grote dankbaarheid was de kattenmand naast de vermolmde schrijftafel leeg. Waar de poes ook mocht wezen, hij had nu een goede reden om overal rond te kijken.

Op de avond dat hij Liebwerk in Het Spinnewiel had opgezocht, had hij meer gedronken dan hij van plan was geweest en hij kon zich nog maar vaag herinneren wat Liebwerk over het dossier gezegd had. Hij wist alleen zeker dat de archivaris had opgemerkt dat hij de stukken mee naar huis had genomen. Maar waar zou hij ze hebben gelegd?

Marenburg keek om zich heen en liep naar de schrijftafel. Het meubelstuk kwam vast van een vlooienmarkt. Of misschien was het een erfstuk. Hij probeerde de klep open te krijgen. Die was afgesloten, maar met een beetje druk van opzij lukte het hem toch. Ook hier heerste de orde van een man die vanwege zijn vak de gewoonte had om alles op een vaste plaats te bewaren. Het duurde niet lang of Marenburg vond de archiefmap die hij zocht.

Uw vriend was van mening dat er iets niet klopte in het dossier, hoorde hij Liebwerks raspende stem weer. *Maar ik heb het dossier ettelijke malen gelezen, ik heb er zelfs een kopie van gemaakt en die thuis nog eens doorgenomen, maar ik kon er niets bijzonders in vinden. Laat me nu met rust!*

Marenburg stak het dossier in zijn jas, deed de rits dicht en draaide zich om. Geschrokken keek hij in het gezicht van de buurvrouw, die in de deuropening stond en hem gadesloeg.

'Wat doet u daar?'

'Ik heb alleen even gekeken of er nog inentingspapieren voor de kat waren.'

'Inentingspapieren?'

'Ja, maar ze lagen er niet.'

'Ze moeten er wel zijn,' verzekerde de buurvrouw en ze kwam de kamer in. 'Hij heeft Luzi zelfs een nummer in haar oor laten tatoeëren voor het geval ze zou verdwalen.'

Met gespeelde onverschilligheid keek Marenburg op zijn horloge. 'Tja, dan ga ik maar weer. Mijn vrouw wacht met het eten. Zoals gezegd, ik kom later wel terug. De kat is niet in huis, voor zover ik kan zien.'

'Het is toch zo gek,' begon de buurvrouw.

'O, wat dan?'

'Zonet heeft er nog een heer over Luzi gebeld.'

Marenburg keek haar verbaasd aan. 'Over de kat?'

De vrouw haalde haar schouders op. 'Nou ja, hij zei dat hij belde vanwege meneer Liebwerk en toen zei ik: mocht u bellen over de kat, daar is al iemand voor. En toen zei hij dat hij inderdaad belde vanwege de kat.'

'Heeft hij gezegd hoe hij heette?'

'Nee.' Ze schudde haar hoofd. 'We hebben elkaar maar even gesproken. Hij zei dat hij meteen even langs zou komen om u te spreken.'

'Met mij? Hebt u hem dan gezegd wie ik ben?'

'Ja,' knikte de buurvrouw, 'en hij zei dat hij u kende.'

Marenburg kreeg een vreemd gevoel in zijn maagstreek. 'Dat zal... dat zal mijn zwager zijn geweest,' zei hij. 'Mijn nichtje wil al heel lang een poesje.'

De buurvrouw begon nu een lang verhaal af te steken over het belang van huisdieren voor kleine kinderen, maar Marenburg liep langs haar heen het huis uit.

'Ja, en uw zwager dan?' riep de vrouw hem na.

Marenburg antwoordde dat hij nu echt geen tijd meer had om op hem te wachten. Toen maakte hij dat hij wegkwam. Hij had gevonden wat hij zocht en een instinctief gevoel zei hem dat hij die onbekende beller beter niet kon tegenkomen. Niet voor hij wist wat er met het dossier aan de hand was. Maar terwijl hij naar de bushalte liep, had hij steeds het gevoel dat er iemand naar hem keek.

44

Een jonge, bleke verpleegster, die volgens haar naambordje Sabine heette, begeleidde Carla door het trappenhuis naar de kelderverdieping van afdeling 12.

Ze gingen een kamer in waar Carla versteld van stond. De muren waren helemaal rood en op de even rode vloer klonken hun voetstappen alsof ze op fluweel liepen.

'Dokter Rauh komt dadelijk bij u,' zei de verpleegster en wees op de drie zitmeubels in de kamer – een bank, een leunstoel en een gewone houten stoel.

'Gaat u zitten, alstublieft.'

Carla ging op de stoel zitten.

Sabine glimlachte naar haar, legde de door Jan opgestelde doorverwijzing op het lage tafeltje en liep zonder verder iets te zeggen de vreemde kamer uit.

De kamer wekte een claustrofobisch gevoel bij Carla op. Hoewel de ruimte behoorlijk groot was en spartaans ingericht, had ze het gevoel dat ze nauwelijks kon ademen.

Misschien was het de rode kleur, die haar aan iets organisch deed denken. Aan een muil die haar dreigde te verslinden.

Zou Nathalie zich hier ook zo onbehaaglijk hebben gevoeld? Nathalie had vooral van volle kleuren gehouden en de muren in haar huis waren diep abrikooskleurig geschilderd. Maar het rood van deze kamer was haar vast niet bevallen. Wat zou die dokter Rauh met zo'n kamer van plan zijn?

Zo stel ik me nou net een kamer in een bordeel voor, dacht Carla en ze onderdrukte een zenuwachtig giechelen. *Het ontbreekt alleen nog maar aan gedempt licht en de geur van musk.*

Weliswaar hing ook hier een geur in de lucht – een geur die haar deed denken aan een fruitschaal – maar die was nauwelijks waarneembaar. Alles wat je hier zag leek onderhuids tot je bewustzijn door te dringen.

Waarschijnlijk was de ruimte daarom ook zo onaangenaam. De ruimte was op de een of andere manier... nou ja, gluiperig. Alsof de kamer haar op een achterbakse manier geheimen wilde ontlokken.

Zou Nathalie hier over haar geheimen hebben verteld? Ze had het nooit over deze kamer gehad. Ze had maar weinig verteld over wat ze in de kliniek met haar hadden gedaan.

Carla vond het moeilijk voorstelbaar dat Nathalie in deze omgeving en nota bene met een man had gepraat over dingen die ze Carla alleen als vriendin en onder vier ogen had gezegd. Maar misschien vergiste ze zich. Als je deze ruimte op je liet inwerken dan was het ergens alsof je een affaire aanging, die vervolgens zelf een geheim werd omdat je er met niemand anders over wilde praten. Een affaire op het niveau van de ziel.

Was dat wat Nathalie had bedoeld met de 'demon'? Iets wat Carla's collega's van de boulevardpers misschien een 'mindfuck' zouden hebben genoemd?

Maar daar werd je niet zwanger van.

Op dat ogenblik werd er zacht geklopt en een man kwam de kamer binnen. Hij moest al ver over de vijftig zijn, maar hij zag er nog goed uit voor zijn leeftijd. Een afgetraind lichaam, verzorgd uiterlijk en kleren die je alleen vond in selecte herenkledingzaken.

De vrouwen zouden wel een zwak voor hem hebben, dacht Carla, want hoewel hij er wat ijdel uitzag, leek hij toch niet het type te zijn van de snelle jongen die zijn cabrio voor de deur van het café parkeert.

Toen de man haar zag, stokte hij in zijn beweging. Carla had kunnen zweren dat hij een tikje bleker werd. Maar toen herstelde hij zich weer. Hij pakte Jans doorverwijzing van de tafel.

'Mevrouw Weller? Mijn naam is Rauh,' zei hij. Hij had een prettige, bijna betoverende stem. Met een zacht, warm timbre.

Ze stond op en gaf hem een hand. Hij gaf een stevige hand terug, alleen waren zijn handen licht vochtig.

'Gaat u toch zitten, alstublieft,' zei hij peinzend.

Ze gingen zitten, Rauh in de leunstoel, Carla op de gewone stoel. Ze kreeg de indruk dat hij dat niet de goede plek vond. Rauh keek de verwijzing grondig door, legde hem terug op tafel en glimlachte tegen Carla.

'Zoals ik zie bent u door mijn collega dokter Forstner naar mij doorgestuurd.'

'Hij dacht dat ik bij u in goede handen zou zijn.'

'Het is me een eer.' Nog steeds glimlachte Rauh, maar Carla merkte dat hij haar intussen in zich opnam.

'Waarom wil hij u niet zelf behandelen?'

'Dat kunt u uw collega beter zelf vragen.'

'Dat zal ik doen. Maar misschien kunt u me eerst even vertellen waarom u hier bent.'

'Mijn beste vriendin is dood,' zei Carla, en ze liet zich geen van zijn reacties ontgaan.

Rauh knikte en keek haar meelevend aan. 'En u hebt het daar moeilijk mee.'

'Ja.'

'Vandaar uw poging om haar achterna te gaan?'

Carla bekeek de verbanden om haar polsen. 'Ja.'

'Nee,' Rauh knikte naar de verbanden, 'ik heb het niet over uw zelfmoordpoging. Ik bedoel uw verschijning hier.'

Carla voelde het bloed naar haar hoofd schieten.

'U wilde zien hoe ik op de gelijkenis zou reageren,' voegde Rauh eraan toe. 'En u bent hier omdat u denkt dat ik weet waarom mevrouw Köppler zich zo plotseling van het leven heeft beroofd, niet waar?'

Touché, schoot het Carla door het hoofd. *Je hebt hem overrompeld, nu probeert hij hetzelfde.*

'Weet u dat dan?'

Nogmaals glimlachte Rauh, maar deze keer leek het nog onechter dan eerst.

'Het gaat er toch in de eerste plaats om wat ú ervan denkt te weten. Daar moeten we het over hebben.'

'Nou, ik denk dat u de reden weet waarom Nathalie zelfmoord heeft gepleegd,' zei Carla met eenzelfde rustige stem.

'Aha,' zei Rauh. Zijn glimlach verdween.

'En ik denk dat die reden iets met deze kliniek te maken heeft.'

Achter het voorhoofd van de arts leek iets te gebeuren. Het kon onzekerheid zijn, maar evengoed ook ergernis over de beschuldiging.

'U zoekt dus een schuldige?'

Carla haalde haar schouders op. 'Als u het zo stelt, ja.'

'En ik ben uw hoofdverdachte?'

'Wie weet,' antwoordde ze, en ze merkte een geërgerde fonkeling in zijn blik op.

'Waar moet het naartoe met dit gesprek , mevrouw Weller?'

'De waarheid?' Carla keek de arts strak aan.

'De waarheid zoals u die wilt horen?' Rauhs stem werd luider. 'Ik ben bang dat u een andere waarheid niet zou accepteren.'

'Dat hangt ervan af. Doe eens een poging.'

'Goed,' zuchtte Rauh met een ongeduldig gebaar. 'De waarheid is dat een voormalige patiënte, die aan een ernstige angststoornis leed, een paar dagen geleden zelfmoord heeft gepleegd. Een andere waarheid is, dat haar vriendin nu denkt dat ik daar verantwoordelijk voor ben. Ze is daar zelfs zozeer van overtuigd dat ze zich in haar armen snijdt om ook voor behandeling in deze kliniek te worden opgenomen. Ze verkleedt zich als dubbelganger en haalt een andere arts over haar naar mij door te verwijzen, in de hoop dat ik haar precies hetzelfde aandoe wat ik haar vriendin aangedaan heb. Wat ze zich daarbij ook heeft voorgesteld dat dat zou kunnen zijn geweest. Dat, mijn beste mevrouw Weller, zou de waarheid zijn die u graag zou horen.'

'En wat heeft u Nathalie dan aangedaan?' vroeg Carla.

Rauh rekte zijn hals, ademde diep en keek haar weer aan. 'Ik heb met haar gepraat. Zoals ik nu ook met u praat. Ik heb naar haar angsten geluisterd.'

'Ze zou u nooit over haar angsten hebben verteld.'

Rauh glimlachte op een aanmatigende manier waar Carla van walgde.

'Klinkt daar niet een beetje jaloezie in door? Hoe komt u erbij dat dat niet kan zijn gebeurd?'

'Omdat ik Nathalie heb gekend,' zei ze, scherper dan de bedoeling was. 'Beter dan wie ook.'

'O ja?' Rauh tilde een wenkbrauw op. Hij leek geamuseerd. 'Dan zou u ook moeten hebben voorzien dat mevrouw Köppler bij ons eerste gesprek niet op die stoel ging zitten.'

'De stoel? Wat doet dat er toe?'

'Meer dan u denkt, mevrouw Weller.'

Met een soepele beweging stond Rauh op van zijn fauteuil. Hij liep naar de deur en deed die open.

'U kunt beter gaan,' zei hij, op dezelfde kalme toon waarmee hij haar had verwelkomd.

'Gooit u me eruit?'

'Ik denk dat het beter is om onze sessie voor vandaag hiermee af te sluiten. Komt u maar terug als u serieus in een behandeling bent geïnteresseerd. En dat zou ik u dringend willen adviseren. Anders moet u uw opname in de kliniek nog maar eens overdenken.'

Carla stond op. 'U heeft me nog geen duidelijk antwoord gegeven.'

'Over mevrouw Köppler zal ik u verder geen informatie geven,' zei Rauh nors. 'Mijn zwijgplicht verbiedt mij dat. En die plicht geldt ook na de dood van mijn patiënte. O, mevrouw Weller, ik zou u nog iets willen vragen.'

'Ja?'

'Kent u ene Rudolf Marenburg?'

Carla werd zo door de vraag overvallen, dat ze er niet meteen antwoord op kon geven.

Rauh knikte kort en deed de deur achter haar dicht.

45

Het woonhuis van de directeur van de Boskliniek lag aan de zuid-rand van het terrein. Zoals de meeste ziekenhuisgebouwen was het al gebouwd in de tijd van de oprichting – een tijd waarin de directeuren van dergelijke instituten nog als vorsten werden behandeld en ook zo leefden.

Toen Jan de hoge hal met de reusachtige ramen en de blank gepolijste parketvloer binnenkwam, kreeg hij het gevoel dat hij was uitgenodigd voor een uitje naar een kasteel en niet voor een etentje bij het gezin van zijn directeur.

'Onder ons gezegd, we hebben ons hier nog nooit bijzonder op ons gemak gevoeld,' bekende Fleischer later onder het eten, toen Jan hem vroeg wat hij van de pompeuze inrichting vond. 'Ik overweeg al langer om hier een afdeling voor kinder- en jeugdpsychiatrie te vestigen en met Hanna kleiner te gaan wonen. Zeker nu de meisjes ons nog maar zo zelden komen opzoeken.'

'Dat is niet eerlijk, papa!' zei Annabelle. Fleischers jongste dochter was een beeldschone blondine en het evenbeeld van haar moeder. 'We komen toch heel vaak op bezoek.' Ze streek teder over de ronding van haar buik. 'En waarschijnlijk ben je over drie maanden blij met elke minuut rust die je kunt krijgen. Die kleine derwisj trappelt weer als een gek.'

'Jullie zijn hier nooit te veel,' zei Hanna Fleischer. 'En dat we misschien kleiner gaan wonen verandert daar niets aan.'

'Toen ik studeerde woonde ik op een kamertje dat kleiner was dan onze huidige badkamer,' zei Fleischer, en hij reikte Jan een schotel aardappeltjes aan. Jan bedankte vriendelijk.

'Ons volgende huis was nauwelijks groter.' Hanna Fleischer knipoogde naar haar man. 'Maar het was er toch gezellig, hè, Raimund?'

Fleischer glimlachte dromerig naar zijn vrouw. 'We konden het in elk geval nog gewoon zonder schoonmaakster af.'

'Ouwe seksist,' lachte Hanna Fleischer en schonk Jan zijn glas bij.

'Hanna, dat "ouwe" neem je meteen terug.'

'Ik heb me hier altijd gevoeld als dat meisje uit *The Princess Diaries*,' zei Annabelle. 'Ken je die film?'

'Ik geloof van niet,' zei Jan.

'Hij gaat over een meisje dat van de ene dag op de andere in een kasteel gaat wonen,' zei ze en depte met haar servet op een bessenvlek op haar truitje. 'Alleen lopen er bij haar kasteel geen gestoorden in de tuin te stoeien.'

'Annabelle, alsjeblieft,' zei Hanna Fleischer met deftige verontwaardiging. 'Ziet u het alstublieft door de vingers, dokter Forstner, Annabelle heeft nooit veel voeling gehad met het vak van haar vader.'

'Daarom ben ik ook met een bioloog getrouwd,' zei Annabelle, terwijl ze opstond. Ze liep om de tafel heen en omhelsde haar vader. 'Maar natuurlijk is en blijft mijn papa de beste papa van de hele wereld.'

Ze gaf haar vader een kus op zijn wang en liep de keuken in.

'Nou zie je het zelf, Jan,' zei Fleischer en keek trots naar zijn zwangere dochter. 'Ik ben nog steeds een aanbeden man.' Hij zette zijn grote, zwarte bril recht en weer moest Jan denken dat dokter Raimund Fleischer beslist iets van Gregory Peck weghad.

'Heb jij een gezin, Jan?' vroeg Hanna Fleischer.

'Nee, ik ben...' Jan kuchte. '... gescheiden.'

'Ach, dat spijt me. Heb je kinderen?'

'Nee.'

Hanna Fleischer knikte en leek het te begrijpen. Toen wees ze op de schaal met vlees. 'Wil je misschien nog een stukje reerug, Jan?'

'Nee, dank u, ik zit vol.'

Jan voelde de blos op zijn wangen. Hij hield niet zo van gesprekken over kinderen en relaties. Hij had dan altijd het gevoel alsof de angst voor verlies op zijn voorhoofd stond geschreven

– de reden voor zijn kinderloosheid. In elk geval had het nooit aan zijn partners gelegen.

'Mijn complimenten aan de kokkin,' zei hij snel, en hij glimlachte tegen zijn gastvrouw. 'Het was verrukkelijk.'

'Dat is fijn om te horen. Raimund heeft een goed contact met een jager uit de buurt... kom, hoe heet hij ook alweer?'

'Hesse,' zei Fleischer. 'Hermann Hesse, net als de schrijver. Zijn zoon is een collega van ons, hij heeft een huisartsenpraktijk in de stad. Aardige man, zeer capabel.'

'Ja,' beaamde Jan. 'Ik heb hem al eens gesproken.'

Fleischer was verbaasd. 'O ja? Goh, de wereld is klein. Maar wat het ree betreft – dat hebben we eigenlijk aan Norbert Rauh te danken. Hij kent de oude Hesse veel beter dan wij. Die kennen elkaar al van toen Norbert nog een klein manneke was. Nou, en sinds Norbert hier weer werkt, ligt er altijd wel een goed stuk vlees uit Kössingen in de vriezer.'

'Kössingen,' herhaalde Jan. Er schoot een steek door zijn hart. Hij zag de eenzame bosweg voor zich. Sneeuw. De gele Passat tegen een boom...

Hij merkte dat zijn gastheer naar hem keek en glimlachte verlegen.

'Goed,' zei Hanna Fleischer, terwijl ze opstond en de borden op elkaar stapelde. 'Ik ga even bij Annabelle kijken in de keuken. Willen de heren koffie of iets zoets?'

'Koffie zou heerlijk zijn,' zei Jan, en Fleischer voegde eraan toe: 'In mijn werkkamer, alsjeblieft. Die moet je gezien hebben, jongen. Daarmee vergeleken is mijn kamer in het administratiegebouw maar een telefooncel.'

'Indrukwekkend,' liet Jan zich ontvallen, toen ze Raimund Fleischers werkkamer binnengingen. Het was geen kamer, maar een zaal waarin je een bal zou kunnen geven.

'De verwarmingskosten zijn nog groter,' lachte Fleischer. 'Als we dit huis op een dag inderdaad verbouwen tot een afdeling, zullen we een hoop geld in de isolatie moeten steken.'

Hanna Fleischer bracht de koffie en ze gingen in een hoek zitten, naast een forse boekenkast.

'Toen ik het over Kössingen had, moest je aan je vader denken, hè?' Fleischer nam twee schepjes suiker in zijn koffie, pakte zijn kopje en begon er bedaard in te roeren.

Jan knikte. 'Hebt u enig idee waarheen hij toen onderweg kan zijn geweest?'

'Ik zou het werkelijk niet weten.' De professor nipte aan zijn koffie en zette zijn kopje neer op het bijzettafeltje. Hij leunde achterover in zijn stoel en het leer kraakte onder zijn gewicht.

'Luister eens, Jan, ik zal er geen doekjes om winden. Ik maak me zorgen om je.'

'Zorgen?' Jan keek hem verrast aan. 'Om mij?'

'Ja. Ik heb gisteren een gesprekje met Norbert Rauh gehad. Wees maar niet bang, hij heeft niet uit de school geklapt, maar ik wilde wel weten hoe je behandeling in het algemeen verloopt.'

Jan zette ook zijn kopje neer. Hij voelde zijn handpalmen vochtig worden. 'En wat vond hij ervan?'

'Hij heeft gezegd dat je behoorlijk vooruit bent gegaan, maar dat je jezelf nog steeds afsluit.'

'Rauh heeft me pas twee keer gezien. Hoe kan hij daar dan nu al over oordelen?'

Fleischer sloeg zijn benen over elkaar en drukte zijn vingertoppen tegen elkaar. 'Deze kliniek heeft vele ogen en oren, Jan. Ik hoor dat je onderzoek doet. Dat je je bezighoudt met gevallen van vroeger. Ik heb gehoord dat je een paar keer bij Liebwerk bent geweest. Klopt dat?'

Jan haalde zijn schouders op. 'Ja, dat klopt.'

'Het doet me plezier dat we open met elkaar praten.' Fleischer knikte tevreden. 'Ik had ook niet anders van je verwacht, Jan.'

'Ik heb niemand schade berokkend met mijn vragen,' verdedigde Jan zich.

'Je brengt jezelf schade toe,' zei Fleischer rustig. 'Ik geef je een tweede kans, omdat ik je wil helpen het verleden eindelijk af te sluiten. Maar dat kan alleen als je de blik op de toekomst richt.

Ik weet dat je dat niet makkelijk afgaat. Tenslotte is dit de plek waar alles is begonnen. Maar je moet steeds voor ogen houden dat dit de enige mogelijkheid is om vakmatig weer voet aan de grond te krijgen. Al helemaal nu Laszinski dood is.'

Jan zat meteen recht overeind. 'Is Laszinski dood?'

'Ja. Hij werd door twee medegedetineerden doodgeslagen.'

Jan kromp ineen. 'Als dat bekend wordt, halen ze die hele toestand van toen ook weer boven water.'

'Ik vrees van wel,' zei Fleischer. 'Het bericht is nog niet officieel en zolang het gerechtelijk onderzoek loopt, houden ze het stil. Maar als de pers er lucht van krijgt, zal het wel stof doen opwaaien.'

Jan zag de koppen weer voor zich: PSYCHOPAAT IN DOKTERSJAS, en ALS DADERS HET SLACHTOFFER WORDEN waren nog de vriendelijkste geweest.

Weliswaar was de kwestie-Laszinski maar een paar dagen in het nieuws geweest, maar als de man nu in gevangenschap om het leven was gebracht, zou dat een welkome aanleiding zijn voor nieuwe bespiegelingen over de positie van die dadergroep binnen de penitentiaire inrichting. Het incident waarbij dokter Jan Forstner die zijn patiënt het ziekenhuis in had geslagen terwijl de surveillanten geen haast maakten om tussenbeide te komen zou nu nog meer gewicht krijgen.

'Daarom,' ging Fleischer verder, 'is het belangrijk dat je gebruik maakt van mijn aanbod. Zoals gezegd staat je contract voor onbepaalde tijd zo goed als niets meer in de weg. Het is nu aan jou om die lui daarbuiten te laten zien wat voor fantastische dokter je bent.'

Afwezig keek Jan nu uit het grote, dubbele raam. Naar de bomen in het park kon je met deze zwakke verlichting hooguit raden.

Een gouden kooi, dacht Jan. *Fleischer biedt me bescherming in een gouden kooi. Maar dan ben ik evengoed een gevangene.*

'Wil je nog gebruikmaken van de kans die je hebt gekregen?' vroeg Fleischer.

'Ja. Ja, ik denk van wel.'

'Mooi zo,' zei de professor. 'En er is nog iets wat je moet weten. Je hebt Norbert Rauh naar Alexandra Marenburg gevraagd.'

'Ja, dat heb ik.' Jan maakte een verontschuldigend gebaar. 'Ik weet dat je oude kwesties beter met rust kunt laten, maar...'

'Luister, Jan,' onderbrak Fleischer hem. 'De vrouw leed aan een schizofrene stoornis. Ze was niet alleen depressief, zoals meneer Marenburg graag wil benadrukken. Ze had waanvoorstellingen. Toen ze die kreeg, werd ze onberekenbaar. Kijk Jan, je vader heeft erg zijn best voor haar gedaan, maar haar medicijnen werkten niet altijd even goed. Vandaar dat ze hier vaak werd opgenomen. Het kon niet anders.' Hij nam een korte pauze voor hij verderging. 'In de nacht van haar zelfmoord ging het weer moeilijk. We hadden een personeelstekort. Er was maar één verpleger op twee afdelingen beschikbaar. Het gebeurde toen hij zijn ronde liep. De vrouw rende gillend de gang op. En toen...' Hij zuchtte. '... toen sprong ze uit het raam naar buiten en ging ze ervandoor. De verpleger belde meteen de politie. De rest van het verhaal ken je.'

'O zeker,' zei Jan en hij dacht aan de dictafoon in zijn jaszak. De kinderlijke domheid om de stem van een geest daarmee op te willen nemen kwam hem opeens zo vreemd voor dat hij er het liefst hardop om gelachen had.

'Ik wil me niet met je privéleven bemoeien,' zei Fleischer, en hij boog zich naar Jan toe, 'maar ik zou je een goede raad willen geven: pas op voor Rudolf Marenburg. Hij is bezeten van de gedachte dat wij de dood van zijn dochter op ons geweten hebben. Het is een bijna ziekelijke obsessie. Als je eens wist, hoe vaak hij mij en Norbert niet heeft gebeld. Midden in de nacht en straalbezopen. Hij geeft ons de schuld. Terwijl Norbert haar niet eens behandelde. Schizofrene patiënten komen toch al niet in aanmerking voor hypnose.'

Het irriteerde Jan dat Fleischer weinig vleiend over zijn vriend praatte, maar hij wist dat de professor gelijk had: Rudi was in dit geval een slechte raadgever. Dat had Jan ook geprobeerd uit te leggen aan Carla.

Er was nog een andere kwestie die hem bezighield en hij besloot er Fleischer naar te vragen. 'Toen Hieronymus Liebwerk een paar dagen geleden in het archief naar het dossier van Alexandra Marenburg zocht, kon hij het niet vinden. Hoe verklaart u dat? Toeval?'

Fleischer pakte zijn koffie, dronk ervan en keek Jan aan over de rand van het kopje. 'Dat is helemaal niet toevallig, Jan. En als je er even over nadenkt, weet je zo wat er met het dossier is gebeurd.'

Jan keek de geneesheer-directeur ontsteld aan. 'Hoe moet ik dat weten?'

'Je vader had het dossier,' zei Fleischer. 'Alexandra was zijn patiënte en Bernhard nam vaak dossiers mee naar huis om daar zijn verslagen te schrijven. Als het dossier niet in het archief lag, zoals je zegt, dan denk ik dat het bij je vader lag. Het is overigens zeer wel denkbaar dat het in de loop der tijden verloren is gegaan. Zoals je je kunt voorstellen was het hier na die twee ongelukken een hectische toestand.'

Jan klampte zich stevig vast aan de leuningen van zijn stoel. Fleischer had gelijk. Jan had het moeten weten. Misschien had hij het heimelijk ook geweten en verdrongen.

Heb ik al die tijd op de verkeerde plek naar antwoorden gezocht?

'Wil je nog koffie?' vroeg Fleischer, en hij wees naar de twee lege kopjes.

'Nee, dank u,' mompelde Jan.

Voor vandaag had hij wel genoeg gehad.

46

Nog maar een halfuur geleden had Dunja in haar stoutste dromen nog niet verwacht dat dit de mooiste dag van haar leven zou worden. Maar nu zat ze toch naast hem op de voorbank van een luxe limousine, dronk ze champagne en kon ze haar geluk nog niet helemaal bevatten.

Eerst had ze gedacht dat ze in een volkomen normale middenklasser was gestapt en dat ze een gewoon glaasje prosecco uit de koeling van een benzinestation in haar hand had. Maar nu was ze erachter gekomen dat ze zich vreselijk had vergist.

Vergissen is menselijk, had hij gezegd, toen ze haar verbazing onder woorden had gebracht.

En daarin had hij volkomen gelijk. Tenslotte had ze zich ook in hem vergist. Hij had haar zo vaak gevraagd om een masker voor te doen en teksten voor te dragen terwijl hij haar neukte, dat ze niet had beseft dat het maar een test was van haar acteertalent. Ze had niet eens doorzien wie de grote onbekende in werkelijkheid was.

Maar nu had hij zich aan haar geopenbaard en het was onvoorstelbaar. Haar mooiste droom was werkelijkheid geworden. Ze zat naast Robert De Niro.

Ze had het altijd al geweten, al was ze er soms bang voor geweest dat het maar een droom was: op een dag zou hij komen en haar weghalen uit het moeras waar ze in verstrikt was. Weg van al die duistere figuren, weg van al die zonderlinge, soms lelijke en vaak dikke mannen die alleen uit waren op een snelle wip. Weg van die menselijke afgronden.

Nu was alles eindelijk voorbij. Nu zat ze naast hem en reed ze door de nacht, en elke keer dat ze naar hem keek maakte haar hart een sprongetje van plezier en gelukzaligheid.

Hij zag er precies zo uit als ze hem kende uit de bioscoop. Bij zo'n ontzettend knappe kerel was alle make-up overbodig. In zijn smoking zag De Niro eruit als Don Vito Corleone indertijd, en hij kon bij de opnamen toen niet veel ouder dan dertig zijn geweest. Maar de leeftijd had geen invloed op de goden van het witte doek, zelfs al waren ze over de zestig – daarvan was Robert De Niro zonder twijfel het levende bewijs.

'U ziet er zo ontzettend knap uit,' durfde ze ten slotte te zeggen, en De Niro schonk haar een weergaloze glimlach, een beetje zoals Louis Cyphre in *Angel Heart* en heel erg zoals pater Bobby in *Sleepers*. Wat was die moedervlek op zijn rechterwang toch mooi. Alleen om die moedervlek te mogen aanraken of kussen zou ze al haar spaargeld aan de toneelschool hebben uitgegeven.

Vergeten was de vermoeidheid van voorheen, toen ze het Love Palace uit kwam en alleen nog maar thuis in bad wilde. Daarom was ze eerst ook bijna niet bij hem ingestapt, al was ze ten slotte ingegaan op zijn aandringen omdat hij haar nieuwsgierig had gemaakt. Hij had er zo goedgehumeurd uitgezien en haar sekt – inmiddels was het champagne – aangeboden en haar beloofd dat hij haar iets fantastisch zou laten zien. En nu ze had begrepen wie hij werkelijk was... ja, nu was het echt fantastisch.

'Heb ik wel de goeie kleren aan?' vroeg ze onzeker.

'Natuurlijk, schoonheid,' zei De Niro, en hij glimlachte zijn hemelse glimlach weer. 'Je zou jezelf eens moeten zien. Jij bent altijd *dressed to kill*, liefje.'

Ze keek naar zichzelf. Droeg ze echt een wijnrode avondjurk met diep decolleté? Ze kon zich niet herinneren dat ze die had aangetrokken. Dat lag vast aan de champagne. Oei, ze mocht wel uitkijken dat ze niet aangeschoten raakte. Dat zou op deze allerwaanzinnigste avond niet zomaar pijnlijk zijn, maar dodelijk voor haar verdere carrière.

'Onzin, schoonheid,' zei De Niro, en hij legde een hand op haar dij. 'Drink nog wat. Laat de show over je heen komen. Dat doen we allemaal.'

O god, alleen van die hand werd ze al vochtig. Ze moest zichzelf weer onder controle krijgen, dus dronk ze snel haar glas leeg. De champagne kriebelde in haar buik en ze moest een boertje onderdrukken. *Hopelijk heeft hij dat niet gehoord. Ik gedraag me als een boerentrien.* Maar De Niro lachte alleen maar en ze lachte met hem mee. Vlak daarna stopte hij de auto.

'O, Bob,' zei ze. Hij had haar gevraagd, hem Bob te noemen – al zijn vrienden zeiden Bob tegen hem – en ze hoopte stiekem dat ze vannacht nog vaak 'O, Bob' in zijn oor mocht zuchten. 'Waarom is het hier zo donker?'

'We zijn hier achter het toneel, schatje,' zei Bob, en hij knipoogde naar haar. 'Zo meteen gaat het doek op en dan wordt het hier ontzettend licht, pas maar op.'

Ze liep achter hem aan een trap op en stapte op de gladgeboende vloer. Weliswaar kon ze het toneel nog niet zien, want daarvoor was het veel te donker, maar Bob nam haar bij de hand en vertelde haar waar ze waren. Bob wist de weg.

Haar hoge hakken klikten op de vloer, terwijl ze achter hem aan liep naar het midden van het toneel. Het gordijn was dicht, maar ze meende van de andere kant een zacht gemurmel te horen. Een gespannen geroezemoes dat alleen voor haar klonk.

'Ben je er klaar voor, liefje?'

Ze slaagde erin, een knikje te produceren. Het liefste was ze hard weggelopen. Ze had nooit gedacht dat plankenkoorts zo erg kon zijn.

Maar hé! Dit is het grote moment, wees dapper!

Ze wilde Bob vragen of haar make-up niet was uitgelopen, of hij haar lippenstift niet een beetje te overdreven vond en of haar decolleté niet te diep was. Goeie genade, je kon haar navelpiercing bijna zien. Aanstaande filmsterren hadden toch geen piercings, hoe had ze dat nou kunnen vergeten.

'Pssst,' deed Bob en hij streelde haar over haar blote schouders. Weer voelde ze hoe een prettige huivering over haar lichaam ging.

'Blijf kalm, liefje. In het begin vinden we het allemaal doodeng. Maar dat mag je ze niet laten merken.' Hij knipoogde weer en de moedervlek op zijn wang maakte een sprongetje. 'Dan pas ben je een vakvrouw. Ben je er klaar voor?'

Dunja haalde diep adem, knikte en zei met een zelfverzekerde, vaste stem 'Ja.'

Goed zo, dacht ze. *Nu ben je een vakvrouw.*

Robert De Niro – Bob – glimlachte tevreden en verdween achter het gordijn. Er klonk applaus en toen hoorde ze hem roepen. 'Dank u, dames en heren, dank u wel! Maar vandaag applaudisseert u niet voor mij. Vandaag verwelkomen wij hier de debutante van het jaar. Als er ooit een actrice een Oscar heeft verdiend, dan is het de jongedame die zo dadelijk het toneel op zal komen.'

Hij liet een dramatische stilte vallen en het gespannen geroezemoes werd nu nog luider.

'Ladies and gentlemen, ik vraag een applaus voor de fantastische, onvergelijkbare, meeslepende... Dunjaaaa Koslowskiiii!'

Hij rekte haar naam uit en onderstreepte daarmee het opgaan van het doek. Dik, rood fluweel gleed uiteen en liet het zicht vrij op het publiek. Iedere stoel in het reusachtige theater was bezet en zelfs in de gangpaden verdrongen de mensen zich – mannen in rokkostuum of smoking en vrouwen in avondjurken. Sommige jurken waren klassiek-elegant, andere even gewaagd als die van Dunja, of ze glommen in felle kleuren en waren bezet met flonkerende pailletten. En terwijl de fanfare van 20ᵗʰ Century Fox klonk, barstte het applaus los.

'Dit is voor jou, schatje,' hoorde ze De Niro haar toeroepen, maar in het felle licht van de schijnwerpers kon ze hem nergens zien. Maar ze zag wel wie er op de voorste rijen van het theater voor haar klapten en van opwinding stond haar hart bijna stil.

Daar zaten ze, de grootsten der groten, de goden en godinnen van de film. Dunja zag Bette Davis, Jane Russell, Liz Taylor, Marilyn Monroe... en daar! Was dat niet Ingrid Bergman? Ja! O, god, ze was het echt! Ze stond naast James Dean, Clark Gable en Cary Grant. En daar stond ook haar dochter, Isabella Rossellini.

De diva's stonden op van hun stoel en gaven haar een staande ovatie. Algauw stonden ook anderen op.

Ik ben in de hemel, o mijn god, ik ben in de hemel!

Dunja wist dat het nu aan haar was om iets te zeggen of te doen. Maar het donderend applaus was zo luid dat ze niet kon doordringen tot haar fantastische publiek. Dus spreidde ze haar armen uit, wierp met een volmaakt divagebaar haar hoofd naar achteren en presenteerde zichzelf in het steeds feller wordende licht van de schijnwerpers.

'Dit zijn je *fifteen minutes of fame,*' hoorde ze De Niro zeggen en gelijk had hij.

Dit was háár moment! Dit was...

De ICE raakte haar met een ongeremde snelheid van tweehonderdzeventig kilometer per uur. Het gebeurde zo snel, dat Dunja Koslowski niet meer voelde hoe ze door de zuiging onder de wielen werd gerukt en haar lichaam werd verpletterd.

47

Tegen twee uur 's nachts stopte Norbert Rauh bij het benzine-station van Fahlenberg. Hij stapte uit, rekte zich uit en snoof de koude nachtlucht op.

De winterse hemel boven hem was helder en voorspelde weer een dag met vorst. Rauh wreef zich in de ogen. Eigenlijk had hij al lang in bed moeten liggen, maar hij was zozeer aangegrepen dat hij niet eens aan slaap kon denken.

Hij liep naar het nachtloket. Een jong meisje met groen geverfd haar zat kauwgum kauwend achter het pantserglas en bladerde verveeld in een muziektijdschrift. Toen ze Rauh aan zag komen lopen, boog ze zich naar de intercom.

'Ja?' kwaakte ze.

'Goedenavond,' zei Rauh, en hij bestudeerde de voorraad siga-retten op het schap achter haar.

Nadenkend wreef hij over zijn kin. Hij had het gevoel dat hij iets van plan was dat niet mocht.

'Nou, wat mag het wezen?' vroeg het meisje geïrriteerd. 'Om deze tijd is er geen alcohol, ja?'

Toen Rauh besloot een pakje Marlboro te kopen, leek ze enigs-zins opgelucht. Waarschijnlijk was ze op dit nachtelijk uur ge-wend aan heel andere wensen van de kant van de klant. Rauh legde het geld gepast in het doorgeefluikje, bedankte en liep terug naar zijn auto.

Het was doodstil. Maar af en toe hoorde je op de snelweg een eenzame auto rijden. Dan werd het weer stil. Fahlenberg was diep in slaap.

Rauh ging achter het stuur zitten, deed het portier dicht en maakte het pakje sigaretten open. Toen pakte hij een verchroomd pistool uit het handschoenenkastje. Hij bekeek het nadenkend, ging met een vinger over de gegraveerde C en stak ten slotte een sigaret op. Het was zijn eerste sigaret sinds zeven jaar. Daarvoor had hij gerookt als een schoorsteen – hij was op zijn vijftiende al met roken begonnen – en toen het hem eindelijk was gelukt te stoppen, had hij gezworen dat hij nooit meer een sigaret in zijn mond zou steken. Maar nu kon hem dat niet schelen.

Rauh moest hoesten, zijn ogen traanden en hij werd duizelig, maar hij nam nog een trek, inhaleerde opnieuw en hoestte nog erger. Toen deed hij het raampje open, gooide de peuk naar buiten en het pakje er achteraan.

Hij startte de motor en reed naar huis. Tijd om een paar uur te slapen – of het tenminste te proberen. In elk geval moest hij de volgende ochtend fit genoeg zijn om eindelijk iets recht te zetten wat hij al lang recht had moeten zetten. Hij had er veel te lang mee gewacht. Het was tijd.

48

Carla haalde het deksel van haar ontbijtblad. Twee miezerige broodjes, een cupje boter, een cupje halvarine, een cupje aardbeienmarmelade en een cupje leverworst. Niet bepaald om trek van te krijgen.

Ze schoof het dienblad opzij en nipte aan haar koffie, die zo slap was dat ze eerst dacht dat het thee was.

Carla was bewust aan een tafeltje bij het raam gaan zitten, zodat ze de ruimte kon overzien. De meeste vrouwen droegen een trainingspak of een legging en een makkelijke trui. Een paar zaten te praten, andere zaten er zwijgend bij en kauwden op hun broodje.

Een dikke vrouw met armen als die van een sumoworstelaar keek Carla van achter haar tafeltje aan en wees op haar dienblad.

'Eet je dat nog op?'

'Nee.' Carla schudde vriendelijk glimlachend haar hoofd. 'Vanmorgen heb ik geen honger.'

'Geef maar hier dan,' zei de vrouw, zonder haar blik van Carla's ontbijt af te wenden.

Carla gaf haar het blad aan en de dikke vrouw viel er zonder een woord van dank op aan.

Hoe zou Nathalie zich hier hebben gevoeld? Aan de meeste vrouwen kon je zonder moeite zien dat ze psychische problemen hadden. De ziekte stond als het ware op hun voorhoofd geschreven. Je zag bange of afwezige blikken, sommige vrouwen lachten zonder aanwijsbare reden of stonden te luisteren alsof er een onzichtbaar iemand achter hen stond die hun belangrijke boodschappen influisterde.

Het was een wereld op zichzelf, die volledig verschilde van de wereld buiten. Nathalie moest zich net zo slecht op haar plek hebben gevoeld als Carla zich nu voelde.

Nu begreep ze ook waarom Nathalie nooit met haar op deze afdeling had willen afspreken. Ze hadden afgesproken in het cafetaria bij de hoofdingang of een wandelingetje door de tuin gemaakt, maar ze waren nooit naar afdeling 12 gegaan. Nathalie zou zich wel geschaamd hebben. Toch was ze hier gebleven in de hoop dat ze haar zouden helpen om haar diepgewortelde angsten te overwinnen.

Carla voelde een diepe bewondering voor haar vriendin, die dat alles toch was aangegaan om eindelijk een normaal leven te kunnen leiden. Een leven samen met Ralf, van wie ze toch heel veel had gehouden.

Er kwam een vrouw de eetzaal binnen. Ze hield haar blad voor zich als een kleinood en keek om zich heen naar een vrij plekje. Carla schrok toen ze het door een vreemd gezwel aangetaste gezicht van de vrouw zag. Maar de vrouw zelf schrok nog erger toen ze Carla zag zitten. Ze kromp ineen, zette – zonder haar blik van Carla af te wenden – haar dienblad op een tafel en kwam meteen naar haar toe.

'Je bent er weer,' zei ze zacht, toen ze bij Carla was aangekomen. 'Ik wist dat je terug zou komen.'

Carla kon geen woord uitbrengen. Bij iedere beweging beefde en trilde het gezwel, alsof er gelatinepudding onder de paars verkleurde huid zat.

'O, maar je bent het helemaal niet,' zei de vrouw en ze bekeek Carla van heel dichtbij. Carla voelde dat ze kippenvel kreeg. 'Maar je lijkt op haar.'

'Ik heet Carla.' Carla stak haar hand uit, maar de vrouw lette er niet op. In plaats daarvan pakte ze een stoel en ging bij Carla aan tafel zitten.

'Je lijkt heel erg op haar. Nathalie, zo heette ze.'

'Ja, ik weet het. Nathalie was een goede vriendin van me. En wie ben jij?'

'Ze noemen me Sibylle. Weet je wat die naam betekent?'

'Nee.'

'De zieneres,' zei Sibylle op een toon die respect afdwong. Zoals ze star en rechtop tegenover Carla zat, maakte ze de indruk van een pop waarvan het wassen gezicht te dicht bij een kaars was gekomen. 'Soms kan ik dingen zien, die anderen niet zien. Maar dat geloven er daarbuiten maar een paar.' Ze wees op de ramen naast haar. 'Je vriendin geloofde me. Ze hoorde hier dan misschien helemaal niet thuis, maar ze was er toch een zoals wij. Bij jou is het precies andersom. Jij bent zoals wij, maar je hoort hier niet.'

Natuurlijk had de vrouw ze niet allemaal op een rijtje, daar viel niet aan te twijfelen, maar iets zei Carla dat deze Sibylle haar eerste concrete spoor was. Ze had Nathalie gekend – en er was duidelijk een band tussen die twee geweest, een band die uitsteeg boven de gewone verhouding tussen medepatiënten.

'Heeft Nathalie tegen jou iets over haar... problemen gezegd?'

Sibylle glimlachte en haar vervormde gezicht vertrok tot een geheel nieuwe grimas. 'Bedoel je de demon?'

Carla kromp in elkaar. 'Heeft ze het daar met jou over gehad?'

'O zeker,' zei Sibylle, en ze knikte heftig.

'Wat heeft ze je verteld?'

Sibylle keek even goed om zich heen en wendde zich toen weer tot Carla. Ze sprak zacht verder. 'Hij heeft haar een paar keer opgezocht. In haar dromen. Dromen die dat niet waren.'

Carla voelde een rilling. 'Hoe... hoe bedoel je dat?'

'Heb jij ook een demon?' vroeg Sibylle, bijna angstig. 'Een kwelgeest die je in je dromen komt bezoeken?'

'Nee,' antwoordde Carla, 'ik geloof van niet.'

Sibylle knikte energiek. 'Jawel, je hebt er ook een. Ieder van ons heeft een demon. Ik heb er een, jij hebt er een en je vriendin heeft er een. Ik ken hier een jonge dokter die er zelfs meer dan een heeft. En we moeten allemaal oppassen voor de vermoeidheid.'

Voor de vermoeidheid, dacht Carla. Nathalies slaapaanvallen. Bedoelde ze die?

'Maar Nathalies demon – die is echt, toch?'

'Dat zijn ze allemaal.' Met een diepe zucht schoof Sibylle haar stoel naar achteren en stond op. Weer keek ze Carla met een doordringende blik aan. 'Pas op voor de dokter in de rode kamer.'

'Dokter Rauh?'

Sibylle knikte. 'Zo noemt hij zich ook wel.'

'Wat is er met hem?'

Opnieuw keek Sibylle om zich heen, alsof ze bang was dat ze werd afgeluisterd. Toen fluisterde ze: 'Hij haalt de demonen uit het schaduwrijk.'

49

Sommige wonden helen nooit. Je denkt dat er onder het korstje nieuwe huid is gegroeid, maar zodra je krabt, begint de wond weer te bloeden. Met wonden op de ziel was het precies zo, dacht Rudolf Marenburg. Hoewel er al vele jaren voorbij waren gegaan en hij dacht gewend te zijn geraakt aan de pijn die de herinnering aan Alexandra bij hem opriep, voelde het nog steeds alsof hij een oud litteken openscheurde.

Hoe langer hij zich bezighield met het dossier van Nathalie Köppler, des te meer werd hij aan Alexandra herinnerd. Nathalie en Alexandra hadden inderdaad meer gemeen dan alleen hun uiterlijk. Ze hadden allebei aan angstaanvallen geleden. Ze hadden er allebei moeite mee gehad om mensen dichtbij te laten komen. Het verschil was dat de angsten van Nathalie waren veroorzaakt door werkelijke gebeurtenissen, terwijl Alexandra bang was geweest voor dingen die uitsluitend aan haar fantasie waren ontsproten.

Maar ze waren allebei patiënten van de Boskliniek geweest en ze waren uiteindelijk allebei gek van angst hun dood tegemoet gerend. En in beide gevallen had niets daar van tevoren op gewezen.

Marenburg had in het hele dossier gezocht naar aanwijzingen of inconsistenties. Hij had het letter voor letter gelezen, maar niets gevonden.

Gelaten legde hij het dossier op tafel in de woonkamer. Toen stond hij op en liep hij de gang op naar de telefoon, waar een briefje met het mobiele nummer van Carla naast lag. Hij had haar graag gebeld, maar ze hadden iets anders afgesproken. Zij zou hem bellen zodra ze iets te melden had. Hij moest dus geduld hebben, al viel het hem zwaar.

Zuchtend wreef hij zijn slapen. Hij liep terug naar de woonkamer en nam de laatste slok koude koffie uit zijn kopje. Alexandra's kopje, dacht hij, en hij keek weemoedig naar het portret van David Bowie. Een ogenblik lang vroeg hij zich af of de jongeman aan wie zijn dochter hem op een dag misschien had voorgesteld net zo'n magere, slungelige kerel zou zijn geweest als deze popzanger. Weer een vraag waarop hij nooit antwoord zou krijgen.

Marenburg liep met zijn lege kopje naar de keuken om een laatste kop koffie in te schenken. Daarmee spoelde hij nog een aspirine weg tegen de hoofdpijn waar hij al de hele ochtend last van had.

Toen er gebeld werd, keek hij op de klok. Halfnegen. Te vroeg voor de postbode. Wie kon dat zijn?

Marenburg onderdrukte een geeuw en slofte de gang op. Misschien was het beter als hij nog een uur of twee ging slapen en daarna het dossier nog eens doornam. Soms hielp het als je afstand nam en even je zinnen verzette. Misschien zou hem dan iets opvallen wat hij tot nu toe over het hoofd had gezien.

Toen hij de deur opendeed, geloofde hij zijn ogen niet.

'Goeie genade!'

'Hallo, Rudi,' zei Norbert Rauh.

'Wat kom jij hier doen?'

Rauh keek eerst goed om zich heen voor hij antwoord gaf. 'Mag ik even binnenkomen?'

50

Jan zat in een van de drie bezoekersfauteuils en bladerde in een blaadje met informatie over het behandelingsaanbod van de Boskliniek. Hij wachtte nu al een halfuur. Zuchtend legde hij de brochure weg en keek nog eens op de klok aan de muur.

Carolin Neuhaus, de secretaresse van professor doctor Fleischer, zat achter haar bureau en typte met razende snelheid een dictaat uit op de computer. Toen ze Jans blik zag, hield ze even op, nam haar headset af en keek hem medelijdend aan.

'Het spijt me echt,' zei ze. 'Ik heb echt geen idee waar hij blijft. Hij zou zo terugkomen.'

Dat had ze een kwartier geleden ook al gezegd, alleen bood ze hem nu geen koffie aan.

Jan moest weer terug naar zijn patiënten. Misschien was het beter als hij een andere keer terugkwam. Hij wilde net opstaan, toen er voetstappen klonken op de gang. Met een gejaagde uitdrukking op zijn gezicht viel de professor de hal binnen. Tijdens het lopen trok hij zijn jas uit.

'Jan,' zei hij buiten adem, 'Neem me niet kwalijk dat ik zo laat ben. Ik stond al bijna op het punt om die kerel van de verzekering te vermoorden. Liebwerks gerook gaat ons nog een hoop ellende bezorgen. En dan die stomme deurknop...'

'Het is wel goed,' antwoordde Jan en hij liep achter Fleischer aan diens kantoor binnen. 'Ik had ook later even langs kunnen komen.'

'Nee, nee,' zei Fleischer afwerend, en hij bood Jan een stoel aan. 'Dit is veel te belangrijk. Ik heb het je in elk geval beloofd.'

Hij zocht een dossiermap uit de stapel documenten die voor hem op zijn reusachtige bureau torende. Met een triomferend gebaar gaf hij Jan de map aan. 'Voila, monsieur Forstner. Een arbeidsovereenkomst voor onbepaalde tijd. Je hoeft maar te tekenen.'

Jan sloeg de map open en liep het document even door, terwijl Fleischer met zijn zakdoek het zweet van zijn voorhoofd depte.

'En? Is het naar wens?' vroeg Fleischer.

'Zeker,' zei Jan.

'Maar?'

'Geen maar. Ik zou alleen niet willen dat u last kreeg vanwege mij.'

'Ach welnee,' zei Fleischer afwerend. 'Maak je daar maar geen zorgen om. Het is misschien niet op de normale, officiële manier tot stand gekomen, maar de afdeling Personeelszaken heeft van me geslikt dat de invulling van deze vacature een zaak van de directeur is. Een nieuwe vaste aanstelling zat er al aan te komen en aan wie ik daarbij de voorkeur geef, is mijn verantwoordelijkheid. Om eerlijk te zijn, Jan, heb ik het gevoel dat ik het je vader verschuldigd ben. Maar dat onder ons.'

Hij graaide in zijn binnenzak en gaf Jan een vulpen aan.

'Vooruit,' zei Jan, en hij zette zijn handtekening onder het contract. 'Ik ben erg blij dat ik deze kans krijg.'

'Je hebt hem verdiend, beste Jan,' zei Fleischer en hij pakte de map van Jan aan. 'Grijp hem aan. Kijk naar de toekomst en zet eindelijk een punt achter het verleden.'

Jan kreeg een onbehaaglijk gevoel. Onzeker keek hij naar de map die de professor vasthield. 'Is dat een voorwaarde bij het contract?'

Fleischer keek hem even aan. Toen schudde hij zijn hoofd. 'Nee, natuurlijk niet. Ik zeg het alleen in je eigen belang. Luister naar een oude vriend van je vader.'

Jan knikte. 'Dat doe ik.'

Met de ondeugende blik van een jongetje dat een streek uithaalt, legde Fleischer de map met het contract voor zich neer en deed een lade van zijn bureau open. 'Ik weet dat het nog wat vroeg is, en eigenlijk mogen we niet drinken onder diensttijd, maar ik geloof dat we deze bijzondere...'

Verder kwam hij niet. Zonder kloppen stormde Carolin Neuhaus het kantoor binnen.

'Dokter Forstner,' riep ze buiten adem, 'U moet meteen naar huis!'

Jan schoot op uit zijn stoel. 'Wat is er gebeurd?'

'Een ongeluk.'

Hij kreeg de rillingen van de uitdrukking op haar gezicht.

51

'Waar is dokter Rauh?'

Met een boos gezicht stond de dikke vrouw met de armen van de sumoworstelaar voor de afdelingskamer. Ze had haar handen op haar brede heupen gezet, waardoor ze eruitzag alsof ze een zwemband naar beneden duwde.

'Het spijt me, mevrouw Lippert, we weten het ook niet,' zei verpleegster Sabine en ze probeerde tevergeefs langs haar heen de gang op te lopen.

Carla, die naar hen zat te kijken vanuit de recreatieruimte, moest onwillekeurig aan een paling denken die door een walvis werd tegengehouden.

'Hoe bedoel je, we weten het ook niet?' bulderde de dikke vrouw. 'Ik wacht nu al een halfuur op mijn gesprek.'

'Het is nu eenmaal zo,' antwoordde de verpleegster geprikkeld en ze wrong zich nu met al haar kracht langs de vrouw. 'Ik weet het niet.'

'Het is schandalig,' snoof de dikke vrouw en ze liep stampend over de gang naar haar kamer. 'Je wordt hier behandeld alsof je ze niet allemaal op een rijtje hebt.'

Toen de kust vrij was, glipte Carla naar de deur die naar het trappenhuis leidde. Ze keek om zich heen en toen ze zeker wist dat niemand haar zag, haastte ze zich de trap af naar de kelderverdieping.

Het lichtknopje van Rauhs therapieruimte bevond zich achter een groene plant bij de deur. Ze deed het licht aan, ging naar binnen en sloot de deur zo zacht als ze kon.

Meteen werd ze weer bevangen door het benauwde gevoel dat ze niet meer kon ademen. Het was alsof de lucht in de kamer zwaarder was dan buiten.

Carla haalde een paar keer diep adem en voelde hoe haar lichte aanval van claustrofobie langzaam afnam. Haar werk als journalist had al vaker met zich meegebracht dat ze zich op verboden terrein begaf. Sommige collega's beweerden dat dat de aantrekkingskracht van het vak was, het zout in de pap, maar Carla was het daar niet mee eens. Nog altijd vond ze het moeilijk iets te doen dat niet mocht, inbreuk te maken op iemands privacy of zelfs taboes te doorbreken.

Wat haar dreef was de overtuiging dat er een waarheid aan het licht gebracht moest worden die anders in het ongewisse zou blijven. Ze was er rotsvast van overtuigd dat Rauh iets te verbergen had.

Met de therapieruimte was ze snel klaar. In de schuifladen van de commode was bijna niets te vinden. In de bovenste lag een uitgebreide collectie theesoorten in kleurige blikken doosjes en twee pakjes kandijsuiker, in de tweede lade lagen een paar klankschalen en in de onderste ontdekte ze een kleine verzameling poppen en pluchen beesten van verschillende afmetingen. Niets verdachts.

Ook het tafeltje waaraan ze de vorige dag met Rauh had gezeten was van een lade voorzien. Toen Carla er een blik in wierp, vond ze alleen een notitieboekje waarin een verzameling mantra's en zinspreuken was opgeschreven.

Carla keek naar de volgende deur. Waarschijnlijk leidde die naar Rauhs eigenlijke kantoor. Ze luisterde even. Stilte op de gang. Ze ging de kamer in.

Ook de tweede kamer was indirect verlicht, maar de muren waren hier in een sappige groene kleur geschilderd, die Carla deed denken aan gras op een lenteweide. Meteen was ook de lucht weer in te ademen.

Het vierkante kantoor was even groot als de therapieruimte. Maar hier stonden kasten tegen de muur en hingen er afbeeldingen, waardoor het kantoor een veel ruimere indruk maakte.

Carla liep naar het bureau, waarop dossiermappen en allerlei documenten hoog rond een laptop lagen opgestapeld. Ze zette het apparaat aan. Zoals ze had verwacht, moest ze een wachtwoord invoeren en Carla zette de laptop weer uit.

Toen zag ze een in wijnrood leer gebonden agenda liggen. Carla deed hem open bij het lintje en zag haar eigen naam staan. Rauh had haar afspraak van gisteren ingeschreven met de letters EG ernaast. Carla dacht even na en herinnerde zich toen weer wat verpleegster Sabine de vorige dag had gezegd voor ze haar naar de therapieruimte had gebracht: dokter Rauh verwachtte haar voor een 'eerste gesprek'.

Carla bladerde terug tot ze ten slotte de naam van Nathalie zag staan. Haar hart begon te bonzen. Volgens Rauhs aantekeningen was Nathalie tot de dag van haar ontslag negen keer bij hem geweest, inclusief haar eerste gesprek. De meeste sessies hadden 's middags plaatsgevonden en vier keer was Nathalie de laatste van de dag.

Die vier afspraken wekten Carla's opmerkzaamheid. Achter elke van die afspraken stond de letter R. Wat kon dat betekenen?

EG betekent eerste gesprek. En R...

Carla schrok op, toen ze opeens stemmen op de gang hoorde. De luidste stem was die van de vrouw met de worstelaarsarmen. De andere stem was die van Norbert Rauh.

Haastig legde Carla de agenda weer op zijn plaats, haastte zich naar de deur van het kantoor en deed het licht uit. Toen zag ze de klink van de deur naar de therapieruimte naar beneden gaan.

52

Al van verre kon Jan het blauwe zwaailicht zien. Zijn hart klopte hem in de keel. Zo'n vijftig meter voor het huis had de politie de straat afgezet. Jan zocht een plekje voor de auto, kon het niet vinden en parkeerde dus maar aan de rand van het park, waar het niet mocht. Toen rende hij de straat door naar het huis. Voor de afzetting had zich een aanzienlijke menigte verzameld. Nieuwsgierig keken de mensen hoe mannen in witte overalls het huis in gingen en de tuin afzochten. Terwijl Jan tussen de mensen door naar voren drong, keek hij om zich heen of er een ambulance stond. Die was nergens te zien.

'Ernstige zaak,' hoorde hij een jongen naast zich zeggen. 'Alles zat onder het bloed.'

Jan werd duizelig, terwijl hij verder naar voren drong. Eindelijk kwam hij aan bij de afzetting.

'Waar gaan we heen?' zei een agent bars. 'Achter het lint blijven!'

'Ik woon hier!'

De agent zei niets, draaide zich om en liep de tuin van het huis in. Even later kwam hoofdinspecteur Kröger achter de met sneeuw bedekte heg vandaan en wenkte Jan naar zich toe. 'Komt u maar hier!'

Naast Kröger stond een magere man met een dikke leren jas en scherpe trekken. Toen Jan bij Kröger aankwam, keek die hem met een duister gezicht aan. 'Dokter Forstner, het spijt me dat we elkaar steeds tegenkomen bij onaangename gebeurtenissen. U woont hier?'

'Ja,' zei Jan buiten adem, 'tijdelijk. Wat is er gebeurd?'

'Het spijt me zeer, dokter Forstner,' herhaalde Kröger met een ernstig gezicht. 'Er is een moordaanslag gepleegd op de heer Marenburg.'

'Is hij dood?'

'Nee, hij leeft nog,' zei Kröger, 'maar het ziet er niet best voor hem uit.'

'Bent u familie?' vroeg de magere man in de leren jas.

'Een vriend,' antwoordde Jan.

'Hoofdcommissaris Eberts, technische recherche,' stelde de magere man zich voor.

'Wat is er gebeurd?' vroeg Jan.

'Het schijnt dat uw kennis ongewenst bezoek heeft gekregen; een inbraak is in elk geval uitgesloten,' zei Eberts met een monotone stem. 'De bezoeker of bezoekster heeft hem in de gang neergeslagen met een stomp voorwerp en is daarna gevlucht. Een tijdje later kwam er een vrouw langs die de deur open zag staan. Ze had naar binnen gekeken en heeft ons daarna opgebeld.'

Jan zag een man uit het huis komen die zich blijkbaar met sporenonderzoek bezighield. In zijn gehandschoende hand hield hij een plastic zak, waarin het houten nachtwakertje zat dat die ochtend nog op het telefoonplankje in de gang had gestaan. Het beeldje zat onder het bloed.

Eberts zei iets, maar zijn stem drong niet tot Jan door. Jan huiverde. 'Neem me niet kwalijk, wat zei u?'

Eberts vertrok geen spier. 'Waar was u vanmorgen tussen acht en halfelf?'

'In de kliniek,' antwoordde Jan mechanisch.

'Zijn daar getuigen van?'

'Natuurlijk.' Jan keek Kröger aan. 'Waar is Marenburg nu?'

'Hij ligt in de stadskliniek.' Kröger blies in zijn vuisten. 'Potjandorie, wat is het koud.'

'Blijft u alstublieft tot onze beschikking, voor het geval we nog vragen hebben,' zei Eberts en hij draaide zich om. 'Zullen we gaan, collega?'

Kröger schudde zijn hoofd en keek Jan aan. 'Wat is er toch aan de hand hier? Twee ongelukken op één dag. Vroeger had je dat toch niet.'

'Twee ongelukken?' vroeg Jan.

De dikke rechercheur wreef zijn verkleumde handen en knikte. 'Sinds vannacht zoeken we het hoofd van een vrouw die voor de trein is gesprongen. Afschuwelijk, echt afschuwelijk. Dokter Forstner, ik kan u zeggen, sinds dat jonge ding van de brug is gesprongen zijn ze hier in Fahlenberg allemaal gek geworden.'

53

Bijna een uur had Carla in het donker naar het gesprek in de kamer ernaast staan luisteren. Ze wist nu dat de dikke vrouw Claudia Lippert heette, aan een ernstige eetstoornis leed, dat ze zich stiekem volstopte met zoetigheid, geen intieme relaties aan kon gaan en opgegroeid was in een familie waarin beroepsmatig succes, aanzien en een hoog inkomen van het grootste belang waren. De laatste tien minuten had de vrouw bijna alleen maar gehuild.

Rauh was een paar keer vlak langs de deur van zijn kantoor gekomen. Hij had papieren zakdoekjes en thee voor zijn patiënte uit de commode gepakt. Elke keer dat ze hem zo dichtbij hoorde komen, was Carla's hart bijna stil blijven staan.

Toen Rauh ten slotte de sessie met zijn patiënte afsloot en aanbood haar terug te brengen naar de afdeling, was dat Carla een pak van het hart. Opgelucht haalde ze adem en wachtte tot de deur in de andere kamer dicht was. De stemmen op de gang verwijderden zich.

Carla liep op de tast door de donkere therapiekamer, stootte haar scheen tegen een stoelpoot, vloekte zachtjes en bereikte de deur. Gelukt!

Voorzichtig deed ze de deur open. Ze stapte net de gang op, toen Rauh haar tegemoet kwam. De arts bleef als aan de grond genageld staan.

'Mevrouw Weller, wat hebt u daar te zoeken?'

'O... ja, daar bent u,' stamelde Carla. 'Ik zocht u net. Om een afspraak te maken. Zoals u voorstelde.'

'Hou me niet voor de gek.' Rauh had zichtbaar moeite zichzelf in bedwang te houden. 'U hebt zich wederrechtelijk toegang verschaft tot mijn kantoor.'

'Het was niet op slot.'

Aan Rauhs slapen werd een fijn netwerk van adertjes zichtbaar en de zonnebankteint maakte plaats voor rood. 'Dat was ook niet nodig, aangezien er tot nu toe nooit journalisten liepen te snuffelen.'

'En wat wilt u eraan doen?' vroeg Carla en glimlachte dreigend. 'Een patiënte die haar polsen heeft doorgesneden eruit gooien? Behandeling weigeren? Dat zou een mooie krantenkop zijn.'

Rauh liep op haar af, bleef vlak voor haar staan en keek haar strak in de ogen. Het was doodstil in de gang. Alleen haar ademhaling en het zachte zoemen van de plafondverlichting waren te horen.

'U hebt werkelijk hulp nodig,' zei Rauh met een dreigend zachte stem.

'Wat betekent een R?' vroeg Carla.

'R?'

'De R, die u achter de naam van Nathalie hebt gezet.'

Carla dacht dat ze Rauhs hete adem op haar huid kon voelen. Zijn van boosheid verwijde pupillen hadden het diepe lauw van zijn dunne irissen bijna verdrongen, maar Carla kon er toch nog de heldere vezelstructuur in zien, die eruitzag als de elektrische vonken in een plasmabol.

'U maakt een grote vergissing.'

Weer sprak hij zacht en gesmoord, alsof hij al zijn zelfbeheersing aan de dag moest leggen om niet tegen haar te gaan schreeuwen. Toen keerde hij zich af, liep langs haar heen de therapiekamer binnen en sloeg de deur achter zich dicht.

54

Als verlamd stond Jan aan het eind van de gang op de intensive care en keek uit het raam. Naast hem bromde de koeling van een frisdrankautomaat en iets verder weg klonk zachte muziek uit de radio van de afdelingsbalie. Een pianoconcert, waarschijnlijk van Edvard Grieg. Buiten daalde de avond neer over de kliniek.

Sinds het begin van de operatie moesten er al enkele uren zijn verstreken. Vier uur, vijf uur. Jan had ieder gevoel voor tijd verloren. Hij zag weer het houten beeldje voor zich, dat de man van het sporenonderzoek in de bebloede zak weg had gebracht – en de afgebroken arm, die een uitgesneden lantaarn omhoog had gehouden.

Wie kon zoiets doen?

Wie sloeg er nu op een oude man in en liet hem voor dood achter in zijn eigen bloed?

Waarom?

'Collega?'

Jan schrok op. Verdoofd keek hij achter zich. Een kleine, licht gezette man met een Indisch uiterlijk keek hem door een ronde bril heen bezorgd aan. Hij had zijn handen in de zakken van zijn doktersjas gestoken en zag er uitgeput uit.

'Mijn naam is Sikandar Mehra. Ik heb meneer Marenburg geopereerd.'

'Hoe is het met hem?' Zijn eigen stem kwam Jan vreemd voor. Gebarsten, dof en zacht.

'We hebben hem in een kunstmatig coma moeten brengen,' zei dokter Mehra. 'Hij heeft een ernstige schedelfractuur. In hoeverre de hersenen mede schade hebben geleden kunnen we nog niet precies zeggen. We zullen een paar neurologische tests moeten afnemen. Maar daar moeten we nog even mee wachten.'

'Betekent dat dat hij het gaat redden?'

De arts tuitte zijn lippen. 'Het hangt ervan af of hij de nacht goed doorkomt. Meneer Marenburg heeft erg veel bloed verloren. Zoals we hebben vastgesteld, heeft hij vlak voor het gebeuren een aanzienlijke hoeveelheid bloedverdunnende pijnstillers ingenomen op basis van acetylsalicylzuur. Gewone aspirine, denk ik. We hebben hem een transfusie gegeven en zijn bloedsomloop is stabiel. We kunnen nu alleen nog bidden dat zijn lichaam het niet opgeeft.'

Nog steeds had Jan een brok in zijn keel. Het was de angst die hem al sinds zijn jeugd beheerste – de angst dat hij weer een naaste zou verliezen.

'Hoeveel kans heeft hij?'

'Weet u,' glimlachte dokter Mehra, en er kwam een rij blinkend witte tanden tevoorschijn, 'ik geloof in de kracht van een positieve levenshouding. Als we in harmonie staan met ons eigen leven, dan heeft het lot het goed met ons voor. Vandaar dat ik er de voorkeur aan geef te vertrouwen op de goede lichamelijke conditie van uw vriend. Beloven kan en wil ik niets, maar als hij de strijd vannacht wint dan maakt hij een kans.'

Jan had de glimlach van de arts graag beantwoord, maar was er niet toe in staat. Geloven, en dan nog in iets positiefs, was verdomd moeilijk als je jezelf voortdurend aan de donkere kant van het leven tegenkwam. Desondanks proefde hij een soort warmte in de woorden van de dokter die hem goed deed, en hij was er dankbaar voor.

'Uw vriend had overigens geluk bij een ongeluk, als ik het zo zeggen mag,' ging dokter Mehra verder. 'Het voorwerp waarmee hij neergeslagen werd, schijnt een spits gedeelte te hebben gehad, een langwerpig uitsteeksel...'

Jan knikte. 'Ja, de arm van een houten beeldje.'

'Juist ja,' zei Sikandar Mehra. 'Die arm heeft zijn doel echt op een haar na gemist en is in plaats daarvan zijdelings langs de schedel afgegleden. Daardoor werd de hoofdhuid van de heer Marenburg doorsneden en zijn rechteroor bijna afgeslagen, maar dat hebben we weer in orde kunnen maken. Hij zal er hooguit een paar littekens aan overhouden.'

Jan huiverde alsof er een emmer ijswater over zijn rug werd uitgegoten. 'Kan ik hem zien?'

'Uw vriend heeft nu vooral rust nodig.' Dokter Mehra pakte Jan bij de arm en drukte zijn hand vriendschappelijk. 'En u ook, als ik u zo zie. Komt u morgen terug. Vertrouw tot dan op de kracht van de positieve levenshouding. Dat kan meer bewerkstelligen dan u zou toegeven, gelooft u mij.'

Hij liet Jans hand los en liep van hem weg. Toen hij bij de lift was, keek hij nog even om. 'Nog iets, collega. Houdt meneer Marenburg van klassieke muziek?'

'Dat weet ik niet,' zei Jan. 'Ik denk van wel. Hoezo?'

'Ik zal wat Mozart voor hem opzetten. Wist u dat diens muziek een helende werking heeft?'

'Dat heb ik gehoord, ja.'

'Er zijn onderzoeken die dat aantonen. Misschien is het een idee om dat met uw eigen patiënten te proberen.'

Jan schokschouderde. 'Misschien probeer ik het nog eens.'

Weer kwamen Mehra's stralende tanden tevoorschijn en in zijn mondhoeken tekenden zich twee diepe kuiltjes af. 'Doe dat vooral. Je moet alle middelen aanwenden.'

Toen verdween hij in de lift.

Jan nam de trap. Hij volgde de wegwijzers tot de uitgang van het ziekenhuis, waarbij hij door een lange glazen corridor langs het T-vormige gebouw kwam.

Toen hij langs de neurologische intensive care kwam, bleef hij verrast staan. Hij keek nog eens door de glazen deur, om zich ervan te vergewissen dat hij het goed had gezien.

Het was inderdaad Hubert Amstner. Hij kwam uit een van de ziekenzaaltjes en deed voorzichtig de deur achter zich dicht, waarna hij de afdeling aan de tegenoverliggende zijde verliet.

Jan keek hem verbluft na. Bij wie ging de mensenschuwe Amstner op ziekenbezoek? Nieuwsgierig ging Jan de afdeling binnen en liep naar de deur waar Amstner uit was gekomen. Verbaasd las hij de naam op het bordje naast de deur: WAGNER, ALFRED.

Wat had Amstner met Alfred te maken?

Jan liep achter hem aan naar de uitgang van de afdeling en haalde hem in bij de centrale hal van het ziekenhuis. Amstner stond bij de kiosk en stopte juist twee heupflessen in zijn jaszak toen hij Jan opmerkte.

'Ha, Forstner junior,' zei Amstner. 'Jij was toch zieleknijper?'

'En u meed de openbaarheid toch?'

'Meestal doe ik dat ook.'

'Kunnen we even praten?'

'Ach welja,' zei Amstner onverschillig. 'Maar wel buiten. Hierbinnen is het me te druk.'

Jan ging met hem mee naar buiten. Amstner liep naar de fietsenstalling naast de ingang. De plastic schotten beschermden ten minste een beetje tegen de ijzige wind. De lichaamsgeur van de oude man kwam des te beter tot zijn recht.

'Ook een slokje?' Amstner bood Jan een flesje brandewijn aan.

Jan schudde van nee. 'Wat hebt u met Alfred Wagner te maken?'

'Hetzelfde als jij, jongen,' zei Amstner en dronk het flesje in één teug halfleeg. 'Ik ken hem nog van vroeger.' Hij draaide de dop op het flesje voor hij verder praatte. 'Het is een schande dat ze die arme jongen niet gewoon laten doodgaan. In zijn toestand is dat toch geen leven meer.' Hij keek Jan met rode ogen aan. 'Het is een goeie jongen, die Alfred. Het is niet zijn schuld dat hij gek is. Dat heeft hij van zijn vader. Die ouwe Hartmut was al zolang ik het me herinner niet helemaal wijs. Nazi van hier tot Tokio, zeiden ze. En toen de oorlog verloren was, namen de Russen hem te grazen. Hartmut heeft jaren in een werkkamp gezeten. Toen hij terugkwam, was hij helemaal de weg kwijt. Voortdurend bang dat de Russen hem weer zouden komen halen. Ik zie hem nog in de supermarkt staan – je had er in die tijd maar één – toen hij had staan preken over het Laatste Oordeel. Hij zat voortdurend in het gesticht en die arme Alfred moest het maar alleen zien te redden.'

'Hebt u voor hem gezorgd?'

Amstner haalde zijn schouders op. 'Tja, anders had niemand het gedaan. Toen Hartmut al zijn geld aan die stomme blikjes had uitgegeven, stond iedereen daarover te roddelen. Ze hebben hem uitgelachen. Maar niemand dacht aan zijn zoon. Daar hebben ze allemaal op staan hakken.' Hij draaide de dop van het flesje en dronk het leeg. 'En toen Hartmut zich had opgeknoopt, stuurden ze die jongen naar een internaat. Dat gaf hem het laatste zetje.'

'Had u later wel weer contact met hem?'

Amstner knikte en stak het lege flesje in zijn jaszak. 'Op een gegeven moment stond hij bij me voor de deur. Zonder geld, zonder huis, zonder werk. Hij hielp me met de hazen. Met dieren kon hij goed overweg. Soms hielp hij aardappelen rooien of haalde hij dennenappels en hout uit het bos om te stoken. In het bos was hij thuis. Vaak zwierf hij daar dagenlang in rond. Soms weken. Tot hij op een gegeven moment weer voor de deur stond. Jarenlang ging het zo. Nou, en nu...'

Amstner haalde zijn tweede flesje tevoorschijn, keek er even naar en stopte hem toen weer terug in zijn zak.

'Alfred had het over Sven,' zei Jan. 'Hij beweerde dat Sven nu bij de onderaardsen was. Wat kan hij daarmee bedoeld hebben?'

Grijnzend schudde Amstner zijn hoofd. 'Ik heb die jongen altijd graag gemogen, maar hij kletste bij leven een ongelooflijke hoop onzin. Hij kakte achter de hokken omdat hij dacht dat Hitler in mijn stortbak woonde. En dat was nog tamelijk onschadelijk. Het geklets van een gek.'

'Tegenover u heeft hij het nooit over onderaardsen gehad?'

Amstner schoot luid in de lach. Zijn adem steeg op in een dikke witte wolk. 'Nou en of! De onderaardsen, de buitenaardsen, Padre Pio, de Madonna met de klauwen, hij hoorde of zag ze allemaal. Er werd niet helemáál zonder aanleiding voortdurend over hem gekletst.'

Hij viste een sleutelbos uit zijn versleten broek en maakte het zware slot van zijn fiets open.

'Dat is de erfenis der vaderen,' zei hij spottend, terwijl hij met zijn fiets de stoep op liep. 'De ene zoon wordt zieleknijper, de andere gaat naar het gekkenhuis.'

'Niet alles wat een geesteszieke zegt is per se onzin,' bracht Jan er tegen in. 'Soms is er in de waanvoorstellingen een stukje waarheid te vinden.'

'Als jij het zegt.' Traag besteeg de oude man zijn rijwiel. 'Als je maar wel het goeie stukje waarheid boven water haalt. Anders kun je jezelf bij de gekken opsluiten en de sleutel weggooien.'

Hijgend stapte Hubert Amstner op zijn fiets. Jan keek hem na, terwijl hij met wapperende jas in het donker verdween.

55

De nacht viel, en met de nacht kwamen de dromen. In het begin waren Carla's dromen nog verward en onsamenhangend, maar later werden ze helderder en duidelijker. Na een wilde rit in de achtbaan, waarin ze met een waanzinnige snelheid door allerlei taferelen schoot die wel uit Dantes *Inferno* leken te komen, kwam ze weer tot zichzelf op de blauwe mat in haar eigen badkamer.

Naast haar lag de wijnfles die ze had laten vallen, maar nu was die op de tegels kapot geknald. Groene scherven van verschillende afmetingen glansden haar in de plas tegemoet en de wijn, die over de tegels en in de voegen was gelopen, leek ineens dik vloeibaar. Zoals limonadesiroop of...

Bloed!

'Hoi Carla.'

Achter haar klonk een eigenaardig vreemde en tegelijkertijd vertrouwde stem. Nog steeds verdoofd door haar razende tocht door de krochten van de hel keek Carla om. Haar hart sprong op van vreugde.

'Nathalie!'

Nathalie stond met haar armen naar Carla uitgestrekt in de deuropening te glimlachen. 'Kom bij me!'

Zo snel als haar knikkende knieën het haar toestonden sprong Carla op en ze vielen elkaar in de armen.

'O, Nathalie, ik heb je zo gemist!' snikte ze en ze begroef haar gezicht in Nathalies haar. Ze roken vochtig en een beetje houtachtig – zoals de mist zou ruiken, die buiten voor het raam van de badkamer was opgestegen. Of als sneeuw, die op je kleren is neergevallen en smelt in de warme lucht.

Ze voelde Nathalies omarming. Hartelijk en innig, al was het een beetje vreemd dat haar stem veel dieper klonk en haar postuur wel groter was dan vroeger. Maar misschien waren dat maar bedrieglijke herinneringen. Hoe snel vergat je immers niet de werkelijke klank van de stem van een overledene of het gevoel dat je had toen je iemand voor het laatst omhelsde?

'Wat doe je hier?' vroeg Carla, met haar wang nog steeds tegen de schouder van haar vriendin gedrukt. 'Je bent toch dood?'

'In je hart leef ik nog,' zei Nathalie met haar diepe stem. 'En daar gaat het toch om?'

'Blijf bij me,' fluisterde Carla en ze drukte zichzelf nog dichter tegen haar aan. 'Wil je bij me blijven?'

'Dat kan ik niet,' zei Nathalie en maakte zich los uit de omhelzing.

Ze schoof Carla een eindje van haar af en keek haar glimlachend aan. Carla hield van de twee kuiltjes die zich in haar wangen aftekenden als ze glimlachte. 'Maar je kunt wel met mij meegaan, als je wilt. Zou je dat willen?'

En of Carla dat wilde. 'Jij bent toch de enige die ik nog heb,' fluisterde ze. 'Als ik je nu laat gaan, ben ik weer alleen.'

Nathalie pakte Carla's handen. 'Ze hebben je voorgelogen,' zei ze, en ze begon Carla's verbanden los te maken van haar polsen. 'Ze hebben je verteld dat ik me geen raad meer wist. Ze hebben je verteld dat ik gek was.'

Nathalie liet het verband op de grond vallen en keek Carla diep in de ogen. 'Dat was een leugen. Ik ben alleen naar een veel mooiere plek gegaan. Daar waar alle mensen van wie ik hield op me wachtten.'

Carla voelde de druk van Nathalies duimen op haar onderarmen. 'Ga met me mee, Carla, dan zijn we weer allemaal bij elkaar.'

'Ja,' zei Carla, en haar stem klonk alsof hij van heel ver kwam. 'Wat moet ik doen?'

Ze voelde hoe Nathalie haar iets in de hand stopte. Het voelde glad aan. Ze keek naar beneden en zag een glasscherf in haar hand.

'Deze keer doen we het goed,' fluisterde Nathalie tegen haar en leidde haar hand met de scherf naar de ader, die onder de druk van haar duimen was opgezwollen.

'Ik ben bang,' zei Carla.

'Dat hoeft niet.'

De punt van de scherf drong een eindje boven de geheelde wond in de ader. Carla voelde geen pijn, maar voelde alleen een zacht vibreren als van een hoge toon. Nathalie leidde haar hand en Carla liet de scherf door haar arm naar boven glijden, langzaam en gestaag, tot aan haar elleboog.

Donker bloed welde op uit de gapende wond. Carla voelde de warmte van haar bloed en keek Nathalie aan.

'Je wilt zo zijn als ik,' fluisterde Nathalie. 'Maar je bent niet zoals ik. Je bent ook niet zoals Alexandra en al helemaal niet zoals Carmen.'

'Over wie heb je het?'

'Pssst!' siste Nathalie tegen haar.

Carla keek geboeid in haar ogen, waarin het geheimzinnig fonkelde en glansde, alsof het edelstenen waren waarin het licht brak.

Wat gebeurt er met me? Klonk een trage stem in haar hoofd. *Wat doe ik nu? Dit is mijn badkamer niet. Dat is een andere kamer. Ik ken hem. Ik ken hem ergens van.*

'Ik... wil niet,' bracht Carla uit.

Ze voelde dat er iets niet klopte. De gevoelens die ze had leken niet van haar te zijn. Iets in haar binnenste zei haar dat wat ze deed niet goed was, maar ze begreep niet wat de stem binnen in haar daarmee bedoelde. Het was zo ongelooflijk moeilijk om erover na te denken. Elke gedachte kwam zo moeizaam tevoorschijn alsof hij eerst door een laag gelatine moest dringen.

'Niemand van jullie was ooit zoals Carmen,' zei Nathalie, en toen greep ze Carla's hoofd en rukte de pruik van haar hoofd.

'Niet... doen...' De woorden kwamen met moeite over haar lippen. Toch klonken ze helderder dan alles wat Carla tot nu toe in haar droom had gezegd. Het was alsof ze tot nu toe überhaupt niets had gezegd.

Het is geen droom, riep de stem vanbinnen. *Het is Nathalie ook niet!*

'Ja, zo is het goed,' fluisterde de lage stem, en toen ze opkeek, zag ze weer de glimlach van Nathalie, die niet Nathalie was.

Vecht dan! O god, vecht dan toch!

Vertwijfeld draaide Carla zich om naar de deur. De kamer begon te draaien. Carla struikelde, probeerde zich ergens aan vast te houden, vond geen houvast en viel.

Toen verloor ze haar bewustzijn.

56

Jan had nauwelijks geslapen. Aangezien Marenburgs huis als plaats delict was verzegeld door de politie, had hij een kamer in hotel Jordan genomen. In die kamer had hij urenlang lopen ijsberen – vier stappen tot de deur, van daar zes stappen tot het badkamertje en dan weer vijf naar het bed – terwijl de radio aan stond om de onverdraaglijke stilte te vullen.

De volgende ochtend belde hij meteen het ziekenhuis. Rudi leefde nog, maar de dienstdoende verpleegster kon of wilde hem geen verdere inlichtingen geven. Jan zei dat hij later terug zou bellen.

Toen hij niet lang daarna op de Boskliniek kwam, hing er een bedrukte stilte op de afdelingskamer. Jan bespeurde niet veel goeds.

'Is er iets gebeurd?' vroeg hij bij de rondgang.

'Die patiënte die u naar afdeling 12 hebt doorverwezen...' Lutz Bissinger maakte een treurig gebaar.

Geschrokken keek Jan hem aan. 'Mevrouw Weller! Wat is er met haar?'

'Ze heeft weer geprobeerd om haar polsen door te snijden, en...'

'Is ze dood?' viel Jan hem in de rede.

'Nee. Ik heb gehoord dat de nachtverpleging haar net op tijd gevonden heeft. Mevrouw Weller ligt nu in het ziekenhuis. Een zekere dokter Mehra heeft haar...'

Jan wachtte niet tot de verpleger was uitgesproken. Hij rende naar zijn kantoor, greep de telefoon en toetste het nummer in dat hij die ochtend al had gekozen.

'Dokter Mehra, alstublieft,' beval hij de verpleegster aan het andere eind.

Na een tijdje hoorde hij de bekende stem. 'Dokter Forstner, goedemorgen. U belt vanwege meneer Marenburg?'

'Nou, ja en nee.'

'Ik begrijp u niet.'

'Natuurlijk, ja. Hoe is het met hem? Ik hoor dat hij de nacht goed heeft doorstaan?'

'Inderdaad,' zei Mehra, 'en zijn toestand is nog altijd stabiel.'

Jan deed zijn ogen dicht en slikte. Hij was nooit bijzonder gelovig geweest, maar voor het geval er een hoger wezen mocht bestaan, dankte hij het uit de grond van zijn hart. 'Is hij al bij bewustzijn?'

'Nee. We zullen hem nog een tijdje kunstmatig in coma houden. De pijn zou anders te hevig zijn. Daarom kan ik u ook nog niet zeggen in hoeverre de hersenen van meneer Marenburg door de slag beschadigd zijn.'

'Ik begrijp het,' zei Jan, en hij slikte nog eens. 'Ik bel ook om een andere reden – hoe gaat het met Carla... ik bedoel, mevrouw Weller?'

De arts aarzelde. Toen vroeg hij: 'Kent u haar?'

'We... we kennen elkaar al sinds onze kindertijd,' zei Jan een tikkeltje onzeker.

'O juist.' Mehra aarzelde weer. 'De omstandigheden in aanmerking gevonden gaat het erg goed met mevrouw Weller.'

'Wat is er precies gebeurd?'

'Nou,' verzuchtte Mehra, 'ik vind het erg naar dat ik het u moet zeggen, maar uw kennis heeft vannacht geprobeerd haar polsen door te snijden met een glasscherf. Ze werd op tijd gevonden, maar ze heeft veel bloed verloren en door haar val in de badkamer heeft ze een hersenschudding opgelopen.'

'Heeft ze ook gezegd waarom ze het heeft gedaan?'

'Tja,' zuchtte Mehra weer in de hoorn, 'ik weet wel dat mevrouw Weller in uw kliniek wordt behandeld vanwege een depressie, maar naar mijn idee is ook haar verhouding tot de realiteit enigszins verstoord.'

'Hoe bedoelt u dat?'

'Ze ontkent dat ze het gedaan heeft. Toen ik haar eerder vandaag sprak, beweerde ze dat een zekere Nathalie had geprobeerd haar te vermoorden.'

'Nathalie?' Jan dacht dat hij het verkeerd had verstaan.

'Kent u die?'

'De vrouw in kwestie is dood.'

'Ik bedoel maar,' zei Mehra. 'En dan nog iets. Iets waar ik geen verklaring voor heb.'

'En dat is?'

'Volgens de gegevens van uw kliniek werd mevrouw Weller niet behandeld met medicijnen. Klopt dat?'

'Ja, dat klopt. Waarom vraagt u dat?'

'Omdat we in haar bloed sporen hebben gevonden van een sterk narcoticum,' zei Mehra. 'En ik mag toch hopen dat uw patiënten daar niet zomaar bij kunnen.'

57

Carla lag op een eenpersoonskamer zonder ramen. Naast haar bed, dat door een metalen frame omgeven was, piepte de controleapparatuur. Achter de infuusstandaard hing een ingelijste poster aan de muur met een lentemorgen in het bos erop. In de nuchtere ziekenhuisatmosfeer en de alomtegenwoordige geur van desinfecteermiddel kwam de rustgevende werking niet erg tot zijn recht.

Jan ging naast het bed staan. De jonge vrouw lag er voor dood bij. Haar kaalgeschoren hoofd was op een paar plekken bedekt met pleisters. Haar armen waren van de polsen tot de ellebogen in verband gewikkeld. Ze leek te slapen.

Jan streelde zachtjes met de rug van zijn hand over haar wang. Op hetzelfde ogenblik deed Carla haar ogen open, alsof ze wakker werd uit een nachtmerrie. Een moment lang scheen ze niet te weten waar ze was en keek ze in paniek om zich heen. Toen herkende ze Jan en haar blik werd meer ontspannen.

'Jan,' mompelde ze.

'Het is goed,' fluisterde Jan en hij keek haar bezorgd aan. 'Ik ben bij je.'

'Ik...' Ze slikte en vertrok haar gezicht van de pijn.

'Je moet nu niet praten,' zei Jan, maar Carla deed al een tweede poging.

'Ik heb... ik heb het niet gedaan. Het... was... de... demon.' Tranen liepen over haar gezicht.

Jan rilde. *De demon.*

Geoh!

Carla hoestte en beet van de pijn op haar onderlip. Toen fluisterde ze weer een woord. Jan moest zich vooroverbuigen om haar te kunnen verstaan.

'Rauh.'

Hij tilde zijn wenkbrauwen op. 'Rauh? Is hij de demon?'

'Zijn agenda,' fluisterde ze. 'Nathalies afspraken. Bij sommige stond een R.'

'Een R,' herhaalde Jan. 'Weet je ook wat dat betekent?'

Als in slowmotion bewoog haar hoofd heen en weer. 'Hij was woedend... toen ik hem ernaar vroeg.'

'Bedoel je dat Rauh je ertoe gebracht heeft dat je je polsen doorsneed?'

Ze knikte zwak.

'Gevaar,' fluisterde ze heel zacht.

Op de monitor kon je zien dat haar hartslag versneld was. In Carla's ogen stond pure angst te lezen.

58

Toen Jan weer op de Boskliniek kwam, hoorde hij in de centrale hal zijn naam roepen. Het was Norbert Rauh, die haastig op hem afkwam.

'Jan! Goed dat je er bent. Ik moet je spreken.'

'Ja? Dat komt dan goed uit.'

'Ik heb gehoord van de zelfmoordpoging van die kennis van je,' ging Rauh met een zachte stem verder. 'Hoe is het met haar?'

Onwillekeurig balde Jan zijn vuisten. 'Als je soms dacht dat je hiermee wegkomt, Rauh, dan vergis je je.' Hij pakte de arts met een ijzeren greep vast.

'Jan, wat heb je?'

'Wat ik heb?' ging Jan tekeer. 'Je vraagt mij wat ik heb?'

Er kwam een verpleegster langs die Jan met een verwijtende blik aankeek. Jan knikte haar toe en liet zijn stem dalen toen hij verder praatte. 'Ik weet niet hoe je Carla zover hebt gekregen dat ze dit gedaan heeft, maar ze heeft je herkend.'

'Hè?' Rauh keek hem verbaasd aan en maakte zich los uit Jans greep. 'Waar heb je het verdomme over? Je dacht toch niet dat ik...'

'En of ik dat denk! Nathalie Köppler was jouw patiënt en na wat er vannacht met Carla is gebeurd, staat haar mysterieuze zelfmoord in een heel ander licht. Wat doe je eigenlijk met je slachtoffers? Hypnotiseer je hen?'

Een spottende lach schoot over Rauhs gezicht. 'Je fantasie gaat met je op de loop, Jan. Geloof je nou serieus dat je iemand door hypnose tot zelfmoord kunt dwingen? Het spijt me wel, maar dat is gewoon onzin.'

'Ik weet niet hoe je het hebt gedaan,' zei Jan, niet van zijn stuk gebracht. 'Waarschijnlijk heb je daar verdovende middelen bij gebruikt. Maar dat doet er niet toe. Het staat vast dat je er een verdomd goeie reden voor had.'

'O ja?'

'Nathalie Köppler is zwanger geraakt tijdens haar verblijf hier.'

'Zwanger?' Rauh leek werkelijk perplex te staan.

'Je wilde het verdoezelen en hebt haar net zo lang beïnvloed tot ze van die brug sprong,' ging Jan verder. 'Maar daarmee was de zaak nog niet afgedaan, want een paar mensen begonnen lastige vragen te stellen.'

'Jij, bijvoorbeeld.'

Jan knikte. 'Maar niet alleen ik. Hieronymus Liebwerk merkte in het archief dingen op die niet klopten en Rudolf Marenburg liet je ook niet met rust omdat hij ervan overtuigd was dat je iets met de dood van zijn dochter te maken had. Dus probeerde je ze allebei om zeep te brengen.'

'Dat zijn ernstige beschuldigingen, Jan. Weet je wel wat je daar zegt?'

'En toen kwam Carla,' zei Jan, zonder daarop in te gaan. 'Je hebt haar betrapt toen ze in je documenten snuffelde. Dat was haar doodvonnis. Maar helaas is je moordpoging mislukt, net als bij Marenburg. Die zal het ook redden.'

Rauh keek Jan ernstig aan. 'Mag ik ook even wat zeggen?'

'Jawel.'

Rauh haalde diep adem. 'Je staat onder zware emotionele druk, Jan, en daarom zal ik je ongegronde beschuldigingen voor deze keer door de vingers zien. Ik kan me goed voorstellen dat de gebeurtenissen van de afgelopen dagen je sterk aangrijpen.'

'Je dwaalt af.'

Rauh glimlachte vermoeid. 'Je vergist je, Jan. Ik heb niets met die hele toestand te maken. Toen Marenburg werd overvallen, was ik aan het andere eind van de stad. De man van de landmeetkundige dienst zal dat zo kunnen bevestigen. En voor afgelopen nacht is er ook een getuige die kan bevestigen dat ik niet eens in de buurt van de kliniek ben geweest. Als je wilt, geef ik je graag haar naam. Ik wil je alleen verzoeken de kwestie discreet te behandelen, ja?'

'En dat moet ik geloven?'

'Het is de waarheid, Jan,' zei Rauh met klem, en Jan moest toegeven dat het tamelijk overtuigend klonk. Had hij zich dan echt vergist? En Carla ook?

'En dan wilde ik het nu graag hebben over de reden waarom ik jou wilde spreken,' ging Rauh verder. 'Dat bezoek aan de landmeetkundige dienst had met jou te maken. Preciezer gezegd, met de verdwijning van je broer.'

'Hou toch op,' zei Jan. 'Je geeft me je alibi's en daar moet de zaak dan mee zijn afgedaan?'

Rauh haalde zijn schouders op. 'Als je denkt dat ik ergens schuldig aan ben – alsjeblieft, haal de politie er dan vooral bij.' Hij stak zijn handen op alsof hij zich overgaf. 'Toe maar, ik wacht hier wel.'

Hij leek het serieus te menen.

Jan keek Rauh besluiteloos aan. Toen zette hij zich eroverheen. 'Goed, wat heb je gevonden?'

Rauh liet zijn handen zakken. 'In alle eerlijkheid, ik weet het niet zeker, maar ik heb een vermoeden waar je vader destijds naartoe onderweg was.'

'Een vermoeden?'

Rauh sloeg zijn armen over elkaar. 'Het is me te binnen geschoten wat een jager me lang geleden heeft verteld. Wist je dat een deel van het bos in de buurt van de parkeerplaats vroeger van de Wagners was?'

'Je bedoelt Alfred Wagner?'

Rauh knikte. 'Preciezer gezegd zijn vader, Hartmut. Kort na de oorlog heeft hij dat stuk bos voor een habbekrats kunnen kopen, zoals ze zeggen.'

'De onderaardsen,' mompelde Jan.

'Pardon?'

'Ik herinner me alleen dat Alfred het over de onderaardsen had. Misschien...'

In de ogen van Rauh leek iets te flitsen. Hij klopte Jan op zijn schouder. 'Ga mee, dan laat ik het je zien. We gaan gewoon door met de behandeling op de plek van het gebeuren en doen een beetje onderzoek. Wat denk je daarvan?'

Jan stapte naar achteren. Carla's waarschuwing schoot hem weer te binnen.

Gevaar.

'Vertrouw je me niet?'

'Het zou een val kunnen zijn,' gaf Jan onomwonden toe.

'Ja, natuurlijk,' zei Rauh. 'Ik zou je het bos in kunnen lokken en je daar af kunnen maken.'

'Wie weet.'

'Dan moet je toch maar de politie roepen,' zei Rauh glimlachend. 'En zodra mijn alibi's zijn bevestigd, maken we ons uitstapje. Afgesproken?'

De spottende ondertoon waarmee Rauh tegen hem praatte beviel Jan niet. Alsof hij tegen een klein kind praatte of een psychiatrische patiënt.

'Nou, wat denk je ervan?'

'Misschien maak ik nu een grote fout,' zei Jan.

Hij pakte zijn mobiele telefoon en drukte op de snelkiestoets. Konni nam meteen op. Jan vertelde hem precies waar hij met Rauh naartoe ging en dat hij de politie moest waarschuwen als ze niet binnen een uur terug waren.

'Heel verstandig,' zei Rauh, en hij knikte. 'Als je het goed vindt, nemen we mijn auto. Kom mee, we hebben geen tijd te verliezen. Anders redden we het niet binnen een uur.'

59

In zijn tijd als arts-assistent had Jan een jonge patiënt behandeld die een panische angst voor autorijden had gehad.

Als ik alleen maar dénk aan het verkeer daarbuiten word ik al misselijk, had de jongen verteld, en het zweet stond hem op het voorhoofd. *Maar het is nog veel erger om je voor te stellen dat je naast de bestuurder zit en aan hem bent overgeleverd.*

Toen Jan eenmaal naast Norbert Rauh in de auto zat en ze samen op de snelweg reden, weg uit Fahlenberg, kon hij zich de ervaring van de jongen levendig voorstellen.

'Ik wil je wat vertellen,' zei Rauh, en hij zette de ruitenwisser aan om het sproeiwater van een betonwagen vóór hen weg te vegen. 'Toen ik in de Boskliniek begon, kwam ik net van de universiteit. Ik kende tot dan toe alleen casussen uit de vakliteratuur. Hartmut Wagner was, om het zo te zeggen, mijn eerste echte zaak. Een interessante patiënt met een complexe anamnese. Toen ik hoorde wat hij had meegemaakt, gooide ik de hele theoretische rommel in de prullenbak. Wat er daadwerkelijk in de wereld gebeurt, daar kan een theoreticus gewoon niet bij. Ik denk dat zelfs een romanschrijver niet zoveel creativiteit aan de dag kan leggen als het echte leven.'

'Wat was er met hem aan de hand?' Jan was zenuwachtig, maar probeerde het niet te laten merken.

'Hartmut Wagner was waarschijnlijk een simpele ziel,' zei Rauh, terwijl hij zijn blik op de weg hield. 'Naar mijn idee leed hij altijd al onder een licht verminderde intelligentie. Tot de Tweede Wereldoorlog was zijn vader bosbouwer; toen werd hij door de Wehrmacht opgeroepen en hij sneuvelde tijdens de belegering van Warschau. Hartmut woonde bij zijn moeder en ze hielden in de jaren daarna maar met grote moeite het hoofd boven water. Toen kwam Hitler op het gestoorde idee om echt iedereen die hij nog tot zijn beschikking had naar het front te sturen – oude mannen en kleine jongens. Hartmut was nog geen zeventien en meldde zich vrijwillig, hoewel zijn moeder ertegen was. De jongen was een vurige pleitbezorger van de uiteindelijke overwinning en bezeten van het idee om de dood van zijn vader te wreken op de vijand. Zoals gezegd moet hij ze destijds al niet allemaal op een rijtje hebben gehad.'

Ze kwamen bij een stoplicht. Rauh sloeg links af een weg in die om Fahlenberg heen liep, in de richting van de buitenwijk halverwege het bos.

'Toen Wagner bij mij in de kliniek kwam, was die periode in Russische gevangenschap al meer dan twintig jaar geleden, maar door het trauma was hij schizofreen geworden. Hij leed voortdurend aan hevige paranoïde wanen. Tijdens die aanvallen werd hij achtervolgd door de "purperen slachters", zoals hij ze noemde. Hij vertelde me dat hij had meegemaakt hoe de opzichters van zijn goelag een paar medegevangenen hadden gecastreerd en daarna dood lieten bloeden. Sindsdien leed hij aan de angst dat Russische communisten hem op zouden sporen en hem ook te grazen zouden nemen. Nou, dat was in de vroege jaren zeventig en er was genoeg brandstof voor zijn achtervolgingswaanzin.'

Ze waren bij de buitenwijk aangekomen en passeerden de stadsgrens. Toen de auto over de spoorwegovergang hobbelde, keek Jan opzij naar het vervallen spoorweghuisje van Hubert Amstner. In het grijze daglicht zag het er nog vervallener uit dan onlangs bij avond. Renoveren zou niet meer helpen. De eroude muren, die de allereerste stoomlocomotief van Fahlenberg naar Ulm moesten hebben meegemaakt, waren rijp voor de sloopkogel.

Rauh reed de smalle weg af die Jans vader drieëntwintig jaar geleden ook had genomen. In een langgerekte bocht reden ze achter Amstners huis langs, zonder dat Rauh zijn voet van het gaspedaal haalde. Er lag geen sneeuw op de weg, maar Jan voelde dat het zweet hem uitbrak.

Maar het is nog veel erger om je voor te stellen dat je naast de bestuurder zit en aan hem bent overgeleverd.

'Voor Wagner daadwerkelijk zelfmoord pleegde, deed zich op een avond nog iets anders voor,' ging Rauh verder met zijn verslag. 'Een medepatiënt zag bloed onder de deur van de wc uit komen. De verplegers braken de deur open en konden nog net beletten dat Wagner zijn pielemuis afsneed. Hij bracht het er wel levend af, maar zijn vruchtbaarheid was hij kwijt.'

'Hij heeft geprobeerd zichzelf te castreren?' vroeg Jan verbluft. 'Zei je eerder niet dat hij daar nou juist bang voor was?'

'Zeer zeker,' knikte Rauh. 'Toen ik hem vroeg waarom hij het had gedaan, zei hij dat hij een offer wilde brengen aan de Heilige Maagd, opdat ze zijn schuilplaats voor zijn vervolgers verborgen zou houden.'

'Wat voor schuilplaats bedoelde hij?' vroeg Jan, en hij hield zich stevig vast aan de deurkruk.

Rauh keek even opzij. 'Rij ik wat te hard?'

'O nee, het gaat prima.'

Rauh lachte spottend. Toen vertelde hij verder. 'Nou, eerst dacht ik dat hij het over zijn toenmalige verblijfplaats had, de kliniek dus. Maar toen hoorde ik waarom hij die torenhoge schuld had.'

'De blikjes,' zei Jan.

'Precies. Hij kon ze niet hebben doorverkocht, want dan zou hij tenminste een deel van de schulden hebben kunnen betalen, en bij hem thuis hadden ze niets gevonden. Dus moest er naar alle waarschijnlijkheid een plek zijn die hij voor iedereen geheim had gehouden.'

Ze kwamen langs de plaats waar Bernhard Forstner was verongelukt. Jan zag de open vlakte waar vroeger hoge dennen hadden gestaan. Nu lagen er een paar stapels hout naast een groot bord dat toeristen opmerkzaam maakte op de wandelroutes in het bos van Fahlenberg. Niets herinnerde nog aan de tragische gebeurtenissen van de winternacht van toen.

'Hoe gaat het met je?' vroeg Rauh, die gemerkt moest hebben dat Jan even uit het raam keek.

Jan antwoordde niet. Hij had Rauh toch al veel te veel over zichzelf verteld.

'Wist je waar die schuilplaats kon zijn geweest?'

'Nee,' zei Rauh. 'Op een gegeven moment was ik de hele zaak gewoon vergeten. Ik ging naar het buitenland, maakte carrière, kreeg een onderzoeksbeurs. Mijn leven ging verder, eenvoudig gezegd. Maar toen verscheen jij op het toneel en kwam het hele verhaal weer tot leven. De herinneringen kwamen terug. En je zult het misschien niet van me willen aannemen, Jan, maar na onze twee sessies wil ik ook graag weten wat er destijds is gebeurd. Vanwege jou.'

Ze waren ongeveer een kilometer verder toen Rauh gas terugnam en afsloeg naar een parkeerterrein in het bos. Hij zette de motor af en maakte zijn veiligheidsgordel los.

'Je vraag waarheen je vader toentertijd onderweg was, heeft me lang bezig gehouden,' zei hij. 'En ik denk dat hij hier naartoe wilde. Ik denk dat hij hier had afgesproken met de ontvoerder van je broer.'

Jan maakte eveneens zijn gordel los. 'Waarom vertel je dat nu pas?'

'Omdat ik nu pas een betrouwbare aanwijzing heb,' antwoordde Rauh. 'Weet je, een paar dagen geleden kwam ik een oude bekende tegen. Hij was jager. Woont verderop in Kössingen. Ik haal vaak wild bij hem. Nou ja, eigenlijk bij zijn zoon, maar toen ik er onlangs weer langsging, was alleen vader thuis. We raakten aan de praat en in het voorbijgaan merkte hij op dat er een stuk bos te koop staat dat hij jarenlang gepacht had. De eigenaar was bij een ongeluk ernstig gewond geraakt, zou niet meer volledig herstellen, en ze hadden geld nodig voor zijn behandeling.'

'Alfred Wagner,' zei Jan, en hij dacht aan Rauhs toespeling van zojuist.

Rauh knikte. 'Na de dood van Hartmut Wagner was het stuk bos in bezit van Alfred gekomen. Iets meer dan de helft ervan verkocht hij aan de bank om de schulden van zijn vader af te betalen, maar een deel hield hij zelf. Hij moet er veel van gehouden hebben, want de bank bood hem er een behoorlijk bedrag voor.'

'Dus moet daar iets zijn wat hem meer waard was dan geld,' concludeerde Jan.

'Natuurlijk heeft hij er nooit iemand over verteld, omdat zijn vader hem had ingeprent dat de communisten hem anders zouden komen halen. En dus wist bijna niemand van het bezit van de familie Wagner.' Rauh boog zich naar Jan toe en keek hem strak aan. 'Toen je vriend Marenburg werd overvallen, was ik bij de landmeetkundige dienst. Preciezer gezegd, bij de directeur. Ik ken hem nog van school. Ik heb hem om luchtfoto's en kaarten van het bos van Fahlenberg gevraagd en uitgezocht waar het stuk land van de Wagners ligt. Kijk maar in het handschoenenkastje.'

Jan deed de klep open en haalde er een paar kopieën uit die in een plastic hoes waren gestoken. Hij zag de lijnen en markeringen die de parkeerplaats aangaven waar ze nu stonden.

'Kijk even op blad twee,' zei Rauh. 'En let eens op de loop van de weg.'

Jan haalde het papier eruit en herkende de ingetekende bosweg die door het bos slingerde en zich daar splitste.

Met zijn gemanicuurde vingernagel tikte Rauh op de kopie. 'Mijn schoolmaatje heeft me iets heel interessants verteld over deze plek. Iets wat maar een paar mensen in Fahlenberg weten. Deze parkeerplaats is hier al jaren. Eerst was het alleen een depot voor boomstammen, maar toen, tegen het einde van de Tweede Wereldoorlog, werd deze vlakte geasfalteerd en verklaarden ze de omgeving tot militair terrein. Ze zeggen dat de weg naar Kössingen dienst moest kunnen doen als geheime startbaan voor gevechtsvliegtuigen. Iets dergelijks ligt ongeveer twintig kilometer verderop naast de snelweg. Dit betonnen platform was een soort hangar die indertijd overdekt moet zijn geweest, waarschijnlijk met een camouflage van hout.'

Jan keek naar buiten en opeens zag hij deze reusachtige parkeerplaats midden in het bos in een totaal ander licht. Vroeger dacht hij dat die was aangelegd voor bosbouwers en toeristen, wat de afmetingen moest verklaren. Nu stelde hij zich een ogenblik lang de spookachtige schimmen van vliegtuigen voor, en de mannen die op deze plek hun dienstplicht hadden vervuld. Piloten, soldaten, misschien ook verkeersleiders en marconisten.

'Het grenst direct aan het latere bezit van Wagner,' zei Rauh, nog eens op de kopie wijzend. 'En het stuk dat naast de parkeerplaats ligt, heeft Alfred zelf gehouden. Het is nog een aanzienlijk stuk grond, maar een stuk kleiner dan het oorspronkelijke eigendom. Zoals gezegd, hij hield uiteindelijk iets minder dan de helft over.'

'Ik geloof dat ik begrijp waar je naartoe wilt,' zei Jan, en hij keek naar de struiken aan het eind van de parkeerplaats. Daarachter rees een dicht, gemengd bos op. 'Als hier een geheime militaire basis was met een vliegtuighangar, dan moet hier ook een onderkomen voor de manschappen zijn geweest. Een... bunker.'

Met de blik strak op de bomen gericht, bracht hij het woord fluisterend over de lippen.

Rauh knikte. 'En als ze die goed hebben verstopt, is het niet zo verbazingwekkend dat ze die niet hebben gevonden toen ze met honden in het bos naar je broer zochten.'

'De onderaardsen,' zei Jan. 'Dat heeft Alfred bedoeld. Sven was nu een van de onderaardsen. Hij moet in die bunker zijn geweest.'

'Nou,' zei Rauh, en hij pakte een zaklantaarn uit het handschoenenkastje, 'help je me even zoeken?'

60

Jan en Rauh liepen de slingerende weg af, die steeds dieper het bos in voerde. Met de auto van Rauh waren ze niet ver gekomen, want de weg was doorploegd met de diepe bandensporen van vrachtwagens van de bosbouwers en voor een gewone auto ontoegankelijk.

De twee mannen liepen over het midden van de weg, waar de bodem nog het best begaanbaar was. Om hen heen hoorden ze alleen de wintergeluiden van het bos. In de verte kraste een kraai, hier en daar vielen hoopjes sneeuw van de takken en zo nu en dan klonk er gekraak in het kreupelhout.

'Het zal niet makkelijk zijn om hier iets te vinden,' zei Rauh en hij bleef staan. Hij stopte zijn handen in zijn zakken en liet zijn blik over de omgeving dwalen.

Jan hield Rauhs handen in de gaten. Rauh moest het gemerkt hebben. Hij blies lucht uit door zijn neus, wat er in de koude boslucht uitzag als rook.

'Nog steeds wantrouwend?'

'Zou jij dat niet zijn in mijn plaats?'

'Je mag mijn zakken wel doorzoeken, als dat je geruststelt.' Rauh haalde zijn handen uit zijn zakken en stak ze omhoog. 'Behalve de kopieën van de kaart, de zaklamp, een rolletje pepermunt en mijn autosleutels heb ik niets bij me.'

Jan wuifde het weg. 'Kijk liever op de kaart hoe ver we al op Wagners terrein zijn.'

Rauh glimlachte, liet zijn handen weer zakken en haalde de opgevouwen kopieën uit zijn jaszak. Daarbij viel een zilverkleurig voorwerp op de grond. Het was een aansteker die met zijn onderkant in de bevroren modder landde.

'Je verliest wat.'

Rauh bukte zich en pakte snel de aansteker op. 'Dank je.'

Hij wreef de modder eraf.

'Mooi ding,' zei Jan.

'Ja.' Rauh stak de aansteker weer in zijn jas – nu in zijn binnenzak. 'Een cadeau van mijn ex, Carmen. Eergisteren zouden we tien jaar zijn getrouwd.'

'Dat spijt me.'

'Is al een tijdje geleden.' Zonder Jan aan te kijken vouwde Rauh de kaart open en tikte op een van de ingetekende percelen. 'We zijn nu ongeveer tot hier gekomen.'

'Dan moesten we nog maar een eindje verder gaan,' zei Jan en hij keek op de kaart. 'Ongeveer honderd meter verderop zijn verhogingen getekend. Laten we daar eens gaan kijken.'

'Vooruit dan,' zei Rauh, en hij vouwde de kaart weer op. 'Snel dan, ik vries hier langzaam vast.'

Even verderop kwamen ze bij een splitsing. De linkerweg leidde naar het stuk grond dat Alfred had verkocht. De rechter werd versperd door een verroeste metalen slagboom. Die was ooit rood-wit geverfd geweest, maar door de roest was daar nu niets meer van te zien. Alleen het gele plastic bordje leek van recenter datum:

PRIVÉTERREIN

VERBODEN TOEGANG!

'Ik denk dat Alfred dat heeft opgehangen,' zei Rauh.

'Daar ziet het naar uit,' knikte Jan. 'Ik zou denken dat het vanaf hier zin heeft om te gaan zoeken.'

'Daar verderop!'

Rauh wees op een aantal heuveltjes die met dikke dennen waren begroeid.

Jan bekeek de heuvels, die niet natuurlijk leken te zijn ontstaan. Daarvoor waren ze te gelijkmatig verdeeld. Opeens schoot hem een vroegere leraar van de lagere school te binnen – meneer Haas, die vaderlandse geschiedenis en de exacte vakken had gegeven. Jan herinnerde zich de verhalen nog goed die de leraar hun over de vroege geschiedenis van Fahlenberg had verteld.

'Keltische graven.'

'Hallstattperiode.' Rauh knikte. 'Een heuveltje meer of minder zou hier niet opvallen.'

'Vooruit dan.'

Meer dan een halfuur lang zochten ze de heuvels en de naaste omgeving af naar een mogelijke verstopte ingang. Tevergeefs. Naar het scheen waren deze verhogingen echt alleen maar graven uit een periode die nu drieduizend jaar in het verleden lag.

'Vervelend,' zei Rauh, toen ze weer bij elkaar kwamen. 'Ik had erom durven wedden dat die bunker hier zou zijn.'

Hij wreef zich in zijn handen. Zijn gezicht, met de anders licht gebruinde teint van het regelmatig bezoek aan de zonnebank, was bleek van de kou. Zijn wangen en de punt van zijn neus waren zo rood dat hij er als een clown uitzag.

Ook Jan was verkleumd van de kou en had nauwelijks nog gevoel in zijn handen en voeten. 'Veel keus hebben we niet meer. Als ik de kaart goed begrijp, maakt de weg over tweehonderd meter weer een bocht en leidt dan naar het naburige perceel.'

'Misschien is er dan toch geen bunker,' zei Rauh met een radeloos gebaar.

'Dat kan zijn.' Teleurgesteld keek Jan om zich heen. Toen stokte hij in zijn beweging. 'Wacht! Ik geloof dat ik het weet.'

Hij liep naar een dikke beuk, die ongeveer vijftig meter bij de heuvelgraven vandaan stond. De boom was zeker erg oud. Tussen de vele sparren en dennen stond hij daar als een reus. Aan beide kanten van de stam zaten dikke, knobbelige zwammen, die in de loop van vele jaren met mos overtrokken waren en verhout. Twee van die woekeringen zagen er bijzonder opvallend uit. Hun vormen deden Jan aan handen denken. Handen, met misvormde, dreigend gespreide vingers.

'Klauwhanden.'

'Pardon?' Rauh keek hem verbaasd aan.

Jan liep om de boom heen, bekeek de stam vanaf de andere kant en knikte.

'Een kennis van me, Hubert Amstner, heeft me kort geleden

over Alfreds wanen verteld,' zei hij tegen Rauh, die zich nu ook achter hem aan door het kreupelhout worstelde. Hij vertrok zijn gezicht van de pijn toen de doornen van de struiken door zijn katoenen broek drongen.

'Alfred had hem over de onderaardsen verteld. En over de madonna met de klauwhanden. Nou, dit is ze dan.'

Jan wees op een kleine, ingelijste Mariabeeltenis die door de gladde schors was omgroeid. In de loop der decennia die de afbeelding er al hing, was ze door het zonlicht gebleekt en blauwig geworden, maar je kon het gezicht van de Moeder Gods nog goed zien.

'Dan zitten we toch op het goede spoor,' zei Rauh, en hij bevrijdde de mouw van zijn jas uit de greep van een doornige tak. 'Die is nog uit de tijd van de oude Wagner.'

Jan klopte zachtjes tegen de stam van de beuk. 'Ja, en je moet aan deze kant staan om de afbeelding te kunnen zien.'

Rauh keek knorrig en veegde over zijn broekspijpen. 'Niemand begeeft zich uit vrije wil in deze wirwar. Daar moet je een goede reden voor hebben.'

'Waarschijnlijk dezelfde reden waarom ze dit struikgewas hebben laten woekeren. We moesten het hier maar eens wat nauwkeuriger bekijken.'

'Ik zie al dat ik voor de gelegenheid niet de goeie kleren heb aangetrokken,' zuchtte Rauh.

'De waarheid vraagt zo haar offers,' antwoordde Jan en hij drong verder door de struiken.

Er lag nauwelijks sneeuw op de grond. De meeste sneeuw was op de struiken gevallen, de rest leek op een laagje fijne poedersuiker. Jan pakte een half vergane tak op en begon ermee tussen de wortels, takken, dennenappels en droge naalden te poken. Bij elke stap die hij zette trokken takken en doornen aan zijn kleren. Hij ging meer naar links, terwijl Rauh de rechterhelft van het struikgewas doorzocht. Na een paar meter bleef Rauh plotseling staan.

'Hier!'

Jan vocht zich een weg naar hem toe. Het roestige luik op de grond was op de bruine bosgrond nauwelijks te onderscheiden.

'Ik durf te wedden dat dat geen putdeksel is,' zei Rauh triomfantelijk.

'Dat lijkt me ook niet,' bracht Jan uit. Hij werd bekropen door een onbehaaglijk gevoel, maar Rauh knielde al neer en begon aan het luik te trekken.

Jan hielp hem een handje. Met z'n tweeën pakten ze de ondiepe greep vast en trokken eraan. Het luik was zwaar maar liet zich verbazend gemakkelijk openklappen.

'Iemand heeft het kort geleden gesmeerd.' Jan ging met zijn vinger langs het vet op het scharnier. Het was nog zacht.

'Dat betekent dat de bunker nog gebruikt wordt,' concludeerde Rauh. 'Waar dat ook voor mag zijn.'

Jan keek in het gat, waarin een metalen ladder het duister in leidde. 'Amstner zei dat Alfred vaak dagen of zelfs weken in het bos was. Ik denk dat hij zich hier heeft verscholen.'

Rauh fronste zijn voorhoofd en bekeek Jan van top tot teen. 'Denk jij hetzelfde als ik?'

Jan beantwoordde zijn blik en voelde hoe het onbehaaglijke gevoel sterker werd. 'Als mijn vader echt naar de parkeerplaats onderweg was en de ontvoerder Sven hier beneden heeft verstopt... en als Alfred de enige was die van deze bunker wist...'

'Dan moet hij de ontvoerder zijn geweest,' maakte Rauh de gedachte af.

'Maar waarom zou een jongen van twaalf een jochie van zes ontvoeren?' Geïrriteerd streek Jan door zijn haar. 'Dat had toch volstrekt geen zin?'

'Dat kunnen we hem helaas niet meer vragen,' zei Rauh, die nu ook in het donkere gat staarde. 'Bovendien is nog niet bewezen dat het echt zo is gebeurd. Misschien was je broer hier helemaal niet. Alfred heeft wel beweerd hem hier gehoord te hebben, maar dat kan een waanvoorstelling zijn geweest. In elk geval weten we nu dat hij vaker de waarheid heeft gesproken dan we dachten, maar hij leed wel degelijk aan hallucinaties.'

Nog steeds keken ze in het donkere gat. Jans maag protesteerde. Hij was kotsmisselijk. Hij had altijd gedacht dat onzekerheid zijn grootste angst was. Maar nu hij misschien eindelijk het antwoord zou krijgen op vragen die hem al meer dan twintig jaar bezighielden, was zijn angst groter dan ooit.

Misschien wel omdat het antwoord definitief was. Daarna was er geen hoop meer. Als hij daar beneden Svens stoffelijke resten vond, kon hij zichzelf niet meer voorhouden dat zijn broer misschien nog in leven was.

Maar dan weet ik het ten minste zeker, zei het redelijke deel van zijn verstand. *Laat het achter je*, maande hij zichzelf, *en begin eindelijk een nieuw leven. Een leven zonder nachtmerries.*

'Nou?' klonk de stem van Rauh. 'Gaan we naar beneden?'

Jan schrok op uit zijn gedachten en keek Rauh aan. 'Jij eerst.'

Rauh haalde zijn schouders op en haalde de lamp uit zijn zak. 'Zoals je wilt.'

Aarzelend ging hij aan de rand van het gat staan en scheen in de opening. De metalen ladder reikte ongeveer twee à drie meter diep. Onderaan was de betonnen vloer te zien.

'Wie niet waagt, die niet wint,' zei Rauh, en hij streek door zijn haar. Toen klom hij voorzichtig de ladder af. Toen hij beneden was, keek hij omhoog naar Jan. 'Hij is stevig. Kom ook!'

Jan haalde diep adem en klom toen ook het gat in. Bij elke trede die hij naar beneden ging, werd de geur van koud beton en roest sterker.

Toen hij in de nauwe gang bij Rauh was aangekomen en langs de grijze muren omhoogkeek naar het luik, had hij het idee dat de bovenwereld onbereikbaar was geworden. Hier in het donker zagen de kale bomen en de loodgrijze hemel boven het luik eruit als een andere wereld. Het leek alsof Jan vanuit een graf omhoog keek, juist voor de doodgraver de schop neemt om het met aarde te vullen.

'Behoorlijk smal hier,' zei Rauh, die zich net zo geïsoleerd leek te voelen.

'Hoe zal dat niet voor de soldaten zijn geweest? Wij kunnen elk ogenblik terug naar boven als we het niet uithouden. Maar stel je eens voor dat er boven wordt geschoten en er bommen vallen...' Hij onderbrak zichzelf en schraapte zenuwachtig zijn keel.

'Heb je last van claustrofobie?'

'Normaal gesproken niet.' Rauh maakte een verontschuldigend gebaar. 'Je ontdekt steeds weer nieuwe kanten van jezelf.'

'Moeten we teruggaan?'

'O nee,' weerde Rauh af. 'Het zal wel gaan. Bovendien ben ik veel te nieuwsgierig.'

Hij ging voorop en liet de lichtkegel van de zaklamp over de grijze betonnen muren met de scherp gekante groeven glijden. De gang was precies zo breed dat twee mensen er naast elkaar konden lopen. Jan dacht aan zijn diensttijd. Dit was een voorportaal, dat de eigenlijke ingang van de bunker diende te beschermen. Zelfs als het luik werd opgeblazen was de ingang, die ongeveer zes meter verderop en om een hoek lag, tegen de drukgolf van de explosie beschermd.

'Welkom in het duistere verleden,' mompelde Rauh en hij verlichtte een dikke stalen deur. Op de muur daarnaast prijkte in zwarte gotische letters het opschrift

OPGEPAST!
ROKEN EN OPEN VUUR VERBODEN!

Daaronder was een rijksadelaar met het hakenkruis te zien. De deur was noch van een klink, noch van een ander openingsmechaniek voorzien. Het was niets meer dan een platte staalplaat waarop zich in de loop der jaren een gelijkmatig laagje roest had gevormd. Aan de linkerkant zag Jan de lus van een gerafeld koord dat tussen de deur en het kozijn geklemd zat.

'Zo kon Alfred de deur van buitenaf dichttrekken,' zei hij, en hij zette zich schrap tegen de deur.

Met een roestig gepiep draaide de deur naar binnen toe open. Erachter loerde het donker.

'Hier had hij geen smeervet meer,' zei Rauh en hij stapte langs Jan naar binnen. Hij ging voorop met de lamp.

Ze kwamen in een andere gang die iets breder was. Meteen naast de toegangsdeur leidde een korte gang naar rechts, die na een paar meter eindigde bij een klein kamertje, nauwelijks groter dan een bezemkast. De meeste ruimte werd ingenomen door een oud aggregaat. De vloer was bedekt met viezigheid – rattenkeutels, vergane bladeren en papier. In een hoek lagen twee flesjes met een verroeste beugelsluiting.

'Fahlenberger Schlossquell-bier,' las Rauh. 'Die zijn stokoud. Verzamelaars hebben daar nu vast heel wat voor over.'

Jan keek naar de flesjes. Het flauwe gevoel in zijn maag kwam weer opzetten. Hij deed zijn ogen dicht en moest zich aan de muur vasthouden.

Rauh keek hem bezorgd aan. 'Alles goed?'

'Ik moest alleen aan Rudi Marenburg denken. Ik hoop dat hij het redt.'

Rauh ging met de lichtbundel over de flesjes, toen weer naar Jan. Hij schraapte zijn keel. 'Luister eens, Jan, ik moet je wat bekennen.'

'En dat is?'

'Ik was gisteren inderdaad bij Marenburg. Vlak voor hij werd overvallen.'

Jan kneep zijn ogen dicht tot spleetjes. 'Je was bij hem? Waarom?'

'Marenburg probeert al jaren om de mensen tegen de kliniek op te zetten. Hij is er vast van overtuigd dat de dokters daar schuldig zijn aan de dood van zijn dochter. We zouden haar tot zelfmoord hebben gedreven.' Hij keek Jan aan met een uitdrukking van spijt. 'Ik weet dat jullie vrienden zijn, maar ik vermoed dat hij je niet verteld heeft dat hij zelfs twee keer een proces tegen de kliniek heeft aangespannen. Zonder succes. Maar dat leek hem niet te kunnen schelen. Ten slotte was het hem gelukt om ons in de media in een kwaad daglicht te zetten.'

'Was je daarom bij hem?'

'Voornamelijk vanwege die kennis van je,' zei Rauh. 'Mevrouw

Weller komt zeer labiel op me over na het verlies van haar vriendin. Ik heb de indruk dat Marenburg daar gebruik van heeft gemaakt en haar zijn complottheorieën heeft ingeprent. Ik was daar boos over en wilde hem ter verantwoording roepen. Ik wilde weten of hem duidelijk was wat hij bij die vrouw had losgemaakt. Ze heeft in elk geval haar polsen doorgesneden om bij ons opgenomen te worden. Zulk gedrag spreekt toch boekdelen. Maar goed, Marenburg gooide de deur al tamelijk snel voor mijn neus dicht.' Rauh ging met zijn hand over zijn gezicht. 'Ik wilde graag dat je dat wist, Jan.'

Een paar tellen lang was het stil. Ze hoorden alleen het zachte fluiten van de wind bij het open luik.

'Vooruit,' zei Jan. 'Ik zou hier niet zijn als ik je niet geloofde. Laten we verder kijken.'

Rauh glimlachte zwakjes en zwaaide toen de lichtbundel weer het kamertje in. Voor het aggregaat stonden drie blikken en het rook naar diesel. 'Zou dat ding het nog doen?'

Jan wiegde het hoofd heen en weer. 'Best mogelijk. Hij ziet er eerder uit alsof-ie voor je neus ontploft, maar ik zou niet weten waarom er anders brandstof lag. Die blikken zijn niet zo oud als de generator.'

Rauh bekeek het aggregaat wat nader en ging er ten slotte mee aan de gang. Jan verbaasde zich erover, hoe makkelijk hem dat afging. Dat had hij niet achter die dandy gezocht.

Even later zette de machine zich rammelend en ratelend in beweging. Tegelijkertijd gingen de door metalen vlechtwerk beschermde lampen, die aan een dikke kabel aan het plafond hingen, flikkerend aan.

'Nou, wie had dat gedacht,' zei Rauh triomfantelijk en hij veegde zijn vuile handen af aan zijn gescheurde broek. 'Zo levert je studententijd op een dag nog eens wat op. Zo vaak als ik niet nachtenlang aan gang was met mijn ouwe roestbak. Op de een of andere manier heb ik die toch altijd weer aan de gang gekregen. Dat waren nog eens tijden. Ik weet niet hoe lang het licht aan blijft, maar ik hoop dat het voor een snelle rondgang genoeg is.'

Ze gingen weg uit de generatorruimte en Rauh trok de dikke deur, die de stank en het lawaai van het apparaat tegenhield, achter zich dicht.

Het was goed dat er hier beneden licht was. Jan voelde hoe de claustrofobische druk van hem week. Het gevoel dat hij levend was begraven verdween, zij het niet helemaal.

De bunker was bepaald groter dan gedacht. Vanuit de brede gang kwam je in vijf ruimten: twee aan weerszijden van de gang en een aan het einde. De eerste twee deuren links en rechts leidden naar voormalige verblijven. In elk ervan stonden twee verroeste stapelbedden. De matrassen waren versleten en aangevreten. Waarschijnlijk hadden er muizen of ratten in het zachte vulmateriaal genesteld.

Op een van de matrassen lag een vlekkerig kussen met Spongebob erop en een oude wollen deken met Indianenmotief. De muur boven de slaapplaats was behangen met pin-ups en andere plaatjes uit pornoblaadjes. Aan de onderkant van het bed erboven was de grote reclame van een verzekeringsmaatschappij tussen de spiraal geschoven. Er stond een mooi huis op het platteland op, waarvoor een jong stel, met twee stralende kinderen, de toeschouwer duidelijk maakte dat je met het Volledig Zorgeloospakket van deze maatschappij zeker in het leven stond.

Op deze plaats leek Jan het plakkaat een aanfluiting. Hoe vaak had Alfred hier gelegen, naar de plaat boven hem gekeken en zich voorgesteld hoe het zou zijn om een vrouw, kinderen en een eigen huis te hebben, een huis dat geen verlaten nazi-bunker was?

'Treurig hè?'

Jan schrok. Hij had niet gemerkt dat Rauh naast hem was komen staan.

Sorry, ik wilde je niet laten schrikken. Ik heb nog even rondgekeken. Er zijn alleen nog andere verblijven en een soort recreatieruimte. De deur aan het eind van de gang is op slot.'

Verbaasd keek Jan de gang in. 'Op slot?'

'Ja, ik vind het ook vreemd. Er hangt een dik slot op de deur. Behoorlijk zwaar en zeker niet zo oud als de rest van dit hol.'

'Maar waarom zou hier een ruimte op slot zijn?'

'Geen idee.' Rauh haalde zijn schouders op. 'In de verblijven hiernaast ligt wel oud gereedschap, maar niets waarmee we het slot open zouden kunnen krijgen.'

Rauh klonk nu helemaal als een daadkrachtig man. Hij leek te zijn veranderd. Het leek hem niet eens te storen dat hij zijn dure merkkleding na dit uitje wel weg kon gooien. Zijn duur gemanicuurde handen zagen eruit als de schoppen van een arbeider. Als hij Jan om de tuin had willen leiden, had hij er zeker alles aan gedaan om zijn voorkomen van dandy overeind te houden. En desondanks merkte Jan dat die wetenschap hem geen verlichting bood.

'Alles oké?' vroeg Rauh. 'Je bent helemaal wit.'

'Het gaat wel,' zei Jan afwerend. 'Het zal de lucht hier beneden zijn.'

Rauh knikte. 'Het is hier erg droog. Dan zou je hier toch meer vocht verwachten. Zelfs de wc in de verblijfsruimte is opgedroogd.' Hij wees in de richting van de bedoelde kamer. 'Ik weet nu overigens wel waarom Alfred dacht dat Hitler tot hem sprak vanuit de spoelbak.'

'O ja?'

'Een of andere grapjas heeft een foto van de *führer* boven de wc-pot gehangen.'

Jan beantwoordde Rauhs grijns. 'Passend.'

'Maar een ding is wel vreemd. Dat slot daar op die deur… Daar moet eerst een ander slot hebben gehangen. Het ziet ernaar uit dat het is opengebroken en later door een nieuw slot is vervangen.'

Er klonk een knal op de gang en ze schrokken allebei.

'Wat was dat?' fluisterde Rauh.

'Een schot?'

'Daar leek het wel op.' Rauh haalde zijn zaklamp uit zijn zak, woog hem in zijn hand als om de slagkracht te beproeven, liep voorzichtig naar de deur en gluurde naar buiten.

'Kun je wat zien?' fluisterde Jan en gaf zichzelf stilletjes op z'n kop omdat er geen reden was om nog te fluisteren. Als er iemand in de gang was, had die hen allang gehoord.

'Niets.' Rauh schudde zijn hoofd, zonder zijn ogen van de gang af te wenden. Toen liep hij de gang op.

Jan volgde hem. De deur van de naastgelegen kamer stond op een kier. Jan en Rauh gingen aan weerskanten staan en keken elkaar twijfelend aan. Als er echt een schot was gevallen, hadden ze tegen de schutter geen ander wapen dan een zaklamp.

'Kom eruit!' riep Jan.

Rauh greep de lamp nog iets steviger vast.

Stilte.

'Kom eruit, we weten dat je daar zit!'

Niets.

Weer keken ze elkaar aan. Rauh wees naar de deurknop. Jan knikte.

Op dat ogenblik begon het licht op de gang te flikkeren. Jan deed een schietgebedje aan het adres van het aggregaat en dat het ten minste zo lang bleef werken tot ze wisten wie er verder nog beneden was behalve hun tweeën.

Zijn gebed leek verhoord te worden. Het flikkeren hield op. Jan greep de knop vast en rukte de deur open.

Er was een donkere ruimte, verder niets. Rauh knipte de zaklamp aan en zocht de kamer ermee af. Toen begon hij te lachen. Jan kwam naast hem staan en toen hij zag waarom Rauh zo geamuseerd was, moest hij ook lachen.

Rauh schudde zijn hoofd en grijnsde. 'Er ploft een oud peertje en wij doen het in ons broek.'

'Psychiaters zijn nou eenmaal geen helden.'

'Nee, niet echt,' zei Rauh en hij onderzocht de kamer.

'Ik kan het niet geloven,' zei Jan stomverbaasd en hij liep naar de stapels blikjes, die langs alle drie de muren stonden opgestapeld. 'Hier had Wagner dus zijn voorraad.'

'Het moeten er duizenden zijn,' zei Rauh. Hij pakte een blikje van de hoop en scheen met de lamp op het deksel, waarop de uiterste houdbaarheidsdatum stond gedrukt. 'Maart 1989. Niet helemaal vers meer.'

Jan liep terug de gang op en sloeg de verbaasde Rauh gade, die

midden in de opslag stond en om zich heen keek als een bedrijfs-
leider die de balans opmaakt in een supermarkt.

'Alles is keurig opgestapeld,' zei Rauh en hij nam de blikken
muur in ogenschouw. 'Alle etiketten staan naar voren.'

Jan onderscheidde een enorme hoop cornedbeef, erwtjes en wor-
teltjes, ontelbare blikjes met worstjes, ravioli en linzen van de twintig soorten soep en een vergelijkbare hoeveelheid ingemaakt fruit.

'Geen wonder dat Alfred wekenlang wegbleef. De officiële
houdbaarheidsdatum is dan wel ver overschreden, maar bij blikjes maakt dat weinig uit.'

'Ja, die blijven langer goed dan je denkt,' viel Rauh hem bij.
'Mijn moeder werkte tijdens de oorlog bij de distributie. Bijna
dertig jaar later vonden we in de kelder nog twee blikken kom-
miesbrood. Geloof het of niet, het zag eruit alsof het...'

Rauh onderbrak zichzelf midden in de zin. Hij sperde zijn ogen
open en keek Jan aan alsof hij een spookverschijning zag. Jan wilde
hem al vragen wat er mis was, toen hij een geluid achter zich hoorde. Maar voor Jan iets kon doen, kreeg hij een hevige slag op zijn
hoofd.

Sterren ontploften voor zijn ogen. Hij viel, probeerde zijn val
te breken, maar had geen controle meer over zijn lichaam. Juist
voor hij op de grond viel, zag hij een hoog oprijzende, vervormde
gestalte staan. Toen vervaagde het beeld voor zijn ogen.

Het laatste wat hij zag waren de blikjes erwten.

61

Toen haar collega de afdelingskamer binnenkwam, keek Rebecca Steinfurt op van haar paperassen en wreef haar slapen.

'En, hoe is het met onze beschermelingen?'

Verpleegster Edwina Sezcinsky was nieuw op de intensive care. Het vijfentwintigjarige meisje, van wie Rebecca nog niet méér wist dan dat ze haar werk met uiterste nauwgezetheid verrichtte en na diensttijd trainde voor haar eerste marathon, pakte een flesje mineraalwater van tafel en knikte tevreden.

'Alles is oké. Alleen mevrouw Weller is wat onrustig. Haar hartslag is hoog.'

'Heb je met haar gepraat?'

'Nee, ze slaapt. Ik denk dat ze droomt.'

'Zal wel aan de pijnstillers liggen,' zei Rebecca en ze keek naar haar collega, die zichzelf een enorm glas mineraalwater inschonk. 'Hoeveel water drink je eigenlijk per dag?'

Edwina haalde haar schouders op. 'Twee, drie liter of zoiets.'

Rebecca schudde haar hoofd. 'Je lijkt wel een badgeiser...'

Ze schrokken zich een ongeluk toen een schril alarmsignaal afging. Meteen keken ze allebei op het controlebord.

'Dat is mevrouw Weller!' riep Rebecca en ze schoot overeind.

'Ik bel de dokter,' zei Edwina, zette haar glas neer en rukte de telefoon van de haak.

Rebecca haastte zich naar de kamer van Carla Weller. Volgens het alarm hadden alle vitale organen van de patiënte het opgegeven en de verpleegster bereidde zich al voor op reanimatie. Maar toen ze de deur van de kamer openrukte, zag de verpleegster iets wat ze in haar hele loopbaan nog niet had gezien.

Weliswaar had ze al vaker meegemaakt dat patiënten de verbindingen met de controle-apparaten van hun lichamen trokken, maar het verraste Rebecca toch behoorlijk dat ze ook de zijkant van het bed naar beneden klapten, opstonden en woedend in hun kamer heen en weer liepen.

'Mijn hemel,' bracht ze uit, 'wat bent u van plan?'

Carla Weller leek haar helemaal niet te horen. Ze beefde over haar hele lijf. Rebecca nam haar bij de arm en leidde haar terug naar bed. 'Waar wilde u in godsnaam heen?'

Carla Weller mompelde iets onverstaanbaars. Door de sterke pijnstiller praatte ze alsof ze dronken was. Ze herhaalde steeds weer een enkele zin. Uiteindelijk verstond de verpleegster haar.

'Ik weet nu wie hij is.'

Rebecca liet haar voorzichtig op de rand van het bed zitten. 'Kalm aan, mevrouw Weller. U heeft alleen gedroomd.'

'Ja.' Carla knikte als in slowmotion. 'En in mijn droom heb ik hem herkend.'

'Wie heeft u herkend?

'De stem van Nathalie. Zíjn stem.'

'Dat is knap van u.' Rebecca pakte haar patiënte bij de arm en probeerde het infuus weer op de canule aan te sluiten. 'Dan kunt u nu weer in bed...'

'Nee!' ging Carla ineens tekeer. Ze trok haar arm met een plotselinge ruk terug en keek de verpleegster met wijd opengesperde ogen aan. Haar gezicht glansde van het zweet. 'Je... je begrijpt het niet! Jan is in gevaar!'

'Wat is er aan de hand?' vroeg een stem achter Rebecca.

Met Edwina in zijn kielzog kwam dokter Mehra de kamer in gehold; hij keek verbaasd naar de patiënte en toen naar Rebecca.

'Ze is zelf opgestaan en...' probeerde Rebecca uit te leggen, maar Carla maakte zich met een snelle beweging los uit haar greep en legde haar hand op Rebecca's mond.

'Politie bellen,' hijgde ze. 'Gevaar!'

62

Het was een gevoel als bij het opduiken uit ijzig koud, zwart water. Toen hij weer bij bewustzijn kwam, merkte Jan dat hij op zijn buik op het stoffige beton lag. Hij had verschrikkelijke hoofdpijn en hoe helderder zijn verstand werd, des te erger werd de pijn.

Hij was misselijk. Zijn rechterwang was verdoofd door de kou van de vloer, maar hij was nog te versuft om zijn hoofd op te tillen. Knipperend vocht hij tegen de verleiding zijn ogen weer te sluiten en flauw te vallen. Hij probeerde zijn blik op een punt scherp te stellen, maar het wilde hem niet lukken. Hij zag dubbel alsof hij straalbezopen was.

Maar ondanks de storing in zijn gezichtsvermogen, die Jan diagnosticeerde als een gevolg van een hersenschudding, merkte hij dat hij niet langer in de ruimte met de conservenblikjes lag. Deze ruimte was veel groter, fel verlicht en er hing een penetrante geur van olie en metaal.

Olijfkleurige kisten stonden tegen de muren opgestapeld. Ze waren stoffig en zaten onder de spinnenwebben. Jan kon de witte zeefdrukken op de voorkant maar vaag onderscheiden, maar hij was er toch zeker van dat het hakenkruisen waren.

Munitiekisten!

Nu begreep hij waar hij was en waarom deze ruimte met een dik hangslot afgesloten was.

Een munitiedepot. Dáárom werd die bunker zo goed beschermd tegen vocht.

Hij boog zijn armen, waar een hele colonne mieren doorheen leek te trekken en probeerde overeind te komen. Na twee vruchteloze pogingen lukte het hem ten slotte om tegen de stapel kisten rechtop te gaan zitten.

Hij sidderde over zijn hele lichaam en de pijn in zijn hoofd bonkte als een razende tegen zijn slapen. Maar toen hij daar een tijdje zo gezeten had, ebde het bonken langzamerhand weg. De dansende beelden voor zijn ogen kwamen tot stilstand.

Nog steeds had hij moeite met nadenken. Maar algauw herinnerde hij zich dat hij een klap op zijn achterhoofd had gekregen. Hij nam zichzelf eens op en kreunde geschrokken. Zijn handen zaten onder het bloed en ook de voorkant van zijn jas was zo nat dat het leek alsof hij een bad in rode verf had genomen.

Terwijl zijn hart van paniek nog allerlei capriolen maakte, probeerde zijn professionele verstand hem tot rust te manen. Zoveel bloed kon onmogelijk alleen van hem zijn. Dan was hij allang dood geweest.

Toen Jan zijn hoofd opzij draaide en bijna een meter verderop Norbert Rauh zag liggen, begreep hij waar al dat bloed vandaan kwam.

Iemand had Rauh zijn jas en trui uitgetrokken. Het halfnaakte lichaam van de psychiater lag in een enorme plas bloed, die het einde vormde van een lang sleepspoor dat van de gang af tot hier reikte.

Rauh had zijn armen uitgestrekt en zag eruit als een schoonspringer die op zijn rug was gevallen. Toen Jan de vleesklomp tussen de armen zag, werd hem de keel gesnoerd. Waar eens een markant, zonnebankbruin gezicht had gezeten, was nu alleen nog een onderkaak met een rij rood gekleurde tanden te zien. Van het hoofd waren verder alleen botsplinters en stukken huid overgebleven, waar losse plukken haar aan vast hingen.

Jan vocht tegen zijn braakneigingen. Hij probeerde op te staan, maar zijn benen wilden hem niet gehoorzamen. Ze trilden zo erg dat hij hijgend terugzakte in een zittende houding.

Nog terwijl hij een tweede poging ondernam, hoorde hij stappen in de gang. Ze kwamen naar hem toe, maar omdat de deur maar halfopen stond, kon hij niet zien wie het was.

Wanhopig keek hij om zich heen, maar hij zag geen mogelijkheid om weg te komen en evenmin iets waarmee hij zich zou kunnen verdedigen. Weliswaar zat hij tussen de kisten met patronen en geschutsprojectielen, maar wat had hij daarmee kunnen beginnen? Het zweet liep hem over het gezicht, mengde zich met het bloed dat niet alleen uit zijn hoofdwond, maar vooral ook van Norbert Rauh afkomstig was.

Er was geen uitweg, hij zou de dood in het gezicht moeten zien.

Vlak voor de deur stopten de voetstappen. Er klonk een diepe zucht van een man. Jan dacht dat hij de stem herkende, maar tegelijkertijd leek dat volkomen onmogelijk.

Dat kan niet waar zijn, schoot hem door het hoofd. *Dat mág niet waar zijn!*

Maar toen de deur helemaal openging, werd Jans angst bewaarheid.

Raimund Fleischer hield een blik uit de generatorruimte in zijn ene hand en met de andere veegde hij een sliert haar uit zijn gezicht. Het pistool zat in zijn broekriem.

De professor liep om het bloedspoor op de vloer heen, zette het blik naast het lijk van Rauh neer en schoof zijn bril recht. Hij leek Jan niet op te merken maar keek alleen naar de dode. Hij zag eruit alsof hij de blikschade aan zijn auto opnam na een aanrijding, of een ruit waar een kind een bal doorheen had getrapt.

'Nooit gedacht dat die dingen zoveel schade aan konden richten,' mompelde hij, en hij trok zijn pistool. Nadenkend woog hij het wapen in zijn hand en keek toen op Jan neer. 'Jij wel?'

Jan had het gevoel dat hij in een nachtmerrie terecht was gekomen. Een deel van hem hoopte smekend dat hij daar elk ogenblik uit wakker kon worden.

'Deze heb ik hier jaren geleden gevonden,' legde Fleischer uit. Tot Jans ontzetting maakte hij een even rustige en gelaten indruk als altijd, alsof ze elkaar net op het terrein van de kliniek tegen waren gekomen. 'Een Walther p38. Moet van een officier zijn geweest. Was netjes in waspapier gewikkeld. Eigenlijk had ik gedacht dat dat ouwe ding het niet meer zou doen. En moet je nou eens kijken.' Hij wees met het pistool op Rauh. 'Dat hij er nu zo uitziet heb ik niet gewild. Terwijl hij zo'n cerebraal mens was. Zo heet dat toch? "Cerebraal".'

Fleischer zuchtte nog eens en liep toen naar een stapel kisten, waarnaast Rauhs andere kledingstukken lagen. 'Wil je zijn trui om op te zitten? De vloer is ijskoud hier.'

Stomverbaasd keek Jan de professor aan. Hij kon geen woord uitbrengen.

'Echt niet? Je haalt je nog een nierbekkenontsteking op de hals.'

'Waarom... waarom heeft u het gedaan?' bracht Jan fluisterend uit. 'Hij was uw vriend.'

'Ja, dat was hij.' Fleischer haalde een T-shirt onder de trui vandaan, veegde daarmee over een van de kisten en ging zitten. 'Weet je, Jan, als ik mijn lezingen geef, begin ik graag met een inleidend citaat. Ik denk dat de volgende woorden hier goed zouden passen: "De geschiedenis is in drie opzichten eigendom van de levenden. Als daadkrachtigen en strevenden, als bewarenden en vererenden en als lijdenden en verlossing behoevenden."'

Jan slikte en probeerde zijn paniek de baas te worden. Er was nu professioneel denken vereist, in geen geval mocht hij zijn angst toestaan macht over hem te krijgen. In het verleden had hij tegenover allerlei psychopaten gezeten. Mannen en vrouwen die gedood, gepijnigd en verkracht hadden. Mensen die geen enkel berouw over hun daden toonden, omdat ze geen rechtvaardigheidsgevoel hadden of omdat ze hun daad verdrongen en anderen de schuld gaven. Jan had ze onderzocht, diagnoses gesteld en de mate van gevaar geschat die ze vormden voor zichzelf en hun omgeving. De omgang met die mensen was deel geweest van zijn beroepsmatige routine. En er gebeurde nu niets anders, probeerde hij zichzelf voor te houden. Zelfs al was er een doorslaggevend verschil: dat Fleischer een wapen had dat hij al eens had gebruikt en dat hij dat elk moment weer kon gebruiken.

Jan dacht koortsachtig na. Er moest al lang een uur voorbij zijn gegaan sinds Rauh en hij erop uit waren gegaan. Als hij op Konni kon rekenen, bracht die misschien wel op ditzelfde ogenblik de politie op de hoogte. Ze zouden de auto van Rauh op de parkeerplaats vinden en het bos doorzoeken. Waarschijnlijk had ook Fleischer er zijn auto neergezet. Het enige wat Jan kon doen, was de professor bezighouden en hopen dat ze genoeg sporen hadden achtergelaten om de politie naar het luik van de bunker te leiden.

'Je zegt helemaal niets, Jan.' Fleischer keek hem met kille ogen aan. 'Zit je erover te piekeren hoe je hier wegkomt? Dan moet ik je helaas teleurstellen. Dit is het eindstation. Voor ons allebei.'

Jan haalde diep adem, overwon zijn angst en stelde zich voor dat hij met Fleischer in een beveiligde kamer zat. Achter hem stond de camera en bij de monitor in de kamer ernaast zaten twee bewakers – klaar om meteen in te grijpen in het geval dat Fleischer hem met iets anders dan woorden aanviel. Voorzichtig stak hij een hand in zijn jaszak.

'Nee nee!' riep Fleischer en wenkte met het pistool. 'Ik wil allebei je handen zien. Haal hem eruit.'

'U hebt een mens gedood. Bent u zich daarvan bewust?'

'Ik zei, laat je handen zien!'

Jan gehoorzaamde, met zijn ogen op de loop van het pistool gericht. Hij stak zijn handen uit naar Fleischer en leunde toen weer op de vloer.

'Om terug te komen op Nietzsche,' zei Fleischer, en hij nam weer de toon aan van een man die gewend is voor een groot publiek te spreken. 'Jij, beste Jan, je behoort tot de derde categorie. Tot degenen die lijden en verlossing zoeken.'

'O ja?'

'Alsjeblieft, jongen.' Fleischer keek hem afkeurend aan. 'Dat zou je zelf toch wel het beste moeten weten.'

'Als u dat zo ziet,' antwoordde Jan. 'Ja, ik lijd onder mijn verleden.'

'En van dit lijden had ik je graag willen verlossen,' zei Fleischer. 'Je hoefde alleen maar de hand te grijpen die ik je toestak. Een nieuw begin had een bevrijding voor je kunnen zijn, je hoefde het alleen maar te willen. Maar nee, je hebt verder en verder en verder gegraven. En kijk nu eens wat je hebt aangericht.' Hij wees op Rauh. 'Je hebt hem zover gekregen mij om de tuin te leiden. Ik had geen andere keus dan hem het zwijgen op te leggen.'

'En Rudolf Marenburg en Carla Weller... die heeft u ook op uw geweten, hè?'

Fleischer knikte. 'En daar komen Nathalie Köppler, Alexandra Marenburg en een dom hoertje nog bij. Allemaal voor mijn rekening.' Hij legde het pistool op schoot, pakte Rauhs T-shirt met beide handen beet en scheurde het in tweeën. 'Schuldig aan het ten laste gelegde.'

'En... Sven?' Jans stem dreigde te breken. Hij zette zichzelf schrap. 'Wat is er met Sven gebeurd?'

Onderzoekend bekeek Fleischer de repen stof, toen liet hij één ervan op de grond vallen. 'Weet je, Jan, Bernhard Forstner was geen haar beter dan Marenburg of die betweterige journaliste. Dat soort mensen rommelt rond in andermans verleden en begint te jammeren als je ze op de vingers tikt.'

'Wat heeft u met Sven gedaan?'

'Wat heeft u met Sven gedaan?' aapte Fleischer hem na. 'Grote god, je gedraagt je als een klein kind, besef je dat eigenlijk wel? Alsof het altijd alleen maar om je broertje ging. Vind jij jezelf dan zo weinig waard?'

Jan negeerde de agressieve toon. *Gedraag je als een pokerspeler,* had zijn vroegere leermeester hem aangeraden. *Laat je tegenspeler nooit merken wat je gevoelens zijn. Houd je kaarten voor je.* En daar hield hij zich ook nu aan, terwijl hij de professor met een nuchtere blik aankeek.

'Waar is Sven?'

'Jan toch.' Fleischer glimlachte welwillend. 'Je hebt jezelf vroeger een heleboel vragen gesteld, maar blijkbaar nooit de goeie. Heb je nooit het gevoel gehad dat je vader zich tegenover jou – hoe zal ik het zeggen – altijd wat gereserveerd heeft opgesteld, terwijl hij je broer verafgoodde? En liet het hem niet volkomen koud wat je doormaakte nadat je getuige was van Alexandra's dood? Volkomen tegengesteld aan je moeder, die zich vol liefde zorgen om je maakte.' Hij boog zich naar voren en leunde met zijn ellebogen op zijn knieën. 'Heb je je nooit afgevraagd waarom ik je naar Fahlenberg heb gehaald? Waarom uitgerekend ik je die tweede kans heb gegeven?'

'Waar wilt u naartoe?'

'Kom op, Jan. Het antwoord ligt voor de hand. Bernhard Forstner was je vader niet. En hij moet daar altijd een vermoeden van hebben gehad.'

Jan slikte. Hij meende over een fijne neus voor leugens en waarheid te beschikken, maar nu hoopte hij nadrukkelijk dat hij zich vergiste. 'U wilt me toch niet vertellen, dat...'

Fleischers glimlach werd breder. 'Als je in de spiegel kijkt, wie zie je dan? Bernhard? Nee, nauwelijks. Wat karakter betreft lijk je sterk op je moeder, en voor het overige aard je helemaal naar haar. Maar jouw ogen en de mijne hebben toch wel iets van elkaar weg, vind je niet?'

'Dat is toch gewoon flauwekul!' snauwde Jan. 'Mijn moeder zou mijn vader nooit bedrogen hebben.'

'*Bedrogen*. Wat een lelijk woord.' Fleischer trok zijn neus op en wees als terloops op Rauh. 'Dat kan op hem slaan, of op Marenburg, of op Bernhard, ja, in zekere zin ook op jou. Maar niet op je moeder. Wij hebben niemand bedrogen.' Fleischer keek Jan spottend aan. 'Voor het geval het je moreel een troost mocht zijn – de affaire met je moeder heeft maar kort geduurd. En het was ook niet meer dan een affaire. Ze hield van Bernhard, zelfs al was hij het eigenlijk niet waard. In elk geval heeft hij je moeder jarenlang met zijn werk bedrogen. Een ambitieuze jonge arts, voor wie zijn carrière boven alles ging.'

Hij maakte een afkeurend gebaar met de lap stof. 'Ik denk dat de korte verhouding met mij voor je moeder niets anders was dan schadeloosstelling. Ze was eenzaam, net als ikzelf toentertijd. Maar een paar jaar daarvoor had ik de belangrijkste mens in mijn leven verloren. Ik was op zoek naar troost.'

Fleischer ontweek Jans blik. Hij liet zijn hoofd zakken en keek met een ernstig gezicht naar de vloer, waar een dun stroompje bloed naar zijn schoen liep. 'Vandaag de dag weet ik dat ik nooit troost heb gekend en die ook nooit zal kennen. Niemand – je moeder niet, mijn vrouw niet, je halfzussen konden mij niet uit het zwarte gat trekken waar ik zo lang geleden in was gevallen. Zelfs jij kon dat niet.'

Fleischer zweeg. De stilte viel in het koude munitiedepot. Alleen het zachte, ver verwijderde huilen van de wind drong tot hen door.

Voor het eerst in jaren ervoer Jan de stilte als een verlossing. Als hij hier beneden de wind kon horen die neersloeg in het voorportaal bij de ingang, dan betekende dat dat Fleischer het luik had opengelaten. Dan kon hij hopen dat ze het luik zouden vinden. Aan die strohalm klampte hij zich vast – al was het het laatste wat hij ooit zou doen.

Ik moet hem aan de praat houden, zei hij tegen zichzelf. *Ik mag hem in geen geval laten wegzakken in zijn depressie zodat hij overal een eind aan maakt.*

'U hebt mijn vraag niet beantwoord,' zei Jan.

'Is dat zo?' Fleischer tilde zijn hoofd op. Hij zag eruit alsof Jan hem uit een andere wereld had teruggehaald.

'Ik vroeg u waar Sven is. Wat hebt u met hem gedaan?'

'Je wilt het dus weten.' Fleischer schudde zijn hoofd en zuchtte. 'Goed dan.'

Hij pakte het pistool, stond op en legde de reep stof op de kist. Toen liep hij langs Jan heen naar het andere eind van de ruimte en bleef staan bij een dekzeil waar iets anders onder schuilging dan munitiekisten.

'Weet je, Jan,' begon hij op welhaast feestelijke toon, 'er is iets wat ik nog nooit iemand heb verteld. Maar ik denk dat het nu tijd is om mijn zwijgen op te heffen. Je bent mijn zoon en je verdient het de waarheid te kennen. Ik had me daar weliswaar een prettigere plek bij voorgesteld, maar zoals de zaken nu staan, lijkt dit hier in elk geval de júíste plaats te zijn.'

Jan zei niets en keek hoe Fleischer het dekzeil voorzichtig oplichtte en op de vloer liet glijden. Hij sperde zijn ogen open toen hij zag wat Fleischer daaronder verborgen had.

De constructie, die was samengesteld uit olijfkleurige kisten, een paar kaarsen en een wit kanten doekje, vormde een altaar. Er bovenop stond een foto en Jan werd met stomheid geslagen toen hij die zag. Het was het portret van een lachende jonge vrouw met lang, donker haar en doordringende ogen. Haar gelijkenis met Alexandra Marenburg en Nathalie Köppler was frappant.

Je kon duidelijk zien dat het portret een vergroting was van een foto die Jan al eens had gezien. Hij herinnerde zich de klassenfoto op het kantoor van Fleischer weer – dezelfde foto die Jan ook bij hem thuis in zijn werkkamer had gezien.

Onder de lijst lag iets wat Jan niet meteen herkende. Een soort reliëf. Daarnaast lag een keurig opgevouwen avondjurk van nachtblauwe zijde.

'Wat is dat allemaal?'

'Denk aan mijn Nietzsche-citaat.' Fleischer ging teder met zijn vingertoppen over het reliëf. Nu zag Jan dat het een masker was. 'Volgens het citaat ben ik de bewarende. De vereerder van het verleden.'

Hij deed een stap achteruit en keek om naar Jan. 'Ik was vijftien toen er een nieuwe leerling bij mij in de klas kwam. Zij zou mijn leven volledig veranderen. Ze heette Carmen. Deze foto hier...' hij wees met zijn pistool op het portret, 'doet eigenlijk geen recht aan haar ware schoonheid. Als ze op een zonnige dag met haar lange haar los over het schoolplein liep, glansde het als donkere zijde. En het groen van haar ogen heb ik tot nu toe alleen in heel zuivere smaragden teruggevonden. Ze was een koningin, Jan, een werkelijke hoogheid. Elke beweging die ze maakte was een uitdrukking van haar persoonlijkheid – trots en wetend dat een woord van haar genoeg was om de wereld aan haar te onderwerpen.'

Hij maakte een verlegen gebaar. 'Ik weet het, het klinkt dweepziek, maar ik overdrijf niet. Als ik haar met één woord moest beschrijven, dan zou ik zeggen dat ze volmaakt was. Daarmee bedoel ik vanzelfsprekend niet alleen haar uiterlijk. Het gevoel dat ik in haar nabijheid ervoer, zou een groot dichter hebben bestempeld als de enige ware, alomvattende liefde. Het was magisch, Jan.

Ik was in haar ban vanaf het ogenblik dat ik haar voor het eerst zag.'

Jan lachte bitter. Fleischer keek hem geïrriteerd aan. 'Wat valt er te lachen?'

'Wilt u me serieus vertellen dat een liefdesgeschiedenis de reden is voor al die misdaden?'

'Je weet niet waar je het over hebt.' Fleischer keek hem met fonkelende ogen aan. 'Je lijkt niet eens een idee te hebben hoe het is om een vrouw heel lang alleen uit de verte te kunnen bewonderen omdat je verder lucht voor haar bent. Wie was ik zelf eigenlijk? Een lange, spichtige knul met gekkigheid in zijn hoofd, niets meer. Maar ze liet me niet los, hoe ik er ook mijn best voor deed. Echt, ik heb er mijn bést voor gedaan me van haar te bevrijden, maar het was alsof een onbetekenend stukje metaal probeerde aan een enorme magneet te ontkomen. Onmogelijk. Ja, jongen, ik was aan haar verslaafd. Voor een ogenblik in haar nabijheid had ik alles gegeven. Een leven zonder haar kon ik me niet meer voorstellen.'

Hij stak zijn hand in zijn broekzak en haalde er een zilverkleurig voorwerp uit. Jan herkende Rauhs aansteker. Toen hij zag hoe Fleischer de aansteker naar een kaars bewoog, schrok hij. Weliswaar waren het dikke kaarsen, waarvan bij het opbranden een rand overeind bleef staan, maar het was nog steeds een munitiedepot en de kaarsen stonden op kisten waarin allerlei munitie zat.

'Niet doen!' zei Jan. 'Straks ontploft de boel hier nog!'

Glimlachend keek Fleischer om. 'Ben je bang voor de dood?'

Jan zei niets en Fleischer liet de aansteker weer in zijn broekzak verdwijnen. 'Destijds zou ik met liefde mijn leven voor Carmen hebben gegeven. Maar dat had nauwelijks indruk op haar gemaakt. Vandaar dat ik begon te sporten. Ik besteedde aandacht aan mijn uiterlijk, zodat ik niet onderdeed voor de andere jongens, al was ik in materieel opzicht hun mindere. Mijn ouders waren niet rijk. Dat probeerde ik te compenseren door te studeren. Ik leerde als een waanzinnige, stopte mezelf vol met kennis. De bibliotheek was mijn tweede thuis.'

Fleischer verviel weer in zijn rol van docent. Met zijn handen op zijn rug liep hij voor het vreemde altaar heen en weer. 'Die eerzucht verleende mij onvermoede krachten. In minder dan geen tijd was ik de beste in alle vakken en al snel had ik de naam een wandelende encyclopedie te zijn. Veel medeleerlingen kwamen met hun vragen bij mij en vroegen om hulp met hun wiskunde, natuurkunde of talen en ik hielp hun allemaal.'

Terwijl Jan luisterde verloor hij Fleischers hand met het pistool geen moment uit het oog. Hij mocht zich niet bewegen, mocht Fleischer niet onderbreken in zijn woordenvloed. Alles wat hij moest doen was stilzitten, Fleischer aan de praat houden en hopen op spoedige hulp.

'Geen van die medeleerlingen heeft ooit iets voor me betekend,' ging Fleischer verder. 'Zelfs al werd ik door sommigen hun beste vriend genoemd. Ik deed het alleen omwille van haar. Ik was in één woord bezeten van de wens haar opmerkzaamheid te wekken. En ten slotte slaagde ik in mijn opzet. Het was kort voor het eindexamen toen ze me vroeg of ik aan een studieclubje wilde meedoen. Onder haar vriendinnen waren twee medeleerlingen, wier kansen op succes bij het volgende proefwerk uiterst gering waren. Natuurlijk aarzelde ik geen moment. Ik hielp iedereen zo goed ik kon en ze slaagden inderdaad. Carmen was blij. Eén keer zei ze zelfs dat ze bewondering had voor mijn fijnzinnigheid tegenover anderen, de manier waarop ik kennis kon overbrengen en dat ze zeker wist dat ik het nog ver zou schoppen.'

Hij glimlachte tegen Jan met een afwezige blik. 'Mijn hart ging zo tekeer, Jan, dat ik dacht dat ik gek zou worden. Toen kwam het eindexamen, sneller dan ik had gevreesd, en toen we allemaal waren geslaagd – ook mijn twee bijlesleerlingen – kwam het moment om afscheid te nemen. Ik hoorde te laat aan welke universiteit Carmen zich had ingeschreven en de gedachte dat ik de volgende jaren van haar gescheiden zou zijn stortte me in een zware depressie. Daarbij kwam nog de angst dat ze daar verliefd zou worden op een ander en het contact met haar vroegere vrienden en kennissen zou verbreken.'

Fleischer bleef staan en staarde in de leegte. Hij zei niets en Jan vatte het op als een slecht teken. Het uitdrukkingsloze gezicht van de professor voorspelde niet veel goeds, evenmin als de verkrampte manier waarop hij het pistool nu vasthield.

Ik moet hem aan de praat houden. Hem iets vragen, iets tegen hem zeggen!

'Wat heeft dat allemaal met mijn familie te maken?'

Een fractie van een seconde keek Fleischer hem aan alsof hij niet wist waar hij was. Toen rilde hij en wreef zijn slapen.

'Ja, ja,' zei hij langzaam. 'Ik zal het je vertellen. Ik vertel het. Tussen Carmen en mij is het nooit verder gekomen dan een toevallige aanraking.' Het klonk bijna als een beschuldiging. 'Als we naar hetzelfde boek grepen of elkaar vluchtig omhelsden bij wijze van groet. Maar ik was afhankelijk van haar nabijheid. Die was voor mij even belangrijk als ademen. En toen, op onze laatste avond, terwijl het examenfeest in volle gang was, heb ik het haar verteld.'

'Hoe reageerde ze?' wilde Jan weten, maar de professor leek hem niet te horen.

'Ik zie haar nog voor me,' zei Fleischer. 'Alsof het gisteren was. Ze staat in haar donkerblauwe jurk op het terras achter de feestzaal van onze oude school. Ze kijkt in gedachten verzonken naar de brede stenen trap die naar de parkeerplaats leidt. Ze ziet er een beetje verdrietig uit. Als ik haar vraag wat er is, zegt ze dat het binnen blauw van de rook staat en benauwd is. Ze heeft frisse lucht nodig. Het is donker en alleen het licht van de feestzaal verlicht haar wonderschone gezicht. Ik zie het glanzen van haar smaragden ogen, van de lippenstift op haar volle mond en de losse haar die in haar wenkbrauw is blijven zitten. Ik ruik haar parfum, zoet en zwaar, met een decente toon van hout, alsof het de magie van het moment een eigen geur wil verlenen. In die atmosfeer klinkt haar stem nog voller en warmer, ja, gewoonweg verleidelijk.'

Fleischer liep terug naar de kist naast het lijk van Rauh en ging er zuchtend op zitten.

'Het was absoluut niet moeilijk haar over mijn gevoelens te vertellen. Integendeel. Wat ik jarenlang in me had gedragen kwam nu met gemak over mijn lippen. Het was zo goed om het eindelijk uit te spreken, haar daarbij aan te kijken en me bewust te zijn van haar volledige aandacht. Het was een bevrijding. Maar toen...' Fleischer fronste zijn voorhoofd. '... toen gebeurde er iets wat ik nooit had verwacht. Ze onderbrak me geen enkele keer terwijl ik tegen haar praatte en ik had echt verwacht dat ze me zou begrijpen. Ja, een nietig moment had ik zelfs gehoopt dat ze mijn bekentenis zou beantwoorden. In plaats daarvan...'

Fleischer kneep zijn ogen dicht en beet zich op zijn lippen.

'Wat deed ze dan?' vroeg Jan. Ze waren nu bij een kritisch punt aangekomen en als hij de professor nu niet verder kon laten praten, viel het ergste te vrezen.

Fleischer deed zijn ogen weer open. Toen hij Jan aankeek, liepen de tranen hem over de wangen. 'Ze heeft me uitgelachen, Jan.'

'Uitgelachen?'

Fleischer knikte. 'Je zou me bij vol bewustzijn de tanden uit mijn mond kunnen trekken, mijn vingers breken of mijn handen afhakken – het zou niets zijn vergeleken bij de pijn die ik bij dat lachen ervoer. Het was geen vrolijk lachen, Jan, het was niet eens geamuseerd lachen. Ik voelde vooral de walging die erachter schuilging. Na al die tijd dat ik had gedacht dat we op gelijke voet stonden, liet ze me nu merken hoe klein en onbetekenend ik in feite was.'

Fleischer stond in zijn volle lengte op, zijn handen tot vuisten gebald zodat de knokkels wit werden. Jan keek naar het pistool. Het was nog op de vloer gericht.

'Of ik gek was geworden,' riep Fleischer vol haat uit. 'Of ik geen ogen in mijn hoofd had. Een blinde zou toch hebben gezien dat ze nooit iets met een man zou beginnen. Ze was lesbiënne, Jan! Dat wonderschone schepsel dat elke man met een knippering van haar wimpers op de knieën dwong was verdomme lesbisch! En haar vriendin was uitgerekend een van de meisjes die met mijn hulp haar eindexamen had gehaald. Wat vond ze daar nou aan? Ik had haar zo veel meer te bieden gehad. Mijn liefde, mijn kennis, mijn leven. Haar vriendin was een onbenullig, dom wicht. Ik kon het gewoon niet begrijpen. Tot op de dag van vandaag niet.'

Hij veegde de tranen uit zijn gezicht. 'Ik... ik begon te stotteren, ik smeekte haar. Maar ze wilde me niet begrijpen. Of misschien had ze me maar al te goed begrepen en werd ze daarom zo afwijzend – om het me makkelijker te maken. Ik weet het niet. Ik heb er ontelbare malen over nagedacht, maar ik kom er niet uit. Elke nacht word ik door haar woorden achtervolgd. Of ik haar alsjeblieft met rust wilde laten. Ze gilde niet, ze siste als een in het nauw gedreven dier. Ik denk dat ze bang voor me was, voor mijn fysieke kracht. Ik was te dichtbij gekomen, maar ik merkte het niet.'

Nu begreep Jan ineens wat er daarna gebeurd moest zijn. 'U hebt haar gedood, hè? Zij was de eerste.'

'Het was een ongeluk!' schreeuwde Fleischer. 'Ik wilde het niet, dat moet je van me aannemen. Er knapte eenvoudigweg iets in me. Ik maakte haar uit voor slet, loeder...' Hij hijgde en schudde zijn hoofd. 'Ik pakte haar bij haar schouders. Ik duwde tegen haar aan. Een beetje maar. Het was een duwtje van niks, maar... ze verloor haar evenwicht, botste achteruit tegen de stenen balustrade en viel van de trap. Toen ze op de onderste trede viel, hoorde ik haar nek breken. Misschien had ze het overleefd als haar reactievermogen beter was geweest. De politie stelde later vast dat haar bloed een verhoogd alcoholpercentage had. Misschien had ze al die lelijke dingen niet tegen me gezegd als ze nuchter was geweest. Misschien, misschien...'

Fleischer sloeg zijn handen voor zijn gezicht en huilde ongeremd. Jan luisterde ingespannen naar enig geluid op de gang. Maar er was geen geluid te horen. Een golf van wanhoop dreigde op hem neer te slaan. Maar hij herpakte zichzelf.

'Waarom Sven? En wat had mijn vader ermee te maken?'

Fleischer had nog steeds zijn handen voor zijn gezicht. Hij slikte. 'Ik hoef je vast niet uit te leggen wat nachtmerries zijn,' ging hij met een matte stem verder. 'En dat er nachtmerries zijn die je ook achtervolgen als je wakker bent. Ik zie haar vallen, Jan. Elke keer opnieuw. Op ieder stil ogenblik. 's Nachts in bed, overdag als ik alleen op mijn kantoor ben, 's avonds op weg naar de parkeerplaats. Haar geest achtervolgt me. Ze wil me niet vergeven. Iedereen dacht dat haar val een tragisch ongeluk was. Niemand verdacht mij ergens van. Het lag aan de drank. En ik hield mijn mond.' Hij haalde zijn schouders op. 'Ik ben een lafaard, Jan. Daarom heb ik nooit iets gezegd. Ik heb altijd mijn mond gehouden.'

Jan keek naar het portret op het altaar. 'En op een gegeven moment kwam Alexandra Marenburg in de kliniek, die u aan Carmen deed denken.'

'Niet alleen denken, Jan. De gelijkenis met Carmen was ongelooflijk – ja, gewoonweg griezelig. Ze was zelfs even oud. Het was alsof Carmen na al die jaren bij me terugkwam zodat ik haar om vergeving kon vragen.'

Jan keek Fleischer aan en schudde zijn hoofd. 'Als psychiater zou u toch moeten weten hoe dat klinkt.'

'Ik weet het, Jan, ik weet het. Eerst verzette ik me ook tegen die gedachte, ik dacht dat ik gek was – maar toen ik Bernhard op een dag verving, glimlachte ze tegen me tijdens een gesprek en herkende ik de glimlach van Carmen.'

Hij sperde zijn ogen open, alsof hij het weer voor zich zag. 'Ze was het, Jan! Een ogenblik lang was ze Carmen, dat had ik durven zwerven. En weer kon ik haar niet weerstaan.'

'Wat heeft u met haar gedaan? Is Alexandra vanwege u weggelopen uit de kliniek?'

Met een gebaar van spijt hief Fleischer de handen. 'Goeie god, ik had toch niet kunnen voorzien dat het zo uit de hand zou lopen. Het was toch maar vruchtenthee met wat temazepam om haar geest los te maken. Het moet dat verdomde narcoticum zijn geweest. Een bijwerking. Ja, dat moet het zijn geweest.'

Fleischer greep naar het blik benzine en haalde het naar zich toe. Toen grijnsde hij tegen Jan over de rand van zijn bril. Als er ooit iets in zijn gezicht was geweest wat Jan aan Gregory Peck had doen denken, dan was het nu geheel verdwenen.

'Ze waren zo gewillig, Jan. Allebei. Je had Nathalie moeten meemaken toen ze onder invloed was. Alleen een korte hypnose en wat GHB waren al genoeg om haar de angst voor mannen te laten vergeten. Ze was net zo'n tijgerin als Carmen was geweest, dat weet ik zeker.'

'GHB?' Jan geloofde zijn oren niet. 'U hebt haar een seksdrug gegeven?'

'Alleen als therapeutische interventie,' antwoordde Fleischer, alsof het volkomen vanzelf sprak.

'Vandaar dus de toevoeging R in Rauhs agenda. Als u hem had vervangen zette hij een R achter de naam. De R van Raimund.'

'Rauh en zijn hypnoses zijn alleen een manier om remmingen weg te nemen,' zei Fleischer. 'In combinatie met GHB leg je de ware kern van de ziel bloot. Dat wist Bernhard ook al. Alleen heeft hij zich er niet zo ver in gewaagd als ik.'

'Vandaar dat Nathalie zich niets kon herinneren,' zei Jan. 'En met Carla was het net zo afgelopen toen ze er eenmaal van overtuigd was dat Nathalie haar was komen bezoeken. U had haar dat ingeprent. U hebt al die vrouwen misbruikt, Fleischer. En dat alleen maar om uw slechte geweten te sussen. Hebt u dan echt gedacht dat u uw moord daarmee ongedaan kon maken?'

'Zij waren niet zoals Carmen!' schreeuwde Fleischer. Hij huiverde weer en de terneergeslagen uitdrukking kwam terug op zijn gezicht. 'Geen van hen was zoals Carmen. Dat moest ik keer op keer vaststellen. Geen van hen bracht me verlossing. Alexandra niet, Nathalie niet en dat snolletje niet. Ze stierven vrijwillig. Niemand heeft hen ertoe gedwongen een eind te maken aan hun miserabele leven. Met uitzondering van dat hoertje, maar die heb ik maar een klein beetje hoeven helpen.'

Die laatste woorden sprak hij met een van haat vertrokken gezicht uit. Toen kreeg hij weer een bedaarde uitdrukking. Daar sprak weer de nuchtere docent: 'Weet je, Jan, soms denk ik dat ze wisten welk vergrijp ze hadden begaan. Ze hadden geprobeerd

Carmens plaats in mijn leven in te nemen. Daarom verdienden ze de dood. Over geen van hen voel ik me schuldig.'

'Mijn vader is u op het spoor gekomen, klopt dat? Hij is erachter gekomen wat u met Alexandra had gedaan en dat ze daarom het park in was gelopen.'

'Je váder.' Fleischer snoof verachtelijk. 'Nou goed, als je het zo wilt noemen. Ja, Bernhard ontdekte de waarheid.'

'Daarom heeft u Sven ontvoerd en hem onder druk gezet, zodat hij zijn mond zou houden.' Jan keek hem strak aan. 'Vertel me nu eindelijk wat er is gebeurd. Sven is dood, hè? U heeft hem vermoord.'

Een tijdje zei Fleischer niets. Hij zat daar alleen maar en weerstond Jans blik. Toen gebeurde waar Jan de afgelopen drieëntwintig jaar zo bang voor was geweest. Fleischer knikte.

'Ja, Jan,' fluisterde hij. 'Sven is dood.'

Jan voelde hoe het bloed uit zijn hoofd wegtrok. De vloer leek onder hem te kantelen en hij was bang dat hij zou flauwvallen.

'Maar het was geen moord,' voegde Fleischer eraan toe. 'Het was een ongeluk. Een samenloop van tragische omstandigheden.'

Jan slikte en vocht tegen de tranen. 'Tragische omstandigheden?'

'Na de dood van Alexandra ontdekte Bernhard ongerijmdheden in haar dossier,' zei Fleischer. 'Hij ontdekte dat ik het therapieplan had gemanipuleerd, zodat de verdenking niet op mij zou vallen. Bovendien had een overijverige verpleger opgemerkt dat het meisje over geheugenverlies had geklaagd. Dus onderzocht Bernhard het bloed van de dode en stelde vast dat er temazepam in zat. Dezelfde avond nog deelde hij mij mee dat hij de volgende ochtend naar de directeur van de kliniek zou stappen. Hij wilde me verraden, begrijp je?'

'Hij deed zijn plicht!'

'God, wat ben je weer moreel superieur,' snoof Fleischer. 'Je lijkt Bernhard wel.'

'En wat gebeurde er toen?'

'Bernhard had het dossier mee naar huis genomen.' Fleischer lachte duister. 'Hij was bang dat ik het achterover zou drukken.

Op een gegeven moment besloot ik die avond om naar hem toe te gaan en hem te overreden niet naar de directeur te gaan. Ik wilde als vriend met hem praten. Ik had hem vast kunnen overtuigen.'

'Dan lijkt u mijn vader toch slecht gekend te hebben,' zei Jan, terwijl hij zijn handen op de grond zette en overeind kwam. De duizeligheid was verminderd. Langzamerhand voelde hij zich weer sterker.

'Blijf zitten!' riep Fleischer en hij richtte het pistool op Jans gezicht. 'Geen beweging, of ik schiet.'

'Oké, oké,' zei Jan, en hij liet zich weer op de grond zakken. 'Vertelt u me dan alsjeblieft of u serieus had verwacht dat mijn vader een misdrijf zou verdoezelen voor u.'

'Het ging niet alleen om mij!' riep Fleischer. 'Goeie god, ik had een gezin! Mijn vrouw was zwanger van mijn eerste dochter. Ik had nooit meer ergens een poot aan de grond gekregen in mijn vak. Hoe had het dan moeten aflopen?'

Met een boze beweging liet Fleischer de sluiting van het blik openklappen. De geur van dieselolie vermengde zich met die van metaal en wapenolie.

Jan keek zenuwachtig naar de gang, toen weer naar Fleischer. Hij moest tijd winnen. Nog een klein beetje maar.

'Wat gebeurde er die nacht dan? U bent niet meer bij ons geweest.'

'O jawel.' Fleischer begon de lappen stof in de opening van het blik te stoppen. 'Maar toen ik bij jullie huis kwam, zag ik eerst jou en toen Sven naar het park lopen. Tja, en toen veranderde ik mijn plan.'

Bij die woorden stond Jans hart bijna stil.

Het was allemaal nooit gebeurd als ik dat idiote idee met die dictafoon niet had gehad, schoot hem door het hoofd.

Dit had hij zichzelf al heel vaak voor de voeten geworpen, maar nu hij tegenover de man zat die zoveel dood en verderf over zijn familie had gebracht, leek het verwijt hem wel in steen gehouwen.

'Het was alsof een hogere macht me te verstaan wilde geven

dat ik alleen met praten bij Bernhard geen kans zou maken.' De professor keek naar de lap stof die nu uit de opening van het blik hing en zich volzoog met brandstof. 'Maar wel als ik het dossier kon ruilen tegen iets wat meer voor hem betekende. Dus volgde ik jullie naar het park.'

Jan beefde over zijn hele lijf toen hij nu de vraag stelde die hem ontelbare nachten uit zijn slaap had gehouden. 'Waarom Sven? Waarom niet mij?'

'Heel eenvoudig, Jan.' Fleischer hield zijn hoofd scheef en keek hem medelijdend aan. 'Ik koos Bernhards eigen zoon, aan wie hij meer was gehecht dan aan wie dan ook. Het ging allemaal zo makkelijk. Sven verweerde zich nauwelijks toen ik hem in de achterbak duwde. Toen bracht ik hem hierheen en sloot hem op. Hier, in deze ruimte. Daarna reed ik naar de telefooncel in Kössingen en belde Bernhard op. Zoals verwacht ging hij meteen op weg.' Hij zuchtte diep. 'Geloof me, het had allemaal goed af kunnen lopen. Bernhard zou met me hebben gepraat en ik zou hem hebben kunnen overreden me niet te verraden. Ja, dat weet ik zeker. Sven was toch alleen een middel, met de bedoeling dat hij naar me zou luisteren. Ik bezweer dat het niet mijn schuld was wat er toen gebeurde. Het was het lot. Bernhard reed veel te hard. Hij had zijn dood aan zichzelf te wijten. Toen ik hem vond, was hij al bijna dood. Dus nam ik het dossier en bleef ik tijdens zijn laatste ogenblikken bij hem.'

'U was bij hem terwijl hij stierf? Waarom hebt u geen hulp gehaald?'

'Omdat hij al zo goed als dood was toen ik hem vond. Dat is de waarheid, Jan. Had ik hem dan in zijn eentje moeten laten creperen? Ondanks alles was hij toch mijn vriend.'

'Uw vriend?' riep Jan. 'Hypocriete schoft! U heeft mijn vader laten verrekken en mijn broer vermoord en u beweert dat hij uw vriend was?'

'Ik wilde niet dat Sven dood ging. Dat moet je van me aannemen, Jan. Maar wat had ik anders moeten doen? Ik moest hem laten waar hij was. Het bos en de hele omgeving zaten vol spoorzoekers. Dus besloot ik God te laten oordelen. Als ze hem vonden, zou ik mezelf aangeven. Echt, ik zou alles hebben bekend.' Als een aanklager stak Fleischer zijn vinger op. 'Het was een godsoordeel. Het was God, die Sven dood wilde hebben, niet ik. Alfred Wagner hoorde hem gillen. Ze hadden hem kunnen redden als ze Alfred hadden geloofd. Maar wie gelooft er nou een paranoïde schizofreen?'

'U heeft een jongen van zes aan zijn lot overgelaten?'

Fleischer knikte. 'Ik had geen andere keus meer, Jan'

Jan deed zijn ogen dicht. 'Hoe lang?'

'Hij is doodgevroren, Jan,' zei Fleischer met zachte stem. 'Zoals je je zult herinneren was het die winter erg koud. Het is alsof je inslaapt en nooit meer wakker wordt. Je bent arts, Jan, je zou toch moeten weten, dat...'

'Ik wil weten hoe lang!'

Fleischer zuchtte diep en haalde toen zijn schouders op. 'Een week.'

'Een week,' herhaalde Jan toonloos.

Fleischer stond op en stak zijn linkerhand in zijn broekzak, terwijl hij met zijn andere hand het pistool op Jans hoofd richtte. 'We hadden allemaal tevreden kunnen zijn, Jan. Toen ik van je inzinking hoorde, wilde ik alles goedmaken. Ik heb je een eerlijke kans gegeven om opnieuw te beginnen. Je bent toch mijn zoon. Ik wilde niet dat je leed. En wie weet, misschien had ik dan zelf ook verlossing gevonden. Maar nee, je moest zo nodig in het verleden wroeten. Jij en je vriendin. Jullie hebben je door Marenburg laten opstoken. Ik moest die ouwe gek een lesje leren. Voor eens en voor al.'

Jan keek Fleischer in de ogen. Alle angst was nu uit hem geweken. Hij werd alleen nog maar vervuld van een enkel gevoel: diepe haat.

'Ik heb in mijn leven veel psychopaten ontmoet,' zei hij, 'Maar u bent de walgelijkste van allemaal.'

'Ik een psychopaat?' Fleischer klonk bijna vrolijk. 'Is het je eigenlijk wel duidelijk wat je hebt aangericht? Marenburg, jij en je vriendin. Rauh, Liebwerk en dat snolletje zijn alleen maar gestorven door jullie toedoen. Hun dood komt voor jullie rekening. Dat kun je niet zo een-twee-drie onder tafel vegen, Jan. Nu niet meer. Daar moet je voor betalen. We moeten allemaal onze schulden afdoen. Ja, vandaag is het betaaldag.'

Hij haalde Rauhs aansteker uit zijn zak en hield hem zo vast dat Jan hem kon zien. De gegraveerde c flikkerde in het licht van de gloeilamp als een buitenaards symbool.

'Nog zo'n kleine ironie van het leven,' zei hij, en hij tikte met de loop van het pistool tegen de aansteker. 'Norberts vrouw heette ook Carmen, al had ze die naam volstrekt niet verdiend. En nu we het toch hebben over ironie: weet je eigenlijk hoe ik wist dat jullie hier waren?'

Jan voelde het meteen aan. 'Konni!'

'Ja, Konni is een goeie kerel,' knikte Fleischer. 'Heel gehoorzaam. Toen ik hem zei dat hij de politie niet hoefde te waarschuwen, deed hij meteen wat ik zei, zonder tegensputteren.'

Nog steeds met zijn blik op het pistool gericht spande Jan zijn spieren. 'En wat bent u nu van plan?'

'Zoals ik al zei, Jan.' Fleischer deed de aansteker aan en er kwam een dunne vlam uit. 'Vandaag is de grote dag. Tijd om de sporen van het verleden definitief uit te wissen. Rauh heeft voor zijn verraad betaald en ook Rudolf Marenburg zal binnenkort voor altijd zwijgen. Ik denk dat ik het op een beroerte zal laten lijken. Maar eerst zal ik je vriendin van haar schuld verlossen.'

'Daar kom je niet mee weg!'

Jan wierp een snelle blik op de deur. Te ver weg. Eer hij die bereikt zou hebben, had Fleischer hem al neergeschoten.

'Maak je daarover maar geen zorgen, jongen,' zei Fleischer. 'Vind eindelijk rust. De tijd van obsessies is voor jou voorbij.'

Fleischer boog zich met de aansteker voorover naar het blik. Jan wist dat hij alles op alles moest zetten. Tot nu toe had hij uiterst slechte kaarten gehad. Fleischer had het pistool – een p38, waarvan de parabellum-kogels verwoestende schade konden aanrichten, zoals de dode Norbert Rauh aanschouwelijk maakte.

Alles wat Jan er tegenover kon zetten was de moed der wanhoop.

Fleischer raakte de reep stof met de aansteker. Met een sissend *woemp!* vatte het overblijfsel van Rauhs T-shirt vlam. Jan gooide zichzelf opzij, juist op het moment dat Fleischer weer overeind kwam en het wapen op hem richtte.

Het maakte een akelig smakkend geluid toen Jan met zijn schouder landde in de plas bloed. Met een enkele beweging schopte hij met al zijn kracht achter zich en zette hij een kettingreactie in gang. Zijn schop raakte Norbert Rauhs levenloze rechterbeen, zodat de dode als bij een saluut met de hakken klapte. Door de kracht van de botsing slingerde Rauhs linkerbeen opzij tegen het blik diesel, dat in de richting van Raimund Fleischer omkieperde en zijn brandende inhoud over Fleischers kuiten goot.

De professor stootte een felle kreet uit, waarin zich verrassing, woede en pijn mengden. Op hetzelfde ogenblik loste hij een schot.

Jan voelde de tocht aan zijn slaap en had het gevoel alsof hij een klap kreeg. Zijn kuit was geraakt door de teruggekaatste kogel. Jan rolde zich op om een volgend schot te ontwijken.

Toen zag hij Fleischer, die zich ook op de grond wierp en probeerde zijn brandende broekspijpen te doven. Schreeuwend rolde hij heen en weer, sloeg met zijn handen naar zijn benen en haalde ze door de plas met Norbert Rauhs half geronnen bloed.

Jan kreeg de geur van gloeiend koper in zijn neus. Hij zag het pistool dat nu bijna drie meter bij Fleischer vandaan lag. De brandende inhoud van het blik was al een eind die kant op gekropen en scheidde Fleischer van het wapen door een muur van vuur.

Jan sprong op. Hij was bijna weer in zijn volle lengte onderuitgegaan – hij voelde een witgloeiende steek in zijn kuit – maar hij herstelde zich, sprong naar voren en greep het pistool nóg voor de vlammen hem voor konden zijn en rende hinkend naar de deur.

Uit een ooghoek zag hij Fleischer, die ook was opgesprongen en brullend achter hem aan kwam. Toen Jan de gang bereikte, zag hij nog even het van pijn en peilloze woede vertrokken gezicht van de professor. Toen was hij door de deur en sloeg die dicht.

Fleischer duwde met al zijn kracht tegen de deur en Jan had grote moeite zich staande te houden tegen de stormloop, terwijl hij met één hand naar het dikke hangslot viste dat een paar centimeter van zijn vingertoppen op de grond lag.

Het lukte Fleischer de deur op een kier open te duwen en zijn vingers om de deur heen te leggen.

Toen Jan dat zag, liet hij de deur even los om zich er vervolgens met al zijn kracht tegenaan te gooien. Brullend trok Fleischer zijn hand terug. Van de andere kant van de deur was een huiveringwekkend geschreeuw te horen dat meer van een roofdier dan van een mens afkomstig leek.

Jan pakte het slot van de vloer, schoof het door de twee ringen en klikte het dicht. Hijgend leunde hij tegen de deur en keek de gang in. De gloeilampen waren weer begonnen te flikkeren en waarschijnlijk zou het aggregaat binnen een paar minuten de geest geven. Maar dat deed er nu niet meer toe. Over een paar minuten zou de bunker er niet meer zijn. Zodra de vlammen de munitiekisten bereikten.

Ik moet hier weg!

Begeleid door Fleischers hevige gebonk tegen de stalen deur hinkte Jan naar de uitgang. Maar al na twee stappen stopte hij en keek nog een keer om.

Fleischer brulde nu niet meer. Hij huilde, gilde, smeekte om zijn leven. Hevig ademend keek Jan naar de deur, hoorde hij de vuistslagen en het smeken van de professor.

'Alsjeblieft, Jan!' jammerde Fleischers stem door het metaal. 'Laat me eruit! Anders zul je nooit weten waar ik Sven begraven heb.'

Radeloos keek Jan naar de deur.

63

Hij greep het pistool steviger vast. Ineens was hij alle lichamelijke pijn vergeten – de opengescheurde plek op zijn achterhoofd, zijn geblutste schouder en de schotwond in zijn kuit. Zijn lichaam leek verdoofd.

In plaats daarvan vlamde er een andere pijn in hem op. Zo vertrouwd als een oude reisgenoot. Een pijn als een ijzeren greep die zich om zijn hart en ingewanden sloot en die fijnkneep. Norbert Rauh had het een obsessie genoemd en daarmee de spijker op de kop geslagen.

'Jan! Alsjeblieft, Jan!'

Fleischers huilerige stem klonk in Jans hersenen alsof de hele bunker ervan weergalmde. 'Jan! Ben je...' Gehoest. 'Ben je daar nog?'

Jan wist niet hoeveel tijd er voorbij was gegaan. Hij had het gevoel, naar zichzelf te kijken als in slowmotion terwijl hij naar de deur liep, de sleutel in het hangslot omdraaide en het weer uit de ogen haalde.

Toen hij de deur opendeed, wankelde de professor hem uit een inferno tegemoet. Hij hijgde en spoog. Zijn haar en zijn kleren waren verzengd en zijn gezicht was zwart van de roet.

Jan pakte Fleischer bij zijn kraag en sleepte hem met zich mee. Ze waren halverwege de gang toen de eerste patronen in de hitte begonnen te ontploffen. Het luide *rattattatta* klonk net als rotjes die kinderen met oudjaar op straat gooien.

Hinkend liepen de beide mannen naar de uitgang, kwamen ten slotte in de voorruimte en bij de ladder die naar het openstaande luik leidde. Moeizaam, tree voor tree klom Jan langs de metalen sporten omhoog. Fleischer kwam vlak achter hem aan. Onder hen schudde de grond door een eerste zware ontploffing, toen door een tweede.

'Sneller,' brulde Fleischer.

Nauwelijks waren ze weer boven de grond of ze renden er vandoor. Ze waren nog maar een paar meter ver, toen de grond schudde door een geweldige schokgolf en ze omver werden geworpen.

Een oorverdovende donderslag verscheurde de lucht. Aarde spoot op, hout en stenen sloegen rondom hen in en Jan dacht: *Het is zover. Nu ga ik dood. Bedolven onder de brokstukken van de bunker.*

Een paar meter bij hem vandaan opende zich de grond, vlammen schoten daverend uit een muil van beton en stalen vlechtwerk om zich dan met een laatste gesis terug te trekken in de helse diepte.

Toen was het voorbij.

Jan hoestte en keek om zich heen. Het bos zag eruit alsof het door bulldozers was doorploegd. Bomen lagen als reusachtige mikadostokjes over elkaar. Kruitdamp dreef over de gesmolten sneeuw.

Een paar meter verderop hoorde Jan het hijgen en hoesten van de professor. Op handen en knieën kroop hij bij Jan vandaan en hees zichzelf omhoog aan een omgevallen den. Naar het scheen had Fleischer geen ernstige verwondingen aan de explosie overgehouden.

Jan keek naar het pistool dat hij nog steeds vasthield. Met zijn andere hand betastte hij zichzelf. Geen nieuw bloed. Hij leek verder ongedeerd. Toen stond hij op.

Wankelend stonden de mannen tegenover elkaar. Witte wolkjes adem kwamen uit hun mond. Om hen heen was het doodstil. Zelfs de kraaien hielden zich stil.

Jan tilde het pistool op en richtte het op Fleischers voorhoofd. 'Is Sven hier in het bos?'

Fleischer stootte een kokhalzend geluid uit en knikte.

'Vooruit, wijs aan!' Jan wenkte met het pistool.

Hoestend strompelde Fleischer weg. Jan liet hem een paar stappen vooropgaan en liep toen achter hem aan. Ze liepen in de richting van de heuvelgraven tot Fleischer opeens bleef staan.

'Hier,' hijgde hij. 'Hier is het.'

Ontsteld keek Jan naar de gladde stam van de beuk, naar de paddenstoelen die de vorm van verkrampte handen hadden – klauwhanden, zoals Alfred Wagner ze had genoemd – en naar het ingelijste Mariaportret, dat in de loop der jaren met de stam was vergroeid.

'Carmens bidprentje,' zei Fleischer met een schorre stem en toen wees hij tussen twee dikke boomwortels die onder de afbeelding in de grond verdwenen. 'Hier ligt hij. Zodat ze hem niet meer zouden vinden heb ik hem met...' Hij werd weer door een nieuwe hoestbui overvallen, voor hij verder kon praten. 'Calciumoxide,' kuchte hij. 'Ongebluste kalk. Ik denk niet... dat er nog iets van zijn lichaam over is.'

'En zijn onderbroekje?' vroeg Jan, die zich erover verbaasde dat hij dat woord nu zonder emoties kon uitspreken.

'Dat... heb ik pas na zijn dood uitgetrokken,' zei Fleischer. 'Ik heb een eindje rondgereden en het uit het raam gegooid.'

Nu Jan alles wist wat hij wilde weten, voelde Jan... niets. Geen verdriet, geen verlichting. Een leegte als een afgrond opende zich in zijn binnenste, een groot zwart niets.

Moet ik er dan helemaal niets bij voelen? schoot hem door zijn hoofd. *Heb ik dan al die jaren vergeefs naar de waarheid gezocht?*

Dat komt nog, hoorde hij een stem binnen in hem zeggen. De stem klonk als die van Norbert Rauh, zoals hij op zijn houten stoel in zijn behandelkamer met de fluweelrode muren zat en met zijn patiënten praatte. *Je bent in shock, Jan. Wacht nog een tijdje, dan zul je vanzelf iets voelen. Misschien zelfs wel meer dan je lief is.*

Het ver verwijderde huilen van sirenes bracht Jan terug in het heden. Naar het scheen hadden ze de ontploffing ook in Fahlenberg en Kössingen gehoord en de rookkolom ontdekt die uit het bos opsteeg.

Fleischer stond er gebogen bij, met zijn handen op zijn knieën. Hij keek Jan aan en grijnsde.

'Weet je wat nu zo grappig is?' kraste hij, en hij hoestte weer.

'Nee, zeg het maar,' antwoordde Jan met een eentonige stem. Fleischer veegde met zijn vuile handen over zijn gezicht. 'Je weet de waarheid, maar je kunt er niets mee. Je kunt niets tegen me beginnen. Ik kan alles weerleggen. En wie zullen ze eerder geloven: een gerenommeerde hoogleraar in de psychiatrie of een jonge heethoofd die snel zijn zelfbeheersing verliest en met geweld tegen patiënten tekeergaat?'

Fleischer lachte schor. Maar hij zweeg op slag, toen Jan het pistool tegen zijn slaap hield.

'Je bent iets vergeten,' zei Jan met een stem die hem zelf vreemd voorkwam. Of was het zijn werkelijke stem, die zich vele jaren lang diep vanbinnen verborgen had gehouden en op dit ogenblik had gewacht? 'Misschien wil ik je helemaal niet uitleveren aan de politie. Misschien wil ik je wel helemaal voor mezelf houden. Op je knieën!'

'Doe dat niet,' steunde de professor. 'Doe dat jezelf niet aan, jongen!'

'Op je knieën!'

Fleischer knielde neer. Van angst groef hij met zijn handen in de met naalden, mos en muffe stukken schors bedekte bosgrond.

Verbaasd stelde Jan vast hoe de innerlijke leegte nu door een gevoel werd gevuld. Een bedwelmend gevoel. Hij voelde de macht die hij over de moordenaar had. Dit was het grote ogenblik. Jan voelde het zware wapen in zijn hand. Hij haalde diep adem.

'Nee,' hijgde Fleischer en hij stootte heftig een reeks witte wolkjes adem uit. 'Alsjeblieft, niet doen. We kunnen er nog met zijn tweeën...'

'Stil!' riep Jan hem toe en de professor zweeg meteen. 'Je hebt je vergist, professor. Ik heb nu de touwtjes in handen. Het stelt niet bijzonder veel voor, maar het is genoeg om eindelijk een streep onder het hele verhaal te zetten.'

Een tijdje keek Jan op Fleischer neer, die hijgend voor hem knielde en op het schot wachtte. Hij genoot van het ogenblik waarop hij al die jaren had gewacht. Toen stak hij zijn linkerhand in zijn jaszak, haalde het dictafoontje tevoorschijn en hield het de professor voor ogen.

'Je had beneden in de bunker moeten nagaan waarom ik mijn hand in mijn zak stopte.'

Jan drukte op de stoptoets en Fleischer kromp ineen alsof hij een schot had gelost.

64

Het was de vreemdste begrafenis die Hans Auer ooit had meegemaakt. Hij was nu bijna vijfenveertig jaar doodgraver op het kerkhof van Fahlenberg en had al een paar eigenaardige dingen meegemaakt – tot en met een dode die vanwege de voortschrijdende verrotting in zijn kist winden leek te laten en de pastoor bij zijn grafrede van zijn stuk bracht. Maar de bijzetting van Sven Forstner zou hij zich ook zo herinneren.

Niet alleen omdat er in het kinderkistje geen stoffelijk overschot, maar alleen een paar schepjes bosgrond lagen – ook de vier rouwenden waren uitermate zonderling. Daar had je bijvoorbeeld Hubert Amstner, die Auer jarenlang alleen bij nacht had gezien. Of de dikke Kröger, die Auer alleen maar kende van foto's uit de politierubriek van de *Fahlenburger Bote*.

Maar hij was vooral verbaasd door de aanwezigheid van Svens oudere broer Jan en de vrouw die hem vergezelde. Jan liep op krukken en de vrouw en hij hadden allebei hun hoofd in het verband, alsof ze waren afgevaardigd door een revalidatiecentrum.

De oude grafdelver schudde zijn hoofd. Zoals altijd stond hij een eindje bij het graf vandaan. Leunend op zijn kleine graafmachine rookte hij een sjekkie, luisterde met een half oor naar de pastoor en wachtte tot de rouwenden wegliepen van het graf en hij in actie mocht komen.

Ja, het leven is een vreemde zaak, dacht hij, en hij knipoogde tegen de heldere blauwe hemel. Iedere dag bracht weer iets nieuws. Het leven was als deze heldere blauwe hemel. Je kon nooit weten wanneer hij weer donkerder werd en sneeuw liet vallen. Dus was het slimmer om van elk mooi moment te genieten, want morgen kon het alweer te laat zijn. En wie wist dat nu beter dan de doodgraver?

Toen de pastoor en de misdienaren weg waren, bleef Jan nog een tijdje naar de kist van Sven in het graf staan kijken.

Misschien ligt zijn as daar nu in, dacht hij. *Misschien ook niet. Misschien heeft Fleischer gelogen.*

Vroeger zouden zulke gedachten hem niet met rust hebben gelaten, nu deden ze er niet meer toe. Het speelde geen rol meer of Svens stoffelijke resten in de kist lagen of niet. Het was voorbij.

Jan tilde zijn hoofd op en liet de stilte van het kerkhof op zich inwerken. Zelfs het verkeer op de snelweg leek een ogenblik te zwijgen. Geen zuchtje bewoog in de takken. Het was een stilte die Jan geen pijn meer deed. Het was een vredige stilte. Voor het eerst.

'Wil je nog even blijven?' vroeg Carla zacht en raakte zijn hand even aan.

Jan schudde zijn hoofd. Ze draaiden zich om en liepen langzaam naar de uitgang, waar Hubert Amstner en hoofdinspecteur Kröger als een vreemd paar naast elkaar stonden en naar hem knikten.

'Zal ik u naar uw hotel brengen?' vroeg Kröger.

'Nee, dank u,' zei Jan. 'Ik ga liever een eindje lopen.'

Kröger keek even naar Jans krukken en haalde toen zijn schouders op. 'Zoals u wilt. Als ik nog inlichtingen van u nodig heb, hoort u wel van me.'

'Dat is prima. U hebt mijn nummer.'

'En u?' vroeg Kröger aan Carla. 'Terug naar de kliniek?'

'Geen kwestie van,' antwoordde ze. 'Ik heb mijn buik vol van klinieken.'

'Dat begrijp ik.' Kröger knikte hen nog eens toe en schommelde toen op zijn gemak naar zijn politieauto.

Jan wendde zich tot Hubert Amstner. 'Dank u wel dat u bent gekomen.'

'Vanzelfsprekend,' antwoordde Amstner. Jan meende een uitdrukking van diepe opluchting in zijn ogen te zien. Ook voor hem leek een naar hoofdstuk van zijn leven voor eens en voor al afgesloten te zijn.

'Het beste dan maar,' zei Amstner, en hij knikte naar Carla. 'Jullie allebei.'

En toen ging hij ook weg. Hij nam het pad over het kerkhof en verdween even later tussen de grafstenen.

'Aardige man,' zei Carla. 'Zou je niet denken.'

Jan knikte. 'Zo zie je maar, hoe je je in de mensen kunt vergissen.'

'Hopelijk begrijpen ze dat hier in Fahlenberg ook eens een keer. Ik gun het hem in elk geval van harte.'

Ze liepen samen naar de bushalte. Carla keek Jan aan. 'Wat gaan ze met Fleischer doen?'

'Ik denk dat ze hem opsluiten in een gerechtelijke inrichting voor geestelijk gestoorde delinquenten,' antwoordde Jan. 'En daar hoort hij thuis, volgens mij.'

'En jij? Blijf je in Fahlenberg?'

'Dat weet ik nog niet.' Jan dacht dat hij iets weemoedigs in haar blik zag. 'Ik ga nu eerst maar eens terug naar mijn hotel. Honderd jaar slapen. En dan ga ik Rudi opzoeken in het ziekenhuis. En dan zien we wel weer verder.'

'O,' zei Carla, 'Dat was ik helemaal vergeten. Je krijgt de groeten van hem.'

'Van Rudi? Hoe is het met hem?'

'Nou ja, het gaat niet best met hem.' Ze haalde haar schouders op. 'Maar hij is een taaie. Als hij uit het ziekenhuis kwam, zei hij, moest je hem bier komen brengen, anders werd hij gek.'

Jan gnuifde. Zijn oude vriend was zonder twijfel aan de beterende hand. Toen ze bij de bushalte kwamen, draaide Carla zich naar hem om.

'Hé... die hotelkamer...'

'Ja?'

Ze fronste haar voorhoofd. 'Is dat een eenpersoonskamer?'

'Nee, tweepersoons. Ze hebben geen eenpersoonskamers.'

'Honderd jaar slapen, zei je?'

'Minstens.'

Carla wiegde haar hoofd heen en weer. 'Klinkt aantrekkelijk. De bus stopt trouwens pal voor de deur.'

'Nou, dan moesten we maar samen reizen.'

Voor ze in de bus stapten, keek Jan nog eens naar de heldere winterhemel boven hem.

Die zag er vredig uit. Diepblauw. En nog steeds vervuld van die weldadige stilte.